國學經典故事
趙國　魏國卷

萬安培　主編

《國學經典故事》
編輯委員會

序言

中華優秀傳統文化傳承需要國學傳播方式的現代表達

今天我們所說的「國學經典」，包括經、史、子、集等，範圍是非常廣泛的。廣義的「國學經典」，包括一些著名的蒙學讀物、詩詞曲賦、志怪小說、世情小說、歷史演義等。這些著作，不少是經過時間淘漉和歷史沉澱的文化精品，是傳統文化的精華。由優秀傳統文化結晶形成的文化寶庫，不僅是中華民族屹立於世界民族之林的獨特標識，也是今天實現偉大復興強國夢取之不盡、用之不竭的智慧之源。

中華優秀傳統文化或者說國學經典的傳承，不應該只是文史領域少數專家學者的孤芳自賞，至少應包括兩個主要的內容。一是各級領導幹部要帶頭學國學，以學益智、以學修身、學以致用、身體力行；二是要培養全民族特別是青少年研習國學經典的興趣，藉助於誦讀經典，提高全民族的國學素養，激發青少年熱愛中華文化的拳拳之心和殷殷之情。

近年來，由於黨和國家的高度重視，一股學國學、講國學，注重吸取優秀傳統文化滋養的良好風尚正在形成。不過，就整體而言，國學經典的普及與推廣還面臨不少障礙：一是一些人墨守過去大批判的思路，對中國傳統文化採取一概排斥、一棍子打死的態度；二是大眾古文和傳統文化基礎知識薄弱；三是網路時代速食文化盛行，大量擠佔公眾閱讀的空間與時間。

對待歷史虛無主義，最好的辦法是讓人們通過閱讀國學經典，從中汲取和提煉修身處世、治國理政的智慧，養浩然之氣，塑高尚人格，不斷提高人文素養和精神境界。面對國學基礎薄弱和速食文化盛行的挑戰，則必須考慮在經典傳播表達方式上大膽突破創新。

研讀國學經典是一種高含金量的文化閱讀，除需要一定的古文功底，還需涉獵大量的歷史典故知識。要營造全民學國學、講國學的文化氛圍，就必須在國學經典的大眾化、通俗化和趣味性方面做文章。這方面，先秦諸子百家早已為我們樹立了榜樣。他們在表達自己的政治觀點和學術主張時，從來不是長篇大論和空洞說教，而是巧借通俗生動的寓言故事，來闡發修身齊家治國平天下的大智慧。面對網路時代閱讀形態、閱讀人群和閱讀終端的新變化，國學經典的傳播不能沿襲傳統的表達和傳播方式，必須在創新上狠下功夫。習近平總書記提出要「推動中華優秀傳統文化創造性轉化、創新性發展」。我以為，傳統文化創造性轉化和創新性發展的一個重要方面，就是國學傳播方式的現代表達。中央電視臺《中國詩詞大會》節目大獲成功就是一個重要例證。

以往的國學經典傳播，大多是「原文＋註解＋翻譯＋點評」的模式。一些研究性著述引經據典，章節繁複，不厭其詳，未能考慮網路時代「90後」「00後」讀者的感受。與傳統的國學經典表達和傳播方式相比，萬安培先生主編的這套《國學經典故事》，至少具有以下三個特點：

第一是短小精悍，通俗易懂。從國學經典中選取情節精彩的篇章，以短小精悍的故事形式呈現，既保留了國學精華，又便於閱讀記憶，還可進一步培養讀者閱讀經典原著的興趣。

第二是系統全面。這套叢書上起先秦，下迄清末，含括了中國上下數千年主要國學經典著作，計劃收錄故事兩萬個以上。從目前已完成的春秋戰國卷約兩千八百個故事來看，這應該是一個較大的系統工程。《國學經典故事》的出版問世，將是國學經典普及的大事和幸事。

第三是生動活潑，寓教於樂。《國學經典故事》致力於發掘國學經典中膾炙人口、發人深省的內容，以講故事的形式傳播國學，實施倫理道德教化，受眾面更寬，能充分發揮優秀傳統文化滋養社會主義核心價值觀的功能。以往一說起國學經典，人們很自然聯想到枯燥的「之乎者也」，現在改為輕鬆快樂講故事，各個年齡層次和文化結構的人應該都會喜聞樂見。

二〇一七年一月二十五日，中共中央辦公廳和國務院辦公廳聯合印發了《關於實施中華優秀傳統文化傳承發展工程的意見》，其中特別提到要深入闡發中華優秀文化精髓，創新表達方式，編纂出版系列文化經典，綜合運用大眾傳播、群體傳播、人際傳播等方式，構建全方位、多層次、寬領域的中華文化傳播格局，推動中外文化交流，助推中華優秀傳統文化的國際傳播。萬安培先生策劃推出的《國學經典故事》系列，與該意見精神高度吻合。目前他們正策劃將國學經典故事精華譯成外文出版，爭取將其作為中外文化交流的禮品書，期待國學經典像《格林童話》《安徒生童話》《伊索寓言》一樣傳遍世界，造福全人類。相信廣大讀者對這類助推中華優秀傳統文化國際傳播的嘗試和努力，一定會給予充分肯定和大力支持。

萬安培先生是經濟學專業博士，長期在金融部門工作，但他醉心文史，嘗試國學經典傳播方式的現代表達。二〇一六年四月他推出「楚楚動人網」微信公眾號，每天發表以國學經典故事為背景的短論，很受讀者歡迎。作為企業界人士，能在繁忙的工作之餘堅持國學研究，專注於經典傳播，其精神令人感動，而他這種創新的國學經典傳播方式也值得稱許，這也是我很樂意為叢書作序的原因所在。衷心希望這套叢書能得到社會各界人士的喜愛，達到編纂者所希望的效果。

是為序。

郭齊勇

二〇一八年二月二十三日

目錄

◈ 魏國卷 181

◈ 附　中山國卷

趙國卷

趙國由趙、魏、韓三家分晉而來，為戰國七雄之一，侯爵。趙國國君為黃帝五世孫伯益（大費）之後，與秦王族本是同一祖先。趙氏在晉國的崛起緣於趙衰事晉獻公之子重耳。其子趙盾一度權傾朝野。趙盾死後，趙氏慘遭滅族，孤兒趙武於悼公時再度崛起。趙襄子毋恤為趙國開國之君。從趙襄子於西元前四五七年立國至西元前二二八年趙幽繆王趙遷為秦國所滅，趙國共歷十三君、兩百二十九年。疆土包括今河北省南部、山西省中部和陝西省東北隅，先後以晉陽（今山西太原）、中牟（今河南鶴壁）、邯鄲（今河北邯鄲邯山區）為國都。趙武靈王倡行胡服騎射意義重大。平原君趙勝、馬服君趙奢、信平君廉頗、武安君李牧、思想家荀子、慎到、公孫龍，以及紙上談兵的趙括、完璧歸趙的藺相如、毛遂自薦的毛遂、救趙氏孤兒的程嬰等令人印象深刻。

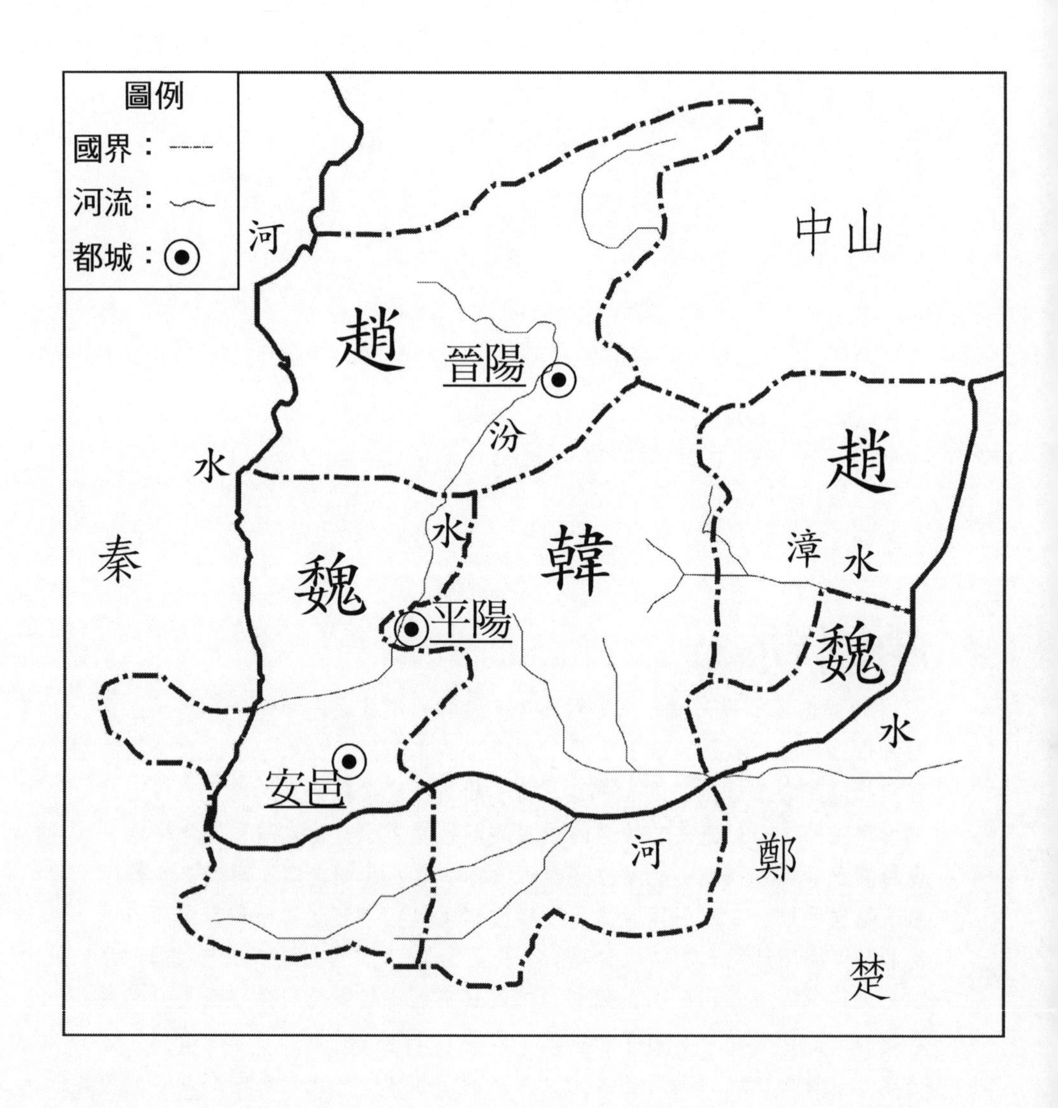
圖例
國界：
河流：
都城：
河
水
中山
趙
晉陽
汾
水
秦
魏
韓
平陽
趙
漳
水
魏
水
安邑
河
鄭
楚

一日千里

造父得寵於周穆王。被封為御馬官，專管天子的車輿。造父遊潼關得到六匹駿馬，如果獻給周穆王的話，還差兩匹。於是決定親自入桃林尋找良馬，補足八匹後送給穆王。桃林廣闊三百里，樹木參天，遮天蔽日，捕獲千里良駒非常困難。造父在桃林中風餐露宿，入蛇蟠之川，闖虎穴之溝，終於獲得兩匹良馬，一併獻給天子。周穆王很高興，立即換新車輿，讓造父驅車到西方巡視，會見西王母，快樂得忘記返朝。不久，徐偃王發動叛亂，造父為穆王駕車，長驅疾馳，一日千里，趕回周地平定了叛亂。於是穆王把趙城賜給造父。[1]

【出處】

皋狼生衡父，衡父生造父。造父以善御幸於周繆王，得驥、溫驪、驊騮、騄耳之駟，西巡狩，樂而忘歸。徐偃王作亂，造父為繆王御，長驅歸周，一日千里以救亂。繆王以趙城封造父，造父族由此為趙氏。（《史記》〈秦本紀〉）

趙衰事主

趙衰為侍奉晉獻公和幾位公子占卜，開始的結果都不吉利。占卜到侍奉公子重耳時，結果顯示為吉利，於是去侍奉重耳。重耳由於驪

1. 天子車為二乘，一乘馬四匹。

姬之亂與趙衰等人逃亡到翟地。翟人討伐廧咎如，得到兩位美女。翟君把年少的女子嫁給重耳為妻，年長的女子嫁給趙衰為妻，生下趙盾。當初，重耳在晉國的時候，趙衰的元配妻子已生了趙同、趙括、趙嬰齊。趙衰跟隨重耳在外逃亡，共計十九年才返回晉國。重耳做了國君後，任命趙衰為原大夫，住在原城，主持國家政事。

【出處】

趙衰卜事晉獻公及諸公子，莫吉；卜事公子重耳，吉，即事重耳。重耳以驪姬之亂亡奔翟，趙衰從。翟伐廧咎如，得二女，翟以其少女妻重耳，長女妻趙衰而生盾。初，重耳在晉時，趙衰妻亦生趙同、趙括、趙嬰齊。趙衰從重耳出亡，凡十九年，得反國。重耳為晉文公，趙衰為原大夫，居原，任國政。（《史記》〈趙世家〉）

以叔隗為內子

晉文公把女兒趙姬嫁給趙衰，生下原同、屏括、摟嬰三子。趙姬讓趙衰接回趙盾和他母親叔隗。趙衰辭謝說：「蒙主公賜婚，不敢再想念翟女了。」趙姬說：「這是世俗無德的話，不是我想聽的。我雖然身分高貴，但叔隗是原配，並且已生了孩子。您若得到新寵而忘記舊好，以後還怎麼使用別人？一定要把她們接回來。」趙姬請文公向趙衰施壓，趙衰才同意。叔隗和趙盾回來以後，趙姬認為趙盾有才，堅決向趙衰請求，把趙盾作為嫡子，而讓她自已生的三個兒子居於趙盾之下，讓叔隗為正妻。

【出處】

文公妻趙衰，生原同、屏括、摟嬰。趙姬請逆盾與其母，子余辭。姬曰：「得寵而忘舊，何以使人？必逆之！」固請，許之，來，以盾為才，固請於公以為嫡子，而使其三子下之，以叔隗為內子而已下之。（《左傳》〈僖公二十四年〉）

餒而弗食

原國投降後，晉文公把原伯貫遷到冀地。文公問寺人勃鞮說：「誰是鎮守原地最合適的人選？」勃鞮回答說：「以前趙衰用壺盛著稀飯跟隨您，結果掉隊了，一個人走在小道上，饑餓難忍也捨不得吃，您曾經問他：『你不餓嗎？為什麼不吃呢？』他回答說：『臣雖然饑餓，又豈敢背君而食！』」於是晉文公讓趙衰作原地的地方官。

【出處】

退一舍而原降。遷原伯貫於冀。趙衰為原大夫，狐溱為溫大夫。晉侯問原守於寺人勃鞮，對曰：「昔趙衰以壺飧食從徑，餒而弗食。」故使處原。（《左傳》〈僖公二十五年〉）

夏日之日

趙宣子派賈季去潞國責備酆舒。酆舒問賈季說：「你認為趙衰、趙盾父子哪一個更賢明一些？」賈季回答說：「趙衰是冬天的太陽，趙盾是夏天的太陽。」

【出處】

狄侵我西鄙，公使告於晉。趙宣子使因賈季問酆舒。且讓之。酆舒問於賈季曰：「趙衰、趙盾孰賢？」對曰：「趙衰，冬日之日也。趙盾，夏日之日也。」（《左傳》〈文公七年〉）

社稷之鎮

晉靈公暴虐無道，趙盾多次勸諫，靈公因此很厭煩他，派力士鉏麑去暗殺他。清晨，銅鉏麑前往趙府，潛入院內，看見臥室的門已經打開，趙盾把朝服穿得整整齊齊，正準備上朝。因為時間還早，就坐在椅子上閉目養神。鉏麑悄悄退後，在心裡感嘆：「趙盾真是敬業啊！恭敬守職的人，是國家的棟梁。殺害國家的棟梁就是不忠，接受國君的命令而不執行就是失信。要承擔不忠、不信兩個罪名中的一個，還不如一死了之。」於是自己撞死在院子裡的槐樹上。

【出處】

靈公虐，趙宣子驟諫，公患之，使鉏麑賊之，晨往，則寢門辟矣，盛服將朝，早而假寐。麑退，嘆而言曰：「趙孟敬哉！夫不忘恭敬，社稷之鎮也。賊國之鎮不忠，受命而廢之不信，享一名於此，不如死。」觸庭之槐而死。（《國語》〈晉語五〉）

形於內者應於外

趙盾去絳城的路上，看見桑蔭下躺著一個人，餓得不能動彈。趙盾讓車子停住，下車給那人飯吃，自己用口含著飯餵他。那挨餓的人嚥了幾口飯，然後才能自己進食。趙盾問他說：「你為什麼餓成這個樣子？」那人回答說：「我住在絳城，歸途中斷了乾糧，不好意思向人乞討，又厭惡自己去找東西吃，因此成了這樣。」趙盾給了他一壺水泡飯和兩塊乾肉，那人拜了兩拜，在地上叩頭接受了食物，卻不敢再吃。趙盾問他為什麼不吃，那人回答說：「剛才吃這東西味道很不錯，我家中還有年邁的母親，想要帶回去獻給她。」趙盾說；「你就吃吧，我另外再給你。」於是又給那人裝了一籃飯食，還給了兩小捆乾肉和一百文錢，然後前往絳城。過了三年，晉靈公想要殺死趙盾，在房中安排了暗藏的武士，然後召見趙盾並與他飲酒。趙盾覺察到陰謀，飲酒中途藉故外出。晉靈公命令房中武士追殺他。有一個武士追得最快，首先趕上趙盾，看見趙盾的面容，驚異地說：「啊，原來是您啊！請讓我為您返回去戰死。」趙盾問道：「你叫什麼名字？」那武士邊往回跑邊回答說：「要知道名字幹什麼？我就是桑蔭下躺著的那個人。」轉回去拚殺而死，趙盾因此能活命。這就是所說的施德得惠啊！施惠給君子，君子能為你提供福佑；施惠給小人，小人能為你盡力。給一個人恩惠還能救自己性命，何況施恩惠給萬民呢？所以說恩惠沒有微小的，怨恨也沒有微小的。怎麼能不積累陰德並消除怨恨，竭力為人們謀求利益呢？付出就會有回報，使人怨恨會招來災禍，禮法雖是內在的，但也會在外表上流露出來，不能不謹慎啊！

【出處】

趙宣孟將上之絳，見翳桑下有臥餓人不能動，宣孟止車為之下，餐自含而餔之，餓人再咽而能食，宣孟問：「爾何為饑若此？」對曰：「臣居於絳，歸而糧絕，羞行乞而憎自致，以故至若此。」宣孟與之壺餐，脯二朐，再拜頓首受之，不敢食，問其故，對曰：「向者食之而美，臣有老母，將以貢之。」宣孟曰：「子斯食之，吾更與汝。」乃復為之簞食，以脯二束與錢百。去之絳，居三年，晉靈公欲殺宣孟，置伏士於房中，召宣孟而飲之酒，宣孟知之，中飲而出，靈公命房中士疾追殺之，一人追疾，既及宣孟，向宣孟之面曰：「今固是君邪！請為君反，死。」宣孟曰：「子名為誰？」及是且對曰：「何以名為？臣是夫桑下之餓人也。」遂鬥，而死，宣孟得以活，此所謂德惠也。故惠君子，君子得其福；惠小人，小人盡其力；夫德一人活其身，而況置惠於萬人乎？故曰德無細，怨無小，豈可無樹德而除怨，務利於人哉！利施者福報，怨往者禍來，形於內者應於外，不可不慎也。（《說苑》〈復恩〉）

下宮之役

趙朔娶晉成公的姐姐為妻。趙盾死後，趙朔襲父爵為卿，擔任下軍佐，邲之戰時遷為下軍將，不久死去。年輕守寡的趙莊姬難耐寂寞，與丈夫的四叔趙嬰齊偷情。趙同、趙括為維護趙氏名譽，將趙嬰齊驅逐出境。臨往齊國之前，趙嬰齊對兩位兄長說：「有我在，欒書不敢把趙氏家族怎麼樣。我若離開晉國，趙氏一定會危險。」趙莊姬深恨趙同、趙括，向晉景公告狀說：「趙同、趙括將要作亂，欒氏、郤氏可以作證。」趙氏的政敵欒書及三郤果然幫助趙莊姬說話。景公於是藉助欒氏和三郤的力量，發兵圍攻趙氏的下宮，將趙氏滿門抄斬，史稱「下宮之役」。年幼的趙武因為跟隨趙莊姬待在宮中得以倖存。曾為趙氏家臣的中軍將韓厥後來向晉景公求情，於是趙武成為趙氏的繼承人，不僅得到失去的田地，後來還一路做到正卿。

【出處】

朔娶晉成公姊為夫人。晉景公之三年，大夫屠岸賈欲誅趙氏。初，趙盾在時，夢見叔帶持要而哭，甚悲；已而笑，拊手且歌。盾卜之，兆絕而後好。趙史援占之，曰：「此夢甚惡，非君之身，乃君之子，然亦君之咎。至孫，趙將世益衰。」屠岸賈者，始有寵於靈公，及至於景公而賈為司寇，將作難，乃治靈公之賊以致趙盾，遍告諸將曰：「盾雖不知，猶為賊首。以臣弒君，子孫在朝，何以懲罪？請誅之。」韓厥曰：「靈公遇賊，趙盾在外，吾先君以為無罪，故不誅。今諸君將誅其後，是非先君之意而今妄誅。妄誅謂之亂。臣有大事而君不聞，是無君也。」屠岸賈不聽。韓厥告趙朔趣亡。朔不肯，曰：「子必不絕趙祀，朔死不恨。」韓厥許諾，稱疾不出。賈不請而擅與諸將攻趙氏於下宮，殺趙朔、趙同、趙括、趙嬰齊，皆滅其族。（《史記》〈趙世家〉）

趙氏孤兒

公孫杵臼和程嬰是晉國大夫趙朔的門客。當年趙穿殺晉靈公，正卿趙盾因返回國都後不予追責，被指責為弒君者。屠岸賈是晉靈公的寵臣，晉景公時升任司寇，提出懲罰謀殺靈公的兇手。當時趙盾已死，於是拿趙盾的兒子趙朔問罪。韓厥為趙盾辯護，屠岸賈不予理睬，於是稱病不出。屠岸賈擅自派兵包圍下宮，圍攻趙氏，殺死趙朔、趙同、趙括、趙嬰齊等，並將其滿門抄斬。趙朔的太太是晉成公的姐姐，當時懷有身孕，躲藏在景公宮殿裡。公孫杵臼對程嬰說：「為什麼不殉難？」程嬰說：「趙朔的太太有遺腹子，倘若有幸生下男孩，我就保護他。如果是女孩，我只不過遲死幾天罷了。」沒多久，趙朔的太太分娩，是個男孩。屠岸賈得知消息，入宮搜索。趙朔的太太把嬰兒藏在褲子裡，祈禱說：「要是趙氏該絕，你就哭。」搜到趙朔太太房間時，嬰兒居然沒吭聲。僥倖脫險後，程嬰對杵臼說：「今天只是僥倖，下次怎麼辦？」杵臼問他：「撫養孤兒長大成人和自殺殉主，哪一樣更難？」程嬰說：「撫養孤兒困難。」杵臼說：「那就請你勉為其難，我去做容易的事。」於是找到一個嬰兒當替身，由公孫杵臼藏在山裡。程嬰跑去告密，屠岸賈將公孫杵臼和嬰兒一起殺死。但真正的趙氏孤兒並沒有死，和程嬰一起藏身山裡。十五年後，晉景公得了重病，占卦的人暗示有逝去的功勞卓著的先人在作祟。韓厥趁機提出恢復趙氏孤兒的地位。當年參與攻打下宮的將軍們把責任全推在屠岸賈身上。韓厥讓趙武、程嬰拜謝將軍們，將軍們就跟程嬰、趙氏一起攻打屠岸賈，將他滿門抄斬。景公把趙氏原有的封地如數還給趙氏。趙武二十歲行了成年禮，程嬰於是辭去大夫的職務，對趙武說：「您已經長大成人，趙氏也恢復了原有的地位，我也要去黃泉向趙盂和公孫杵臼報告了。」趙武失聲痛哭，苦苦哀求說：「我願意盡心盡力伺候您一輩子，您忍心丟下我嗎？」程嬰說：「不行。他們認為我能把你撫養成人，所以在我之前殉難，假如我不下黃泉向他們報告，那他們就會認為我沒把事情辦好。」程嬰自殺後，趙武為他守孝三年，劃出祭田，春秋兩季按時拜祭，世世代代沒有斷過。

【出處】

公孫杵臼、程嬰者，晉大夫趙朔客也。晉趙穿弒靈公，趙盾時為貴大夫，亡不出境，還不討賊，故《春秋》責之，以盾為弒君。屠岸賈者，幸於靈公，晉景公時，賈為司寇，欲討靈公之賊，盾已死，欲誅盾之子趙朔，遍告諸將曰：「盾雖不知，猶為賊首，賊乃弒君，子孫在朝，何以懲罰？請誅之。」韓厥曰：「靈公遇賊，趙盾在外，吾先君以為無罪，故不誅。今請君將妄誅，妄誅謂之亂臣，有大事君不聞，是無君也。」屠岸賈不聽，韓厥告趙朔趣亡，趙朔不肯。曰：「子必不絕趙祀，予死不恨。」韓厥許諾，稱疾不出。賈不請而擅與諸將攻趙氏於下宮，殺趙朔，趙同，趙括，趙嬰齊，皆滅其族。趙朔妻成公姊，有遺腹，走公宮匿。公孫杵臼謂程嬰曰：「胡不死。」嬰曰：「朔之妻有遺腹，若幸而男，吾奉之，即女也，吾徐死耳。」無何而朔妻免生男。屠岸賈聞之，索於宮，朔妻置兒袴中，祝曰：「趙宗滅乎，若號；即不滅乎，若無聲。」及索，兒竟無聲。已脫，程嬰謂杵臼曰：「今一索不得，後必且復之，奈何？」杵臼曰：「立孤與死，庸難？」嬰曰：「立孤亦難耳！」杵臼曰：「趙氏先君遇子厚，子強為其難者，吾為其易者，吾請先死。」而二人謀取他嬰兒，負以文褓匿山中。嬰謂諸將曰：「嬰不肖，不能立孤，誰能予吾千金，吾告趙氏孤處。」諸將皆喜，許之，發師隨嬰攻杵臼。杵臼曰：「小人哉程嬰！下宮之難不能死，與我謀匿趙氏孤兒，今又賣之。縱不能立孤兒，忍賣之乎？」抱而呼天曰：「趙氏孤兒何罪？請活之，獨殺杵臼也。」諸將不許，遂並殺杵臼與兒。諸將以為趙氏孤兒已死，皆喜。然趙氏真孤兒乃在，程嬰卒與俱匿山中，居十五年。晉景公病，……問趙尚有後子孫乎？韓厥具以實告。景公乃以韓厥謀立趙氏孤兒，召匿之宮中。諸將入問病，景公因韓厥之眾以脅諸將，而見趙氏孤兒，孤兒名武，諸將不得已乃曰：「昔下宮之難，屠岸賈為之，繳以君命，並命群臣。非然，庸敢作難？微君之病，群臣固將請立趙後，今君有命，群臣願之。」於是乃召趙武，程嬰遍拜諸將，遂俱與程嬰趙氏攻屠岸賈，滅其族。復興趙氏田邑如故。趙武冠為成人，程嬰……遂以殺。趙武服哀三年，為祭邑，春秋祠之，世不絕。君子曰：「程嬰公孫杵臼，可謂信交厚士矣。嬰之自殺下報亦過矣。」（《新序》〈節士第七〉）

貴而忘義

趙文子家蓋房子，把房椽打磨得又圓又光。張老傍晚到文子家串門，見到此情景後扭頭就走。文子回家後聽說這件事，乘車去見張老，誠懇地說：「我有做得不妥的地方，你應該當面指出來，又何必走得這麼快呢？」張老回答說：「天子修造宮殿，對待房椽有三道工序，先砍削，再粗磨，而後用密紋石磨細。諸侯建造宮室有兩道工序，先砍削，再粗加打磨。大夫家蓋房子，只有一道工序，即把房椽略加砍削。至於士，蓋房子時只要砍掉房椽兩頭多餘的部分就行。預備物資要符合道義，必須講究尊卑等級。現在你顯貴了卻忘掉義，富有了卻撇開禮，我擔心你因此惹禍，怎麼敢在那兒逗留呢？」文子回家後，命令停止打磨房椽。木匠建議把打磨過的地方砍掉，文子搖頭說：「不必了。我要讓後人們知道，蓋房子因陋就簡的人，是懂得仁義的；蓋房子追求奢華，是不知禮義的人所為。」

【出處】

趙文子為室，斫其椽而礱之，張老夕焉而見之，不謁而歸。文子聞之，駕而往，曰：「吾不善，子亦告我，何其速也？」對曰：「天子之室，斫其椽而礱之，加密石焉；諸侯礱之；大夫斫之；士首之。備其物，義也；從其等，禮也。今子貴而忘義，富而忘禮，吾懼不免，何敢以告。」文子歸，令之勿礱也。匠人請皆斫之，文子曰：「止。為後世之見之也，其斫者，仁者之為也，其礱者，不仁者之為也。」(《國語》〈晉語八〉)

好學納諫

葉公諸梁問樂王鮒說：「趙文子是個什麼樣的人？」樂王鮒回答說：「文子好學，且能接受別人的批評。」葉公說：「他的優點應該還不止這些吧。」樂王鮒說：「勤奮好學，說明他有知識；能接受批評意見，說明他有仁德。長江發源於汶山，它的源頭只有罈子口那麼大，流到楚國，江面就有十里寬，沒有別的原因，只是它接納的支流多罷了。一個人好學而能接納批評意見，他能有所建樹不是很自然嗎！」《詩經》說：「只有明智的人，才能虛心採納別人的意見，隨時檢點自己的德行。」趙文子就是這樣的人啊。

【出處】

葉公諸梁問樂王鮒曰：「晉大夫趙文子為人何若？」對曰：「好學而受規諫。」葉公曰：「疑未盡之矣。」對曰：「好學，智也；受規諫，仁也。江出汶山，其源若甕口，至楚國，其廣十里，無他故，其下流多也。人而好學受規諫，宜哉其立也。」詩曰：「其惟哲人，告之話言，順德之行。」[2]此之謂也。（《新序》〈雜事第四〉）

趙孟將死

秦后子出奔到晉國，趙文子問他：「秦國的國君德行如何？」后子回答說：「不知道。」文子說：「公子屈尊來到敝地，應該是為了躲避無道之君吧！」后子回答說：「是這麼回事。」文子說：「無道之君還能維持多久呢？」后子回答說：「我聽說，國君無道而五穀豐登的，至少可以維持五年。」文子抬頭仰望太陽說：「早晚不相及，誰有耐心等待五年呢！」文子出去後，后子對隨從說：「趙孟快要死了！君子寬和惠愛而憂念未來，只怕做得不夠好。現在趙孟輔佐晉

2. 「其惟哲人，告之話言，順德之行。」出自《詩經》〈大雅‧抑〉。

國，主持各國諸侯的會盟，理應思考建立長久的功德，唯恐這輩子難以做到。如今他心生焦慮，嘆歲月如梭，如果不是死亡將臨，就是有大難臨頭。」到了冬天，趙文子果然死了。

【出處】

秦后子來奔，趙文子見之，問曰：「秦君道乎？」對曰：「不識。」文子曰：「公子辱於敝邑，必避不道也。」對曰：「有焉。」文子曰：「猶可以久乎？」對曰：「鍼聞之，國無道而年穀和熟，鮮不五稔。」文子視日曰：「朝夕不相及，誰能俟五！」文子出，后子謂其徒曰：「趙孟將死矣！夫君子寬惠以恤後，猶恐不濟。今趙孟相晉國，以主諸侯之盟，思長世之德，歷遠年之數，猶懼不終其身，今忨日而潵歲，怠偷甚矣，非死逮之，必有大咎。」冬，趙文子卒。（《國語》〈晉語八〉）

趙津女娟

趙津女娟是趙國河津吏的女兒，趙簡子的夫人。當初，簡子奉命出征楚國，和津吏約定了渡船時間。簡子到達時，津吏因飲酒醉臥，不能渡船。簡子很生氣，要處死他。津吏的女兒娟跟簡子解釋說：「我是津吏的女兒。父親聽說主上要東渡黃河，擔心風急浪大，水神受驚，就去祭祀九江三淮的水神，但是父親不勝酒力，被巫祝們多灌了幾杯，以致耽誤開船。主君想要殺他，我情願代替父親受刑。簡子說：「這不是你的罪過！」娟說：「主君是因為他有罪才殺他，現在他在醉夢之中，被殺還不知道怎麼回事。心裡也不知道犯罪。如果不知有罪而被殺，等於濫殺無辜。希望等他醒了再處罰他，讓他知道罪有應得。」簡子說：「好吧！」於是放過津吏。簡子準備渡河，搖槳的人少一個。娟擼起袖子，拿起槳請求說：「我從小在河邊長大，家裡幾代人都知道划船搖槳，我來吧。」簡子說：「我出行之前曾經齋戒沐浴，和婦女同船共波，怕不吉利。」娟回答說：「我聽說從前湯伐夏，左驂驪，右驂牝靡，武王伐殷，左驂牝麒，右驂牝騜，牝靡、牝騏、牝騜，不都是母馬嗎？照樣打勝仗。主君不想渡河就算了，和我同船，有什麼不妥？」簡子聽了很高興，於是讓娟登船搖櫓。船行到中流，娟為簡子唱起了《河激之歌》，歌辭說：「船行河中水清清，波濤起伏杳冥冥。為求福佑醉不醒，誅殺加罪妾心驚。釋罪不誅有人情，妾持楫槳守要津。蛟龍助君得勝歸，有娟相伴順其行！」簡子非常開心，說：「我前些時做夢，要娶聰明賢慧的女子為妻，難道是她嗎？」於是想立她為夫人。娟再拜辭謝說：「夫婦之道，非媒不嫁。家有嚴親，不敢從令。」於是辭別而去。簡子出征回來，正式向她的父母下聘禮，立她為夫人。

【出處】

趙津女娟者，趙河津吏之女，趙簡子之夫人也。初簡子南擊楚，與津吏期，簡子至，津吏醉臥，不能渡，簡子怒，欲殺之，娟懼，持楫而走，簡子曰：「女子走何為？」對曰：「津吏息女。妾父聞主君東渡不測之水，恐風波之起，水神動駭，故禱祠九江三淮之神，供具備禮，御釐受福，不勝巫祝，杯酌餘瀝，醉至於此。君欲殺之，妾願以鄙軀易父之死。」簡子曰：「非女之罪也。」娟曰：「主君欲因其醉而殺之，妾恐其身之不知痛，而心不知罪也。若不知罪殺之，是殺不辜也。願醒而殺之，使知其罪。」簡子曰：「善。」遂釋不誅。簡子將渡，用楫者少一人，娟攘卷摻楫而請，曰：「妾居河濟之間，世習舟楫之事，願備員持楫。」簡子曰：「不穀將行，選士大夫，齊戒沐浴，義不與婦人同舟而渡也。」娟對曰：「妾聞昔者湯伐夏，左驂驪，右驂牝靡，而遂放桀。武王伐殷，左驂牝騏，右驂牝騜，而遂克紂，至於華山之陽。主君不欲渡則已，與妾同舟，又何傷乎？」簡子悅，遂與渡，中流為簡子發河激之歌，其辭曰：「升彼阿兮面觀清，水揚波兮杳冥冥，禱求福兮醉不醒，誅將加兮妾心驚，罰既釋兮瀆乃清，妾持楫兮操其維，蛟龍助兮主將歸，呼來櫂兮行勿疑。」簡子大悅曰：「昔者不穀夢娶妻，豈此女乎？」將使人祝祓，以為夫人。娟乃再拜而辭曰：「夫婦人之禮，非媒不嫁。嚴親在內，不敢聞命。」遂辭而去。簡子歸，乃納幣於父母，而立以為夫人。（《列女傳》〈辯通傳〉）

子不欲也

趙簡子對叔向說：「魯國的孟獻子身邊有五大勇士，我卻一個也沒有，什麼緣故呢？」叔向回答說：「是因為您不想要吧。如果真的想要，我叔向都準備去相交揪鬥呢。」

【出處】

趙簡子曰：「魯孟獻子有鬥臣五人。我無一，何也？」叔向曰：

「子不欲也。若欲之，肸也待交捽可也。」(《國語》〈晉語九〉)

知吾之愛

春季，趙簡子在邯鄲修築亭臺。雨下個不停。簡子對身邊的人說：「該催促下種了吧？」尹鐸應答說：「公事緊急，又要下種又要築臺。即便催促下種，也難以辦到。」趙簡子警醒過來，於是下令停止築臺，說：「我認為當作築臺緊急，哪比得上老百姓播種緊急。放棄築臺，百姓會知道我對他們的仁愛。」

【出處】

趙簡子春築臺於邯鄲，天雨而不息，謂左右曰：「可無趨種乎？」尹鐸對曰：「公事急，厝種而懸之臺；夫雖欲趨種，不能得也。」簡子惕然，乃釋臺罷役曰：「我以臺為急，不如民之急也，民以不為臺，故知吾之愛也。」(《說苑》〈貴德〉)

恐有細人之心

趙簡子乘坐瘦馬駕馭的破車，穿著黑公羊皮製作的衣袍。管家勸諫他說：「車還是新車安全，馬要肥壯才跑得快，白狐皮袍溫暖輕便。」趙簡子說：「這些我當然知道。我聽說，君子衣著豪華會更加恭謙，小人衣著光鮮就會顯得傲慢。我想以此警戒自己，不要有小人的心思。古書上說：『周公地位越高，態度越是謙卑，打了勝仗後更

知吾之愛

加謹慎，越是富有，生活越是節儉。』周氏能享國八百多年，道理就在其中啊。」

【出處】

趙簡子乘弊車瘦馬，衣羖羊裘，其宰進諫曰：「車新則安，馬肥則往來疾，狐白之裘溫且輕。」簡子曰：「吾非不知也。吾聞之，君子服善則益恭，細人服善則益倨；我以自備，恐有細人之心也。傳曰：周公位尊愈卑，勝敵愈懼，家富愈儉，故周氏八百餘年，此之謂也。」（《說苑》〈反質〉）

擔戟行歌

趙簡子乘車上羊腸阪，身邊的臣子都幫他推車，只有虎會扛著戟一邊走路，一邊悠閒地唱歌。趙簡子很生氣，對虎會說：「上坡路大家都幫著推車，惟獨你不出力，還邊走邊唱。身為臣子卻不把主人放在眼裡，你知罪嗎？」虎會回答說：「這是侮辱君主。」趙簡子說：「身為臣子卻侮辱君主，該當何罪？」虎會說：「身為臣子卻侮辱君主，死上加死。」趙簡子問：「什麼叫死上加死？」虎會說：「意思是自己被處死，妻子兒女也要被處死。那麼，主公知道身為君主而侮辱臣子的後果嗎？」趙簡子說：「那會怎樣？」虎會回答說：「身為君主而侮辱臣子，足智多謀的人就不會為他出謀劃策，國家就危險；能言善辯的人就不會為他出使別國，邦交就會斷絕；能征善戰的人就不會為他奮勇出戰，邊境就要遭到侵犯。」趙簡子說：「說得好啊！」

於是趙簡子讓臣子們停止推車，上坡的時候就下車步行。到了住地，趙簡子大擺酒宴，將虎會尊為貴賓。

【出處】

趙簡子上羊腸之阪，群臣皆偏袒推車，而虎會獨擔戟行歌，不推車。簡子曰：「寡人上阪，群臣皆推車，會獨擔戟行歌不推車，是會為人臣侮其主，為人臣侮其主，其罪何若？」虎會曰：「為人臣而侮其主者，死而又死。」簡子曰「何謂死而又死？」虎會曰：「身死，妻子又死，若是謂死而又死，君既已聞為人臣而侮其主之罪矣，君亦聞為人君而侮其臣者乎？」簡子曰：「為人君而侮其臣者何若？」虎會對曰：「為人君而侮其臣者，智者不為謀，辯者不為使，勇者不為鬥。智者不為謀，則社稷危；辯者不為使，則使不通；勇者不為鬥，則邊境侵。」簡子曰：「善。」乃罷群臣不推車，為士大夫置酒，與群臣飲，以虎會為上客。（《新序》〈雜事第一〉）

一狐之腋

周舍剛去侍奉趙簡子的時候，在趙簡子門口站了三天三夜。簡子讓人出去問他：「先生想給我什麼指教？」周舍回答說：「希望作為直言敢諫的臣子，帶著筆墨紙硯，跟隨君主，專門記錄您的不妥。每天有記錄，每月有效果，每年有所得。」簡子很高興，讓他跟從自己。周舍跟隨簡子沒多久就去世了，簡子厚葬周舍。三年後的一天，簡子與大夫們喝酒，喝得正痛快的時候，突然淚流滿面。大夫們都很尷尬，起身說：「臣等有死罪卻不知道啊。」趙簡子連忙說：「不好意思，你們沒罪。是我想起朋友周舍的一句話：『一百張羊皮，抵不上一狐之腋。』大家百依百順，不抵周舍直言敢諫。過去紂王昏庸亡國，而武王善於納諫得以興旺。自從周舍死後，我再也沒聽到有人指出我的過錯。等到有人指出我的過錯卻不能改正時，估計我們的國家也要滅亡了，我是為此而流淚啊。」

【出處】

昔者，周舍事趙簡子，立趙簡子之門，三日三夜。簡子使人出問之曰：「夫子將何以令我？」周舍曰：「願為諤諤之臣，墨筆操牘，隨君之後，司君之過而書之，日有記也，月有效也，歲有得也。」簡子悅之，與處，居無幾何而周舍死，簡子厚葬之。三年之後，與大夫飲，酒酣，簡子泣，諸大夫起而出曰：「臣有死罪而不自知也。」簡子曰：「大夫反無罪。昔者，吾友周舍有言曰：『百羊之皮，不如一狐之腋。』眾人之唯唯，不如周舍之諤諤。昔紂昏昏而亡，武王諤諤而昌。自周舍之死後，吾未嘗聞吾過也，故人君不聞其非，及聞而不改者亡，吾國其幾於亡矣，是以泣也。」（《新序》〈雜事第一〉）

妨義之本

趙簡子批評侍從說：「車子上鋪的薦子過於奢華了。帽子雖賤，終歸要戴在頭上；鞋子雖貴，一定是踩在腳下。現在車子上鋪的薦子如此華美，我該穿什麼樣的鞋子去踩踏呢？過分重視物華之美，就會忽視仁德的修練，這是本末倒置的事情。」

【出處】

趙簡子謂左右曰：「車席泰美。夫冠雖賤，頭必戴之；屨雖貴，足必履之。今車席如此，大美，吾將何屬以履之？夫美下而耗上，妨義之本也。」（《韓非子》〈外儲說左下〉）

萬夫俯首

佛肸憑藉中牟發動叛亂，把一口大鼎放在庭院裡，對士大夫們說：「跟隨我的可以得到封地，不跟隨我的就煮死他。」大夫們都聽從他。只有田卑說：「按道義該死的，無須逃避斧鉞的懲罰；不講道義而生，缺乏仁德而富的，還不如下油鍋。」於是撩起衣襟就要往鼎裡跳，佛肸連忙拽住他把他放了。之後趙簡子派兵平息了佛肸叛亂。聽說田卑不肯附和叛賊，要賞賜他。田卑說：「這使不得。賞賜我一人，卻使成千上萬的人感到羞愧無法抬頭，明智的人不會這麼做的。我受了賞賜，中牟的人很多人會覺得無地自容，這不仁道。」於是遷居到南方的楚國去了。

【出處】

佛肸以中牟叛，置鼎於庭，致士大夫曰：「與我者受邑，不吾與者烹。」大夫皆從之。至於田卑，田卑，中牟之邑人也。曰：「義死不避斧鉞之罪，義窮不受軒冕之服。無義而生，不仁而富，不如烹。」褰衣將就鼎，佛肸脫屨而生之。趙氏聞其叛也，攻而取之；聞田卑不肯與也，求而賞之。田卑曰：「不可也，一人舉而萬夫俛首，智者不為也。賞一人以慚萬夫，義者不取也。我受賞，使中牟之士，懷恥不義。」辭賞徙處曰：「以行臨人，不道，吾去矣。」遂南之楚。（《新序》〈義勇第八〉）

忠臣舉賢

解狐舉薦與自己有仇的邢伯柳做趙簡子的相國。邢伯柳以為解狐消解了對自己的怨恨，於是前往拜謝。解狐張開弓箭不讓他靠近，說：「我舉薦你為相，是因為你能勝任；與你有仇，這是我的私怨。你走吧，我還跟從前一樣恨你。」[3]

【出處】

解狐與邢伯柳為怨。趙簡主問於解狐曰：「孰可為上黨守。」對曰：「邢伯柳可。」簡主曰：「非子之仇乎。」對曰：「臣聞忠臣之舉賢也。不避仇仇，其廢不肖也。不阿親近。」簡主曰：「善。」遂以為守。邢伯柳聞之，乃見解狐謝。解狐曰：「舉子公也。怨子私也。往矣。怨子如異日。」（《韓非子》〈外儲說左下〉）

---

3. 邢伯柳原是解狐家臣，據說因與解狐的愛妾有不正當關係，因而結下私仇。

未必有過

有人對趙簡子說：「您為何不改正呢？」簡子回答說：「好吧。」左右的人問他：「君主又沒有過錯，要改正什麼呢？」趙簡子說：「我答應說『好吧』，未必是因為我有過錯，而是想表明我對進諫的態度。如果我閃爍其辭，別人會認為我不歡迎進諫，進諫的人就會止步不前，這樣我的過錯隨時都會發生。」

【出處】

或謂趙簡子曰：「君何不更乎？」簡子曰：「諾。」左右曰：「君未有過，何更？」君曰：「吾謂是諾，未必有過也，吾將求以來諫者也，今我卻之，是卻諫者，諫者必止，我過無日矣。」（《說苑》〈君道〉）

中飽私囊

趙簡子委派官吏主抓稅收，官吏請示稅收政策。趙簡子說：「要不輕不重。稅賦重了國家得利；輕了利歸民眾。只要官吏不從中牟取私利就好。」薄疑對趙簡子說：「您的國家中間富足。」簡子高興地問：「怎麼回事呢？」薄疑回答說：「上面府庫空虛，下面百姓貧困，處在中間的貪官污吏卻肥得流油。」

【出處】

趙簡主出稅者，吏請輕重，簡主曰：「勿輕勿重。重則利入於上，若輕則利歸於民，吏無私利而正矣。」薄疑謂趙簡主曰：「君之國中飽。」簡主欣然而喜曰：「何如焉？」對曰：「府庫空虛於上，百姓貧餓於下，然而奸吏富矣。」（《韓非子》〈外儲說右下〉）

愛君之過

趙簡子有兩位家臣，尹綽和赦厥。趙簡子說：「赦厥重視我，不在別人面前批評我的過錯。尹綽卻不重視我，一定要在眾人面前批評我。」尹綽說：「赦厥是重視您的面子，而不重視您的過錯；我重視您的過錯，而不重視您的面子。」孔子說：「尹綽是君子啊！當面指摘缺點，而不是誇獎別人。」

【出處】

簡子有臣尹綽、赦厥。簡子曰：「厥愛我，諫我必不於眾人中；綽也不愛我，諫我必於眾人中。」尹綽曰：「厥也愛君之醜而不愛君之過也，臣愛君之過而不愛君之醜。」孔子曰：「君子哉！尹綽，面訾不譽也。」（《說苑》〈臣術〉）

進吾過而黜吾善

趙簡子曾與欒激一起遊樂，後來要把他沉入黃河，並說：「我曾經喜好音樂美色，欒激就為我採辦；我曾經喜好華麗的宮室與亭臺樓閣，欒激就替我修造；我曾經喜愛寶馬和好車伕，欒激就為我尋求。我喜好賢士至今已六年了，可是欒激並沒有引薦過一人，這是增加我的過錯而擯棄我的長處啊！

【出處】

趙簡子與欒激游，將沈於河，曰：「吾嘗好聲色矣，而欒激致之；吾嘗好宮室臺榭矣，而欒激為之；吾嘗好良馬善御矣，而欒激求之。今吾好士六年矣，而欒激未嘗進一人，是進吾過而黜吾善也。」（《說苑》〈君道〉）

美女者醜婦之仇

楊因拜見趙簡子，自我介紹說：「我住在鄉里三次被驅逐，侍奉君主五次離開。聽說您喜好人才，所以來投奔您。」趙簡子正在吃飯，當即放下筷子，長跪拜迎。左右的人勸止簡子說：「這人住在鄉下三次被逐，肯定為眾人不容；事奉君主五次離開，是不忠於主上的表現。現在您要結交他，等於已犯了八次錯誤啊。」趙簡子說：「你們不明白，美女天生是醜婦的仇人；品德高尚的君子必然為亂世所棄；行為正直的人，肯定會受到奸詐小人的誹謗憎恨。」簡子見過楊因，任他為國相，趙國因而大治。

【出處】

楊因見趙簡主曰：「臣居鄉三逐，事君五去，聞君好士，故走來見。」簡主聞之，絕食而嘆，跽而行，左右進諫曰：「居鄉三逐，是不容眾也；事君五去，是不忠上也。今君有士見過人矣。」簡主曰：「子不知也。夫美女者，醜婦之仇也；盛德之士，亂世所疏也；正直之行，邪枉所憎也。」遂出見之，因授以為相，而國大治。由是觀之，遠近之人，不可以不察也。（《說苑》〈尊賢〉）

人之化也，何日之有

趙簡子感嘆說：「鳥雀飛入大海變成蚌蛤，野雞飛入淮河變成牡蠣，癩頭黿、揚子鱷、魚鱉等等，皆有變化之能。只有人不能變化，真是可悲啊！」一旁侍奉的竇犨說：「我聽說君子哀嘆沒有賢人，不哀嘆缺少錢財；哀嘆沒有德行，不哀嘆得不到寵愛；哀嘆名聲不美，不哀嘆不能長壽。范氏、中行氏不體恤百姓苦難，想在晉國擅政，可如今他們的子孫流落到齊國務農耕地，就如同本是祭祀宗廟的犧牲，現在卻在農田裡辛勤耕作。人的變化，哪天不在發生呢！」

【出處】

趙簡子嘆曰：「雀入於海為蛤，雉入於淮為蜃。黿鼉魚鱉，莫不能化，唯人不能。哀夫！」竇犨侍，曰：「臣聞之：君子哀無人，不哀無賄；哀無德，不哀無寵；哀名之不令，不哀年之不登。夫范、中行氏不恤庶難，欲擅晉國，今其子孫將耕於齊，宗廟之犧為畎畝之勤，人之化也，何日之有！」（《國語》〈晉語九〉）

知賢讓能

少室周擔任趙簡子的車右時，聽說牛談孔武有力，就要求和他比試一番，挑戰失敗後，便將車右的位置讓給了牛談。趙簡子對少室周的行為非常讚賞，委任他出任家族的總管，對人說：「知道他人賢能而主動謙讓，是大家效法的榜樣。」[4]

【出處】

少室周為趙簡子之右，聞牛談有力，請與之戲，弗勝，致右焉。簡子許之，使少室周為宰，曰：「知賢而讓，可以訓矣。」（《國語》〈晉語九〉）

長寵不衰

公叔文子問史臾說：「武子勝侍奉趙簡子很久，一直受到寵信，這是為什麼呢？」史臾說：「武子勝知識全面、能力出眾但職位不高。君王親近他時，他盡力事奉而不引為驕傲；君王疏遠他時，他忠於職守、恭敬本分而無怨言。入朝參與謀劃國家大事，退朝時看不出任何志高氣昂的樣子。君王賜給他俸祿，他總是很知足且盡力推辭，所以他能一直受寵。」

---

4. 《韓非子》〈外儲說左下・說一〉記載的是：少室周是趙襄子的侍衛，和中牟的徐子比力氣。

【出處】

公叔文子問於史鰌曰：「武子勝事趙簡子久矣，其寵不解，奚也？」史鰌曰：「武子勝，博聞多能而位賤，君親而近之，致敬以愻，貌而疏之，則恭而無怨色，入與謀國家，出不見其寵，君賜之祿，知足而辭，故能久也。」（《說苑》〈臣術〉）

孔子猶江海

趙簡子問子貢說：「孔子為人怎麼樣？」子貢回答說：「我還談不上了解他。」趙簡子不高興地說：「先生跟隨孔子幾十年，完成學業才離開他。我問你他的為人，你卻說不太了解，真是豈有此理。」子貢說：「口渴的人到大江大海去飲水，只知道解渴罷了。孔子就好比大江大海，我對他的了解自然有限。」趙簡子稱讚說：「子貢的話講得真好。」

【出處】

趙簡子問子貢曰：「孔子為人何如？」子貢對曰：「賜不能識也。」簡子不說曰：「夫子事孔子數十年，終業而去之，寡人問子，子曰不能識，何也？」子貢曰：「賜譬渴者之飲江海，知足而已，孔子猶江海也，賜則奚足以識之。」簡子曰：「善哉！子貢之言也。」（《說苑》〈善說〉）

國家之將興

趙簡子問壯馳茲說：「你覺得東方有誰比較賢能呢？」壯馳茲下拜說：「恭喜您！」簡子說：「你還沒回答我的問題，祝賀我什麼呢？」壯馳茲回答說：「臣聽說，國家將要興盛時，君子會清醒地認識到自己的不足；國家將要衰亡時，便會自以為很了不起。現在您掌管晉國國政，謙遜地問及微臣，渴望尋求賢能之士，我因此向您道賀。」

【出處】

趙簡子問於壯馳茲曰：「東方之士孰為愈？」壯馳茲拜曰：「敢賀！」簡子曰：「未應吾問，何賀？」對曰：「臣聞之：國家之將興也，君子自以為不足；其亡也，若有餘。今主任晉國之政而問及小人，又求賢人，吾是以賀。」（《國語》〈晉語九〉）

樹蒺藜者得刺

陽虎得罪了衛國人，北上晉國投靠趙簡子說：「從今往後，我不會再栽培人了。」趙簡子問：「為什麼呢？」陽虎回答說：「衛國朝廷上的重臣和朝中的普通官吏，超過半數是我栽培的。即便是守衛邊關的將士，也有半數以上得益於我的提攜。然而現在，朝上的重臣在君王面前排斥我，朝中的官吏親自用刑法加害我，邊關將士則以武力劫持我。」趙簡子告訴他說：「只有賢人才懂得回報，不肖之徒哪懂得感恩。栽植桃李的人，夏天在樹蔭下納涼，秋天採食果實；栽種蒺藜的人，夏天得不到遮蔭，秋天只能收穫棘刺。看來你栽培的是蒺藜而不是桃李。不是任何人都可以培養的，這跟擇樹而栽是一樣的道理。」

【出處】

陽虎得罪於衛，北見簡子曰：「自今以來，不復樹人矣。」簡子曰：「何哉？」陽虎對曰：「夫堂上之人，臣所樹者過半矣；朝廷之吏，臣所立者亦過半矣；邊境之士，臣所立者亦過半矣。今夫堂上之人，親卻臣於君；朝廷之吏，親危臣於眾；邊境之士，親劫臣於兵。」簡子曰：「唯賢者為能報恩，不肖者不能。夫樹桃李者，夏得休息，秋得食焉。樹蒺藜者，夏不得休息，秋得其刺焉。今子之所樹者，蒺藜也，自今以來，擇人而樹，毋已樹而擇之。」(《說苑》〈復恩〉)

執術而御之

陽虎發表議論說：「君主賢明的，就盡心去侍奉他；君主不賢時，就掩飾自己的邪念去試探他。」陽虎在魯國被驅逐，在齊國受疑忌，後來逃到趙地。趙簡子歡迎他，以他為國相。簡子身邊的侍從說：「陽虎善於從別人手中竊取政權，為什麼讓他做相國？」趙簡子說：「陽虎致力於竊取政權，我致力於保守政權。」於是運用權術去駕馭陽虎。陽虎不敢胡作非為，盡心盡力侍奉趙簡子，使趙簡子強盛起來，幾乎成為霸主。

【出處】

陽虎議曰：「主賢明則悉心以事之，不肖則飾奸而試之。」逐於魯，疑於齊，走而之趙，趙簡主迎而相之，左右曰：「虎善竊人國政，何故相也？」簡主曰：「陽虎務取之，我務守之。」遂執術而御之，陽虎不敢為非，以善事簡主，興主之強，幾至於霸也。（《韓非子》〈外儲說左下〉）

置猿於柙中

伯樂教兩個人識別會踢人的烈馬，和兩人一起到趙簡子的馬棚去觀察。一個人挑中一匹會踢人的烈馬。另一個人從後面來回跟著它，多次摸到馬的屁股，馬卻並不踢人。挑中馬的人自以為挑錯了。另一個人說：「你沒有相錯。這匹馬前腿摔傷，膝關節腫了起來。大凡踢人的馬，抬起後腿之後，就要靠前腿支撐全身；前膝腫了，無法承受全身的重量，所以後腿抬不起來。你善於識別踢人的馬，卻沒考慮前膝腫大帶來的影響。」事情的發生都有一定起因。由於前腿腫大而不能承受全身重量的道理，只有聰明人才會想到。惠子說：「把猿放到籠子裡，就和小豬一樣。」形勢不利，就沒有辦法表現才能了。

【出處】

伯樂教二人相踶馬，相與之簡子廄觀馬。一人舉踶馬。其一人從後而循之，三撫其尻而馬不踶。此自以為失相。其一人曰：「子非失相也，此其為馬也，踒肩而腫膝。夫踶馬也者，舉後而任前，腫膝不可任也，故後不舉。子巧於相踶馬拙於任腫膝。」夫事有所必歸，而以有所腫膝而不任，智者之所獨知也。惠子曰：「置猿於柙中，則與豚同。」故勢不便，非所以逞能也。（《韓非子》〈說林下〉）

天所授　雖賤必貴

有一天，姑布子卿拜見趙簡子，[5]簡子把兒子們都叫來讓他看相。子卿說：「沒有做將軍的。」簡子說：「趙氏要完了嗎？」子卿說：「我剛才在路上見到一個孩子，應該也是您的兒子吧？」簡子於是叫來毋恤[6]。毋恤一到，子卿就站起來說：「這才是真正的將軍啊！」簡子說：「這孩子的母親卑賤，是翟地的婢女，怎麼說他尊貴呢？」子卿說：「上天所賜，雖賤必貴。」之後簡子常把兒子們叫來談話，毋恤表現最好。一次，簡子告訴兒子們說：「我把寶符藏在常山上，誰先找到就賞給誰。」兒子們趕快跑到常山上尋找，結果什麼也沒找到。毋恤回來後說：「已經找到寶符了。」簡子說：「你說吧。」毋恤說：「從常山上往下可以看到代國，代國就是可以奪取的寶貝。」簡子這才知道毋恤果然天資聰穎。於是把太子伯魯廢了，改立毋恤為太子。

---

5. 姑布子卿相術精明，影響甚大，後世相士把他奉為相人術之祖，相人術也被後人稱為姑布子卿術。

6. 毋恤，也作勿恤、無恤。

【出處】

異日，姑布子卿見簡子，簡子遍召諸子相之。子卿曰：「無為將軍者。」簡子曰：「趙氏其滅乎？」子卿曰：「吾嘗見一子於路，殆君之子也。」簡子召子毋恤。毋恤至，則子卿起曰：「此真將軍矣！」簡子曰：「此其母賤，翟婢也，奚道貴哉？」子卿曰：「天所授，雖賤必貴。」自是之後，簡子盡召諸子與語，毋恤最賢。簡子乃告諸子曰：「吾藏寶符於常山上，先得者賞。」諸子馳之常山上，求，無所得。毋恤還，曰：「已得符矣。」簡子曰：「奏之。」毋恤曰：「從常山上臨代，代可取也。」簡子於是知毋恤果賢，乃廢太子伯魯，而以毋恤為太子。（《史記》〈趙世家〉）

以無恤為賢

趙國的大夫趙簡子的兒子，長子叫伯魯，幼子叫無恤。趙簡子想確定繼承人，不知立哪個好，於是把他的日常訓誡言詞寫在兩塊竹簡上，分別交給兩個兒子，囑咐說：「好好記住！」過了三年，趙簡子問起兩個兒子，大兒子伯魯說不出竹簡上的話，再追要他的竹簡，已丟失了。又問小兒子無恤，則能熟練背誦竹簡訓詞。追問竹簡，他便從袖子中取出獻上。趙簡子因而認為無恤十分賢德，便立他為繼承人。

【出處】

趙簡子之子，長曰伯魯，幼曰無恤。將置後，不知所立。乃書訓戒之辭於二簡，以授二子曰：「謹識之。」三年而問之，伯魯不能舉其辭，求其簡，已失之矣。問無恤，誦其辭甚習，求其簡，出諸袖中而奏之。於是簡子以無恤為賢，立以為後。（《資治通鑑》〈周紀一〉）

董安于受言

趙簡子病了，五天五夜不省人事，大夫們都很憂慮，於是召扁鵲來診治。扁鵲入室診視後走出來，大夫董安于連忙向扁鵲詢問病情，扁鵲說：「他的血脈正常，你們不必驚慌。秦穆公也曾出現這種情形，昏迷了七天七夜才甦醒過來。醒來的當天，告訴公孫支和子輿說：『我到天帝那裡後非常快樂。我所以去那麼長時間，是因為正好碰上天帝要指教我。天帝告訴我，晉國將要大亂，會五代不安定。之後將有人成為霸主，稱霸不久就會死去。霸主的兒子將使你的國家男女淫亂。』公孫支把這些話記錄下來，為後來的秦國史書轉載。晉獻公的混亂，晉文公的稱霸，晉襄公打敗秦軍在殽山後放縱淫亂，這些都是你所熟知的。現在你們主君的病和當年的穆公相同，不出三天就會痊癒，痊癒後也會有驚人之語。」兩天之後，趙簡子果然甦醒了，告訴眾大夫說：「我到天帝那兒非常快樂，與百神在上界遊玩，有仙樂仙舞相伴。有一隻熊要抓我，天帝命令我射殺牠，接著又出來一隻羆，也被我射死了。天帝非常高興，賞賜我兩個竹笥，裡邊裝滿首飾。我看見我的兒子在天帝身邊，天帝把一隻翟犬託付給我說：『等你兒子長大成人時賜給他。』天帝告訴我說：『晉國將會一代一代衰微下去，七代後就會滅亡。秦國人將在范魁的西邊打敗周人，但他們也不能擁有他的政權。』董安于把簡子的話記錄下來。有人把扁鵲說過的話告訴趙簡子，於是趙簡子賜給扁鵲田地四萬畝。

【出處】

當晉昭公時，諸大夫強而公族弱，趙簡子為大夫，專國事。簡子疾，五日不知人，大夫皆懼，於是召扁鵲。扁鵲入視病，出，董安于問扁鵲，扁鵲曰：「血脈治也，而何怪！昔秦穆公嘗如此，七日而寤。寤之日，告公孫支與子輿曰：『我之帝所甚樂。吾所以久者，適有所學也。帝告我：「晉國且大亂，五世不安。其後將霸，未老而死。霸者之子且令而國男女無別。」公孫支書而藏之，秦策於是出。』夫獻公之亂，文公之霸，而襄公敗秦師於殽而歸縱淫，此子之所聞。今主君之病與之同，不出三日必間，間必有言也。」居二日半，簡子寤，語諸大夫曰：「我之帝所甚樂，與百神游於鈞天，廣樂九奏萬舞，不類三代之樂，其聲動心。有一熊欲援我，帝命我射之，中熊，熊死。有羆來，我又射之，中羆，羆死。帝甚喜，賜我二笥，皆有副。吾見兒在帝側，帝屬我一翟犬，曰：『及而子之壯也以賜之。』帝告我：『晉國且世衰，七世而亡。嬴姓將大敗周人於范魁之西，而亦不能有也。』」董安于受言，書而藏之。以扁鵲言告簡子，簡子賜扁鵲田四萬畝。（《史記》〈扁鵲倉公列傳〉）

所為後也

趙簡子從晉陽去邯鄲，走到半路時讓車子停下來。引導車隊的官吏上前詢問，簡子說：「董安于還沒有到。」官吏說：「部隊行軍，因為等一個人而使三軍滯留，怕是不妥吧。」簡子說：「那就走吧。」驅車走了百十步遠，簡子又讓車子停下。引車的官吏打算再次上前勸諫，董安于正好趕到。簡子對董安于說：「秦國與晉國交接的邊境，我忘了令人堵塞它。」董安于說：「這正是我遲到的原因。」簡主又說：「官府的印璽，我忘了派人帶上它。」董安于回答說：「這也是我為什麼會遲到。」簡子可稱得上是內心警醒又外知人善任呀！所以自身從容且國家安定，御史大夫周昌說：「作為人主如果真像趙簡子這樣，那麼朝廷上的事情就沒有什麼顧慮了。

【出處】

趙簡主從晉陽之邯鄲，中路而止，引車吏進問何為止，簡主曰：「董安于在後。」吏曰：「此三軍之事也，君奈何以一人留三軍也？」簡主曰：「諾。」驅之百步又止，吏將進諫，董安于適至，簡主曰：「秦道之與晉國交者，吾忘令人塞之。」董安于曰：「此安於之所為後也。」簡主曰：「官之寶璧吾忘令人載之。」對曰：「此安於之所為後也。」簡主可謂內省外知人矣哉！故身佚國安，御史大夫周昌曰：「人主誠能如趙簡主，朝不危矣。」（《說苑》〈臣術〉）

入澗之必死

董閼于擔任趙國上黨郡守的時候，[7]一次在石邑山中巡查，看見一條山澗，陡峭如牆，深達千丈，詢問居住在附近的鄉民說：「有人

7. 董閼于即董安于。

下去過嗎？」回答說：「沒有。」又問：「有沒有小孩、癡聾、瘋癲的人下去過？」回答說：「也沒有。」「那麼牛馬豬狗之類的動物呢？」回答說：「沒見到下去過。」董閼于頗有感悟地說：「我能治理好上黨了。嚴格執法，使觸犯法令的人有如掉下千丈深澗一樣必死無疑，誰還敢觸犯法令呢？」

【出處】

董閼于為趙上地守，行石邑山中，澗深，峭如牆，深百仞，因問其旁鄉左右曰：「人嘗有入此者乎？」對曰：「無有。」曰：「嬰兒癡聾狂悖之人嘗有入此者乎？」對曰：「無有。」「牛馬犬彘嘗有入此者乎？」對曰：「無有。」董閼于喟然太息曰：「吾能治矣。使吾法之無赦，猶入澗之必死也，則人莫之敢犯也，何為不治？」（《韓非子》〈內儲說上〉）

必以為歸

趙簡子派尹鐸治理晉陽。臨行前尹鐸請示說：「是只讓晉陽提供賦稅呢？還是使它成為您的可靠保障？」簡子說：「當然是保障。」尹鐸上任後便減少了百姓的稅賦。簡子告誡他的兒子襄子說：「晉國一旦發生禍亂，請你不要認為尹鐸年輕，也不要嫌晉陽相距太遠，一定要去投奔晉陽。」

【出處】

趙簡子使尹鐸為晉陽。請曰：「以為繭絲乎？抑為保鄣乎？」簡子曰：「保鄣哉！」尹鐸損其戶數。簡子戒襄子曰：「晉國有難，而無以尹鐸為少，無以晉陽為遠，必以為歸。」（《國語》〈晉語九〉）

罰善賞惡

趙簡子派尹鐸治理晉陽，對他說：「一定要拆毀周邊的壁壘。我到晉陽來時，如果看見壁壘，等於見到了荀寅和范吉射。」[8]尹鐸到達晉陽後就增高了壁壘。趙簡子到達晉陽，望見加固的壁壘，非常生氣說：「一定要先殺尹鐸再入城。」大夫們為尹鐸求情，簡子不肯：「這不是在炫耀我的仇敵嗎？」這時，郵無正上前說：「先主趙文子年幼時遭受禍殃，隨從母親姬氏待在宮中，因為有孝順之德才做到公族大夫，有恭敬之德才晉陞為卿，有勇武之德才能擔任正卿，有溫順之德才成就美名。雖然他沒得到家法的訓導，也沒有專門的老師的教誨，然而憑著自省的修養，卻能恢復先祖的德業。到了您父親景子，同樣生長於宮室，沒有專門的老師教他，也能通過自修來繼承先人的事業，因此國中沒有關於他的流言蜚語，他注重兒子的品行修養，挑選專業的老師來輔導兒子。現在您繼承了先輩的爵位，有祖父文子的典範，有父親景子的言傳身教，並且有專業老師的教導，有同族父兄

8. 晉定公時邯鄲大夫為趙午，其名邯鄲午。是趙簡子的族叔，也是中行寅的外甥。西元前四九七年，趙簡子索要自己寄放在他那裡的五百戶奴隸，準備充實晉陽，趙午沒有答應，結果被趙簡子所殺。趙午的兒子趙稷和家臣因此佔據邯鄲抗拒趙簡子，並且得到中行氏和范氏的支持，造成晉國內亂，但最終失敗。

的提醒，卻因為疏忽，以致於禍難臨頭。尹鐸說：『思樂而喜，思難而懼，是人之常情。以壁壘為老師，為什麼不增高呢？』他之所以增高壁壘，是想以此為鑑，安定趙氏宗族啊！如果處罰尹鐸，那就等於是處罰好人善行，獎賞壞人惡行，做臣子的還有什麼希望呢？」簡子於是轉怒為喜，對郵無正說：「幸虧你的提醒，否則我就難得做人了！」於是給予尹鐸解除禍難的獎賞。郵無正與尹鐸之間本來有過節。尹鐸把簡子給予他的獎賞給郵無正送去，充滿感激說：「是您救了我的命啊。」郵無正推辭不受，說：「我是為君主考慮，不是為你。過節還是過節。」

【出處】

趙簡子使尹鐸為晉陽，曰：「必墮其壘培。吾將往焉，若見壘培，是見寅與吉射也。」尹鐸往而增之。簡子如晉陽，見壘怒曰：「必殺鐸也而後入。」大夫辭之，不可，曰：「是昭余仇也。」郵無正進，曰：「昔先主文子少釁於難，從姬氏於公宮，有孝德以出在公族，有恭德以開在位，有武德以羞為正卿，有溫德以成其名譽，失趙氏之典刑，而去其師保，基於其身，以克復其所。及景子長於公宮，未及教訓而嗣立矣，亦能纂修其身以受先業，無謗於國，順德以學子，擇言以教子，擇師保以相子。今吾子嗣位，有文之典刑，有景之教訓，重之以師保，加之以父兄，子皆疏之，以及此難。夫尹鐸曰：『思樂而喜，思難而懼，人之道也。委土可以為師保，吾何為不增？』是以修之，庶日可以鑑而鳩趙宗乎！若罰之，是罰善也。罰善必賞惡。臣何望矣！」簡子說，曰：「微子，吾幾不為人矣！」以免難之賞賞尹鐸。初，伯樂與尹鐸有怨，以其賞如伯樂氏，曰：「子免

吾死，敢不歸祿。」辭曰：「吾為主圖，非為子也。怨若怨焉。」（《國語》〈晉語九〉）

以狂疾賞

下邑戰役中，董安于出了不少主意。趙簡子要獎賞他，他推辭不受。趙簡子堅持要獎賞他，他說：「我年輕的時候，在朝廷擔任文書工作，幫助撰寫文告命令，朝廷和各國諸侯都稱讚我知禮好義，而您卻不重視我。我壯年時招股肱之臣協助司馬治理軍隊，使軍中不再發生暴虐邪惡的事情。我年老了，穿上寬衣大帶的朝服跟隨宰官處理政事，老百姓也沒有二心。如今我跟隨您參加戰爭，如同抓狂一般，您卻說要獎賞我。與其因抓狂而受獎賞，還不如逃走！」說完快步出門，於是趙簡子放棄了賞賜董安于的打算。

【出處】

下邑之役，董安于多。趙簡子賞之，辭，固賞之，對曰：「方臣之少也，進秉筆，贊為名命，稱於前世，立義於諸侯，而主弗志。及臣之壯也，耆其股肱以從司馬，苛慝不產。及臣之長也，端委韠帶以隨宰人，民無二心。今臣一旦為狂疾，而曰『必賞女』，與余以狂疾賞也，不如亡！」趨而出，乃釋之。（《國語》〈晉語九〉）

人誰不死

梁嬰父注意到董安于在下邑之役中的作用，對知文子說：「不殺死安于，讓他始終在趙氏身邊出謀劃策的話，趙氏一定能得到晉國，何不以他發動禍難的理由責備趙氏，以此來除掉他？」知文子於是派人指責趙鞅說：「范氏、中行氏雖然發動了叛亂，但這是安于挑起的。按照晉國的法令，發動禍亂的人必須處死。范氏、中行氏已經伏法，謹此奉告。」趙孟感到壓力很大。董安于說：「如果我的死能換來晉國的穩定和趙氏安寧，那就是死得其所。人固有一死，我死晚了。」於是上吊自殺。趙鞅將董安于暴屍於市，而後使人告訴知氏說：「安于已經伏罪。謹此奉告。」知伯於是和趙鞅結盟。

【出處】

梁嬰父惡董安于，謂知文子曰：「不殺安于，使終為政於趙氏，趙氏必得晉國。盍以其先發難也，討於趙氏？」文子使告於趙孟曰：「范、中行氏雖信為亂，安于則發之，是安于與謀亂也。晉國有命，始禍者死。二子既伏其罪矣，敢以告。」趙孟患之。安于曰：「我死而晉國寧，趙氏定，將焉用生？人誰不死，吾死莫矣。」乃縊而死。趙孟屍諸市，而告於知氏曰：「主命戮罪人，安于既伏其罪矣，敢以告。」知伯從趙孟盟，而後趙氏定，祀安于於廟。（《左傳》〈定公十四年〉）

為社稷忍辱

趙簡子指定兒子襄子無恤為繼承人。董安于說：「無恤缺乏才幹，讓他作繼承人，是基於什麼考慮呢？」趙簡子說：「因為他能為國家忍辱負重。」一次，智伯與無恤飲酒，把酒澆在無恤頭上。大夫們忿忿不平，請無恤殺死智伯。無恤說：「先父立我為繼承人，是說我能為國家忍受屈辱，並不是說我能夠殺人啊。」過了十個月，智伯率兵將趙襄子圍困於晉陽城。趙襄子成功策反韓、魏二國，將智伯打敗，並用智伯的頭骨作酒器。

【出處】

趙簡子以襄子為後，董安于曰：「無恤不才，今以為後，何也？」簡子曰：「是其人能為社稷忍辱。」異日，智伯與襄子飲，而灌襄子之首，大夫請殺之，襄子曰：「先君之立我也，曰能為社稷忍辱，豈曰能刺人哉！」處十月，智伯圍襄子於晉陽，襄子疏隊而擊之，大敗智伯，漆其首以為酒器。（《說苑》〈建本〉）

豈有二夫

代趙夫人是趙簡子的女兒，趙襄子的姐姐，代王的夫人。安葬完簡子之後，襄子還沒來得及脫去孝服，就爬上夏屋山，設宴款待代王。他命令廚子拿銅斗給代王和隨從上菜，趁倒酒的工夫，以銅斗擊殺了代王和隨從。隨後又帶兵平定代地，迎接姐姐趙夫人回國。夫人說：「我遵從先君的命令來侍奉代王，已經有十多年了。代國並沒有什麼大錯，而主君竟然殘殺他。現在代國已亡，你要接我到哪裡去？而且我聽說：婦人是從一而終的，我豈能有兩個丈夫？因為弟弟而怠慢丈夫是不義，因為丈夫而抱怨弟弟是不仁。我不敢抱怨，但也不會回去。」於是號啕大哭，在靡笄自殺。

【出處】

代趙夫人者，趙衛子之女，襄子之姊，代王之夫人也。衛子既葬，襄子未除服，地登夏屋，誘代王，使廚人持斗以食代王及從者，行斟，陰令宰人各以一斗擊殺代王及從者。因舉兵平代地而迎其姊趙夫人，夫人曰：「吾受先君之命事代之王，今十有餘年矣。代無大故，而主君殘之。今代已亡，吾將奚歸？且吾聞之，婦人之義無二夫。吾豈有二夫哉！欲迎我何之？以弟慢夫，非義也。以夫怨弟，非仁也。吾不敢怨，然亦不歸。」遂泣而呼天，自殺於靡笄之地。(《列女傳》〈節義傳〉)

約三軍之反

智伯聯合韓、魏兩家的軍隊討伐趙氏。趙襄子問張孟談說：「三家聯軍來攻，氣勢洶洶，我們該到哪裡暫避呢？」張孟談說：「董閼于是您父親手下的能臣，曾經擔任晉陽的郡守，後來尹鐸接替他。董子的威望還在，晉陽是考慮的首選。」趙襄子說：「好吧。」於是來到晉陽，巡視晉陽的守備情況，發現城牆沒有修繕，倉儲沒有積蓄，錢府沒有儲備，兵庫沒有武器，城邑沒有守具。襄子十分慌張，召來張孟談說：「晉陽的戰備如此糟糕，拿什麼抵擋敵人啊？」張孟談說：「我聽說聖人治理國家，藏富於民而不是藏富於官，重視教化勝過修繕城郭。您不妨發出命令，讓老百姓備足三年的口糧，多餘的糧食充實公倉；留足三年的用度，多餘的錢財用以充實官府；有多餘的勞力就去加固城牆。」命令拿出來發布的第二天，公倉就堆滿了糧食，官府裡積錢如山，兵庫裡武器齊備。又過了五天，城郭就得到修繕，守備一應俱全。襄子又對張孟談說：「現在城郭得到修繕，錢糧充足，武器有餘。但還缺少箭，怎麼辦？」張孟談說：「我聽說董閼于治理晉陽時，卿大夫住宅都用荻、蒿、楛、楚等植物作牆，楛桿有的高達一丈。您不妨用來製箭。」於是收集楛桿製箭，堅硬程度勝過竹箭。襄子又說：「箭是夠了，但還缺乏銅簇，怎麼辦？」張孟談說：「我聽說董閼于治理晉陽時，卿大夫、地方官的住宅的地基和房柱多以煉銅澆注，您何不就地取材？」於是銅的問題也解決了。等到智氏和韓氏、魏氏的軍隊到達，晉陽城已嚴陣以待。開戰三個月，聯軍不能攻克晉陽，於是疏散開來包圍晉陽，決晉陽之水灌城。圍困晉陽三年，城中居民在高處營巢而居，吊鍋燒飯，食物將盡，軍民疲憊多病。襄子告訴張孟談說：「守不住了，我想開門投降，向哪個國家投降好呢？」張孟談說：「我聽說，有智慧的人所以令人敬仰，就在於能絕處逢生，轉危為安。先不要考慮投降，讓我出城見過韓、魏兩國的君主再說。」張孟談乘著夜色偷偷潛出城外，拜會韓康子和魏宣子說：「唇亡齒寒。現在智伯率二位君主伐趙，趙國滅亡後，接下來滅亡的就是韓國和魏國了。」二位君主說：「我們也知道會是這樣。但智伯為人殘暴，如果三家聯手的事被他察覺，就會大禍臨頭。」張孟談說：「只要你們保守祕密，又怎麼會有人知道？」於是和張孟談約定三家軍隊反擊智伯的時間。

【出處】

知伯又令人之趙請蔡、皐狼之地，趙襄子弗與，知伯因陰約韓、魏將以伐趙。襄子召張孟談而告之曰：「夫知伯之為人也，陽親而陰疏，三使韓、魏而寡人不與焉，其措兵於寡人必矣，今吾安居而可？」張孟談曰：「夫董閼于，簡主之才臣也，其治晉陽，而尹鐸循之，其餘教猶存，君其定居晉陽而已矣。」君曰：「諾。」乃召延陵生，令將軍車騎先至晉陽，君因從之。君至，而行其城郭及五官之藏，城郭不治，倉無積粟，府無儲錢，庫無甲兵，邑無守具，襄子懼，乃召張孟談曰：「寡人行城郭及五官之藏，皆不備具，吾將何以應敵？」張孟談曰：「臣聞聖人之治，藏於臣不藏於府庫，務修其教不治城郭。君其出令，令民自遺三年之食，有餘粟者入之倉，遺三年之用，有餘錢者入之府，遺，有奇人者使治城郭之繕。」君夕出令，明日，倉不容粟，府無積錢，庫不受甲兵，居五日而城郭已治，守備已具。君召張孟談而問之曰：「吾城郭已治，守備已具，錢粟已足，甲兵有餘，吾奈無箭何？」張孟談曰：「臣聞董子之治晉陽也，公宮之垣皆以荻蒿楛楚牆之，有楛高至於丈，君發而用之。」於是發而試之，其堅則雖菌簵之勁弗能過也。君曰：「吾箭已足矣，奈無金何？」張孟談曰：「臣聞董子之治晉陽也，公宮令舍之堂，皆以煉銅為柱、質，君發而用之。」於是發而用之，有餘金矣。號令已定，守備已具，三國之兵果至，至則乘晉陽之城，遂戰，三月弗能拔。因舒軍而圍之，決晉陽之水以灌之，圍晉陽三年。城中巢居而處，懸釜而炊，財食將盡，士大夫羸病。襄子謂張孟談曰：「糧食匱，財力盡，士大夫羸病，吾恐不能守矣，欲以城下，何國之可下？」張孟談曰：「臣聞之，亡弗能存，危弗能安，則無為貴智矣，君失此計者。臣請試潛行而出，見韓、魏之君。」張孟談見韓、魏之君曰：「臣聞脣亡齒寒。今知伯率二君而伐趙，趙將亡矣。趙亡，則二君為之次。」二君曰：「我知其然也。雖然，知伯之為人也粗中而少親，我謀而覺，則其禍必至矣，為之奈何？」張孟談曰：「謀出二君之口而入臣之耳，人莫之知也。」二君因與張孟談約三軍之反，與之期日。（《韓非子》〈十過第十〉）

沈灶產蛙

晉陽被圍之前，張孟談對趙襄子說：「先主家財萬貫，當此危難關頭，何不使人攜重金求救於諸侯列國？」襄子說：「沒有合適的使者啊。」張孟談說：「地這個人可以吧。」襄子說：「我的德行比不上先祖，缺乏德行卻向人求救，會答應嗎？地這個人只曉得滿足我的欲望，以助長我的過失求取俸祿，讓他去求人等於同死。」襄子思考說：「我該往哪兒去呢？」侍從說：「長子距離近，[9]而且城牆厚實完整。」襄子說：「民眾修建城牆已經精疲力竭，再要他們賣命守衛，很難。」侍從又說：「邯鄲的儲備很充實。」襄子說：「那是搾取民脂民膏換來的，如今生命受到威脅，哪好意思讓他們出力？還是去晉陽

---

9. 長子，地名，即今山西省長治市長子縣。是古代丹朱的封地、精衛的故鄉、西燕的古都。

吧！晉陽是先主趙簡子的屬地，尹鐸待晉陽的百姓寬厚友善，人民一定能同心同德。」於是投奔晉陽。晉軍包圍晉陽後決水灌城，老百姓家裡爐灶都淹在水中，鑽出蛤蟆，卻毫無怨言和叛意。

【出處】

晉陽之圍，張談曰：「先主為重器也，為國家之難也，盍姑無愛寶於諸侯乎？」襄子曰：「吾無使也。」張談曰：「地也可。」襄子曰：「吾不幸有疾，不夷於先子，不德而賄。夫地也求飲吾欲，是養吾疾而干吾祿也。吾不與皆斃。」襄子出，曰：「吾何走乎？」從者曰：「長子近，且城厚完。」襄子曰：「民罷力以完之，又斃死以守之，其誰與我？」從者曰：「邯鄲之倉庫實。」襄子曰：「浚民之膏澤以實之，又因而殺之，其誰與我？其晉陽乎！先主之所屬也，尹鐸之所寬也，民必和矣。」乃走晉陽，晉師圍而灌之，沈灶產蛙，民無叛意。（《國語》〈晉語九〉）

不敢失人臣禮

智氏率韓氏、魏氏攻打晉陽。一年多以後，引來汾水灌城，城牆再差三版就將完全淹沒。城裡的人只能把鍋吊起來做飯，沒有糧食，就互換子女而食。群臣人心渙散，不再講究禮節。只有高共從容不迫，從不失君臣之禮。襄子半夜派丞相張孟同暗中結交韓、魏，與其合謀，[10]三月丙戌這天，三家反過來滅了知氏，共同瓜分了他的土

---

10. 張孟同即張孟談，漢代司馬遷為避其父司馬談諱作「張孟同」。

地。襄子論功行賞，將高共列為上等中的首位。張孟同說：「晉陽有難期間，只有高共沒有功勞。」襄子說：「當晉陽危急之時，群臣都很怠慢，只有高共不失人臣的禮節，因此予以上賞。」

【出處】

三國攻晉陽，歲餘，引汾水灌其城，城不浸者三版。城中懸釜而炊，易子而食。群臣皆有外心，禮益慢，唯高共不敢失禮。襄子懼，乃夜使相張孟同私於韓、魏。韓、魏與合謀，以三月丙戌，三國反滅知氏，共分其地。於是襄子行賞，高共為上。張孟同曰：「晉陽之難，唯共無功。」襄子曰：「方晉陽急，群臣皆懈，惟共不敢失人臣禮，是以先之。」於是趙北有代，南並知氏，彊於韓、魏。遂祠三神於百邑，使原過主霍泰山祠祀。(《史記》〈趙世家〉)

漆身吞炭

趙襄子聯手韓、魏二族殺死智伯後，分其地而滅其族。智伯的心腹家臣豫讓發誓殺趙襄子為智伯報仇。他改名換姓，裝扮成囚徒，身藏匕首，潛入趙襄子宅內的茅廁裡，準備乘趙襄子入廁時將他殺死。警覺的趙襄子察覺異樣，命人逮住豫讓，奪下他的匕首。趙襄子問他說：「你是什麼人，竟敢身藏匕首前來行刺？」豫讓回答說：「我是智伯的家臣，我要為主人報仇！」左右聽說他是刺客，都要趙襄子處死他。趙襄子問豫讓：「如果我放了你，你能否就此罷休？」豫讓說：「你放了我，是對我的恩德。我為主人報仇，是我的大義。」趙襄子的手下再三請求殺死豫讓，趙襄子搖搖頭說：「智伯沒有後代，豫讓為他報仇，是一位義士，殺這樣的人不吉祥，放了他吧！」豫讓知道趙襄子會注意自己，於是刮掉眉毛和鬍鬚，把含毒素的漆塗在身上，使身體長滿癩皰，又為了不讓人聽出自己的聲音，竟然把燒紅的炭塊吞下嚥喉。等到自己也不能辨認自己的時候，才出門尋找趙襄子報仇。豫讓沿街乞討，連他的妻子從他身邊經過都認不出來。可是有一天，一位好友聽出了他的聲音，驚訝地問：「你不是豫讓嗎？」豫讓回答說：「是我。」朋友非常痛心說：「以你的才幹和本領，如果到趙襄子門下做事，一定會得到他的寵幸。先混到他身邊，然後再找機會行刺，豈不是很容易？何苦要自殘身體，損毀容貌呢？」豫讓回答說：「投靠人家做了臣子，卻要圖謀人家的性命，豈不是懷著二心服侍君主。我若這樣幹，就是敗壞了天下人臣的大義，這和賊寇的行為有什麼區別呢？我現在這種做法雖然殘忍，而且也不一定達到目的，但卻可以使後世對君主懷有二心的人感到羞愧。」一天，豫讓打聽到趙襄子將要經過赤橋，便身藏匕首，伏身橋下準備行刺，不料又被趙襄子搜獲。儘管豫讓的聲音和容貌完全改變了，但趙襄子還是認出了他。趙襄子厲聲斥責他說：「你不是也曾侍奉過范氏、中行氏嗎？為什麼不為他們報仇，而為智氏報怨？上次我已經饒你不死，這次不能再放過你了。」豫讓說：「范氏、中行氏待我同一般人，我給他一般人的回報；智氏以國士待我，我要以國士回報他。」說完放聲大哭，哭得眼睛流血。趙襄子手下的人問他說：「你哭什麼，你是怕死嗎？」豫讓說：「不是怕死，而是想到我死之後，再也沒人替智伯報仇了！」趙襄子聽了非常感動，解下佩劍，嘆息著說：「你心如鐵石，我不能再赦免你，你自盡吧。」豫讓接過劍，向趙襄子請求說：

「我兩次行刺都沒有成功，憤恨之情無法宣洩。如果您能脫下披袍讓我砍幾劍，藉以寄託我為主人報仇的情意，那麼我死也瞑目了！」趙襄子很讚賞豫讓的志節，當即脫下錦袍遞給他。豫讓把錦袍放在地上，上前猛砍三劍，叫道：「智伯，我到九泉之下見你來了！」說完揮劍自刎而死。據說豫讓死的那一天，整個趙國的俠士都為他哭泣。

【出處】

豫讓者，晉人也，故嘗事范氏及中行氏，而無所知名。去而事智伯，智伯甚尊寵之。及智伯伐趙襄子，趙襄子與韓、魏合謀滅智伯，滅智伯之後而三分其地。趙襄子最怨智伯，漆其頭以為飲器。豫讓遁逃山中，曰：「嗟乎！士為知己者死，女為說己者容。今智伯知我，我必為報仇而死，以報智伯，則吾魂魄不愧矣。」乃變名姓為刑人，入宮塗廁，中挾匕首，欲以刺襄子。襄子如廁，心動，執問塗廁之刑人，則豫讓，內持刀兵，曰：「欲為智伯報仇！」左右欲誅之。襄子曰：「彼義人也，吾謹避之耳。且智伯亡無後，而其臣欲為報仇，此天下之賢人也。」卒醳去之。居頃之，豫讓又漆身為厲，吞炭為啞，使形狀不可知，行乞於市。其妻不識也。行見其友，其友識之，曰：「汝非豫讓邪？」曰：「我是也。」其友為泣曰：「以子之才，委質而臣事襄子，襄子必近幸子。近幸子，乃為所欲，顧不易邪？何乃殘身苦形，欲以求報襄子，不亦難乎！」豫讓曰：「既已委質臣事人，而求殺之，是懷二心以事其君也。且吾所為者極難耳！然所以為此者，將以愧天下後世之為人臣懷二心以事其君者也。」既去，頃之，襄子當出，豫讓伏於所當過之橋下。襄子至橋，馬驚，襄子曰：「此必是豫讓也。」使人問之，果豫讓也。於是襄子乃數豫讓曰：「子不嘗事范、中行氏乎？智伯盡滅之，而子不為報仇，而反委質臣於智伯。智伯亦已死矣，而子獨何以為之報仇之深也？」豫讓曰：「臣事范、中行氏，范、中行氏皆眾人遇我，我故眾人報之。至於智伯，國士遇我，我故國士報之。」襄子喟然嘆息而泣曰：「嗟乎豫子！子之為智伯，名既成矣，而寡人赦子，亦已足矣。子其自為計，寡人不復釋子！」使兵圍之。豫讓曰：「臣聞明主不掩人之美，而忠臣有死名之義。前君已寬赦臣，天下莫不稱君之賢。今日之事，臣固伏誅，然原請君之衣而擊之，焉以致報仇之意，則雖死不恨。非所敢望也，敢布腹心！」於是襄子大義之，乃使使持衣與豫讓。豫讓拔劍三躍而擊之，曰：「吾可以下報智伯矣！」遂伏劍自殺。死之日，趙國志士聞之，皆為涕泣。（《史記》〈刺客列傳〉）

交友之道

趙襄子在園囿中遊獵，走到橋邊時，馬向後退，不肯前進。襄子對陪乘的青荓說：「到前邊看看橋底下，像是有人。」青荓到前邊橋下查看，發現豫讓正仰面而睡，裝作死人。他喝叱青荓說：「快去，我將要行大事。」青荓說：「年輕時和你要好，你現在要行大事，我說出這件事等於喪失交友之道；你要殺死我的君主，我不報告就失掉了為臣之義。像我這樣，只有一死了之。」於是退下去自殺了。青荓並不是喜歡死，而是看重人臣的節操，又不願意喪失交友的準則。青荓、豫讓，是真正的朋友。

【出處】

趙襄子游於囿中，至於梁，馬卻不肯進。青荓為參乘。襄子曰：「進視梁下，類有人。」青荓進視梁下，豫讓卻寢，佯為死人。叱青荓曰：「去，長者吾且有事。」青荓曰：「少而與子友，子且為大事，而我言之，是失相與友之道。子將賊吾君，而我不言之，是失為人臣之道。如我者惟死為可。」乃退而自殺。青荓非樂死也，重失人臣之節，惡廢交友之道也。青荓豫讓，可謂之友也。《呂氏春秋》〈季冬紀・序意〉

進速致遠

趙襄子向王子期學習駕馭的技巧，不久和子期賽馬。兩人換了三次馬，趙襄子都輸了。襄子說：「您教我駕馬，技巧並沒有全教給我吧？」子期回答說：「技巧都教給您了，但您在使用時有錯誤。駕馭車馬時，重要的是要讓馬拉車時身體感到安適，人的注意力和馬的動作保持協調，然後才能夠跑得快、跑得遠。現在您落在後面就想趕上我，跑在前面又怕被我趕上。引導馬作遠程賽跑，不是領先，就是落後；不管您是領先還是落後，注意力都在我身上，還怎麼能和馬協調一致呢？這就是您落後的原因。」

【出處】

趙襄主學御於王子期，俄而與於期逐，三易馬而三後。襄主曰：「子之教我御術未盡也。」對曰：「術已盡，用之則過也。凡御之所貴，馬體安於車，人心調於馬，而後可以進速致遠。今君後則欲逮臣，先則恐逮於臣。夫誘道爭遠，非先則後也。而先後心皆在於臣，上何以調於馬，此君之所以後也。」（《韓非子》〈喻老〉）

耳而目之

趙襄子以任登為中牟令。任登向趙襄子報告說：「中牟有位士人，叫膽胥己，請您見見他吧。」趙襄子接見膽胥己並任命他為中大夫。相國說：「我猜想您只是聽說過這個人，並沒有真正見識過他的才能吧？當中大夫有這麼容易嗎？這樣做，不符合晉國的舊制吧？」趙襄子說：「我任用任登之前，已經聽說過他的為人，也親眼見過他的行為了。任登推薦的人，我又要親耳去聽、親眼去看，那我每天就什麼事也不用幹了。」於是趙襄子不再諮詢他人，果斷任用膽胥己為中大夫。趙襄子以這種方式任用人才，賢能的人都會盡心竭力做事了。

【出處】

趙襄子之時，以任登為中牟令。上計，言於襄子曰：「中牟有士曰膽胥己，請見之。」襄子見而以為中大夫。相國曰：「意者君耳而未之目邪。為中大夫若此其見也。非晉國之故。」襄子曰：「吾舉登也，已耳而目之矣。登所舉，吾又耳而目之，是耳目人終無已也。」遂不復問，而以為中大夫。襄子何為。任人，則賢者畢力。（《呂氏春秋》〈審分覽・知度〉）

非福祿並至

趙襄子派新稚穆子攻打狄人，連取左人、中人二邑。捷報傳回時，趙襄子正在吃飯，臉上露出恐懼的神色。侍者說：「新稚狗[11]連戰皆捷，獲得大勝，您卻顯出不高興的樣子，為什麼呢？」趙襄子回答說：「我聽說德行不厚而福祿雙至，稱為僥倖。僥倖並不是福，缺乏德行，靠僥倖贏得大勝的快樂，我內心非常恐懼。」

【出處】

趙襄子使新稚穆子伐狄，勝左人、中人，遽人來告，襄子將食，尋飯有恐色。侍者曰：「狗之事大矣，而主之色不怡，何也？」襄子曰：「吾聞之：德不純而福祿並至，謂之幸。夫幸非福，非德不當雍，雍不為幸，吾以是懼。」（《國語》〈晉語九〉）

持國之道

張孟談輔佐襄子鞏固了趙氏的地位，擴展了封地，想建立五霸一樣的基業，就通過頌揚趙簡子的功績來激勵襄子說：「從前簡子執政時曾經說：『五霸之所以能稱霸天下，主要有兩點，一是君主的權勢足以約束臣下，二是遏制大臣的權力，使其不能左右君主。因此貴為列侯的人，就不要再讓他出任相國；將軍以上，則不宜讓其擔任朝中

11.「新稚穆子」名「新稚狗」。

近臣。』如今臣下名聲顯赫，身分尊貴，位高權重，百姓子民無不服從命令。臣願意捐棄功名，辭職歸權，讓百姓只知有大王而不知有孟談。」趙襄子惆悵說：「這是何必呢？我聽說盡心輔佐君主的人自然名聲顯赫，居功甚偉的人身分自然尊貴，為國操勞的人自然位高權重，自己忠信自律百姓自然敬服。古代聖賢治理國家、安定天下，不都是這樣做的嗎？您為什麼要辭職呢？」張孟談回答說：「君王所說的，都是成功之後的好處；臣下所說的，是執掌國家的方法。臣下觀察近代的現實，聽聞上古的傳說，覺得成功的好處都是相同的，但從沒見過君臣權勢相當會有好的結果。吸取過往的經驗教訓，可以作為今天的重要借鑑。君主如果不考慮臣下的意見，臣下就無能為力了。」張孟談神情憂傷卻去意堅決。張孟談在家裡躺了三天，派人對襄子說：「晉陽的政事，臣下不從命怎麼辦？」襄子回答說：「處死。」張孟談說：「左司馬為國所用，為保國家安定，不避死亡，以成就忠名，君王動手吧。」趙襄子無奈回答說：「去做您想做的事情吧。」張孟談於是交出權力和封地，在負親的小山上躬耕自養。三年之後，韓、魏、齊、楚四國違背盟約，圖謀進攻趙國。趙襄子親往負親，請教張孟談說：「從前瓜分智伯的土地，趙氏多分了十座城邑，現在諸侯來打我們的主意，我們該如何應對呢？」張孟談說：「請大王背著劍，為臣下駕車返回國都，讓臣下居於朝堂，擁有吩咐大夫的權力，臣下試著為您謀劃。」趙襄子趕忙應允。張孟談於是安排他的妻子去楚國，長子去韓國，次子去魏國，少子去齊國。四國相互猜忌，結盟終於失敗。

【出處】

張孟談既固趙宗，廣封疆，發五百，乃稱簡之涂以告襄子曰：「昔者，前國地君之御有之曰：『五百之所以致天下者約，兩主勢能制臣，無令臣能制主。故貴為列侯者，不令在相位，自將軍以上，不為近大夫。』今臣之名顯而身尊，權重而眾服，臣願捐功名、去權勢以離眾。」襄子恨然曰：「何哉？吾聞輔主者名顯，功大者身尊，任國者權重，信忠在己而眾服焉。此先聖之所以集國家、安社稷乎！子何為然？」張孟談對曰：「君之所言，成功之美也。臣之所謂，持國之道也。臣觀成事，聞往古，天下之美同，臣主之權均之能美，未之有也。前事之不忘，後事之師。君若弗圖，則臣力不足。」愴然有決色。襄子去之。臥三日，使人謂之曰：「晉陽之政，臣下不使者何如？」對曰：「死僇。」張孟談曰：「左司馬見使於國家，安社稷不避其死，以成其忠，君其行之。」君曰：「子從事。」乃許之。張孟談便厚以便名，納地釋事以去權尊，而耕於負親之丘。故曰，賢人之行，明主之政也。耕三年，韓、魏、齊、燕負親以謀趙。襄子往見張孟談而告之曰：「昔者知氏之地，趙氏分則多十城，復來，而今諸侯孰謀我，為之奈何？」張孟談曰：「君其負劍而御臣以之國，舍臣於廟，授吏大夫，臣試計之。」君曰：「諾。」張孟談乃行，其妻之楚，長子之韓，次子之魏，少子之齊。四國疑而謀敗。(《戰國策》〈趙策一〉)

撞之以挺

趙襄子對孔子說：「先生委質求見諸侯，經歷了七十多個國君，但無論在什麼地方都不被了解。不知是這世上沒有英明的國君呢？還是先生的主張本來就行不通？」孔子不回答他。後來趙襄子見到子路，便問他說：「我曾經拿先生的主張問過先生，先生不回答。知道而不回答，那就是故意隱瞞；隱瞞自己的主張，那怎麼能稱得上仁厚？假若真的不知道，那又怎麼能稱為聖人？」子路說：「樹起天下的鳴鐘卻用草棍去撞擊它，難道能使它發出聲音嗎？你這樣問孔子，不就像用草棍來撞鐘嗎？」

【出處】

趙襄子謂仲尼曰：「先生委質以見人主七十君矣，而無所通，不識世無明君乎？意先生之道，固不通乎？」仲尼不對。異日，襄子見子路曰：「嘗問先生以道，先生不對，知而不對則隱也。隱則安得為仁；若信不知，安得為聖？」子路曰：「建天下之鳴鐘，而撞之以挺，豈能發其聲乎哉？君問先生，無乃猶以挺撞乎？」（《說苑》〈善說〉）

桀紂並世

趙襄子酗酒，連續五天五夜還不罷休，他對侍從說：「我真算得上舉國敬仰的人了，喝了五天五夜，仍然毫無醉意。」優莫說：「主公再努把力，跟商紂王相比只差兩天了。紂王喝了七天七夜，您才五天啊。」趙襄子心虛了，對優莫說：「這麼說，我是要亡國了嗎？」優莫說：「還不會。」趙襄子說：「跟紂王比只差兩天，不就是快亡國了嗎？」優莫說：「夏桀、商紂之所以亡國，是因為碰上了商湯王和周武王。現在天下都是夏桀之流，而主公好比商紂，桀、紂並世而立，誰能滅誰？不過已經很危險了。」

【出處】

趙襄子飲酒五日五夜，不廢酒，謂侍者曰：「我誠邦士也。夫飲酒五日五夜矣，而殊不病。」優莫曰：「君勉之，不及紂二日耳。紂七日七夜，今君五日。」襄子懼，謂優莫曰：「然則吾亡乎？」優莫曰：「不亡。」襄子曰：「不及紂二日耳，不亡何待？」優莫曰：「桀紂之亡也遇湯武，今天下盡桀也，而君紂也，桀紂並世，焉能相亡，然亦殆矣。」（《新序》〈刺奢第六〉）

吝而不忍

趙襄子問王子維說：「吳國為什麼會滅亡？」王子維回答說：「吳國的君主吝嗇而有婦人之心。」趙襄子說：「那就難怪了。吝嗇，賢能之士就難以得到獎賞；心腸太軟，作姦犯科的人就得不到處罰，那還靠什麼來治理國家？」

【出處】

趙襄子問於王子維曰：「吳之所以亡者，何也？」對曰：「吳君吝而不忍。」襄子曰：「宜哉吳之亡也。吝則不能賞賢，不忍則不能罰奸。賢者不賞，有罪不罰，不亡何待？」（《新序》〈雜事第五〉）

擊金而退

從前，趙氏的領地發生中牟叛亂，趙襄子率軍討伐。合圍尚未完成，中牟的城牆卻自己倒塌了一塊，趙襄子於是鳴金退兵。有軍官說：「主公懲罰中牟的反叛之罪，他們的城牆就自己垮塌了，這是老天爺在幫助我們，君主為什麼要撤兵呢？」襄子說：「我聽叔向說過：『君子不乘人之危。』讓他們把城修好了我們再來進攻。」中牟人聽到趙襄子如此義氣，便請求歸降。襄子滅掉知氏，兼併代國，成為天下的強者，都是由伐中牟而開始的。

【出處】

昔者，趙之中牟叛，趙襄子率師伐之，圍未合而城自壞者十堵，襄子擊金而退。士軍吏曰：「君誅中牟之罪，而城自壞，是天助也，君曷為去之？」襄子曰：「吾聞之於叔向曰：『君子不乘人於利，不迫人於險。』使之城而後攻。」中牟聞其義，乃請降。詩曰：「王猶允塞，徐方既來。」[12]此之謂也。襄子遂滅知氏，並代為天下強，本由伐中牟也。（《新序》〈雜事第四〉）

12.「王猶允塞，徐方既來」，出自《詩經》〈大雅・常武〉。

妾無暴子

趙佛肸母，是趙國中牟長官佛肸的母親。佛肸在中牟起兵造反，按趙國的法令，除本人處死，家產沒收外，佛肸的母親也要同死。佛肸母親說：「判我死罪是沒有道理的。」士長問其原因，佛肸母親說：「見了國君我才會說，否則唯死而已。」於是上報到趙襄子那裡。襄子接見她，問她說：「為什麼說罪不當死？」佛肸母說：「為什麼我要死？」襄子說：「你兒子造反。」佛肸母說：「兒子造反，母親為什麼該死？」襄子說：「母親不能教兒子，使得他造反，所以該死。」佛肸母說：「哦！我還以為您要殺我有其他原因呢。我的職責早就已盡到。這本是君主您的過錯。我聽說：兒子年少而驕橫，是母親的罪過，長大不聽使喚，是父親的過錯；我兒子年小時並不驕橫，長大後也聽從使喚，我有什麼過錯呢？我還聽說，兒子小的時候是兒子，長大了是朋友，丈夫死了要順從兒子。我為國家生育撫養了兒子，是君主自己選擇他為臣子。我兒子在朝廷做官，就是國君的大臣，而不是我的兒子了。君主有殘暴的臣下，我可沒有謀反的兒子，所以說我沒有罪。」趙襄子說：「你說得對，佛肸謀反是寡人的過錯。」於是釋放了佛肸的母親。

【出處】

趙佛肸母者，趙之中牟宰佛肸之母也。佛肸以中牟叛。趙之法，以城叛者，身死家收。佛肸之母將論，自言曰：「我死不當。」士長問其故，母曰：「為我通於主君，乃言；不通，則老婦死而已。」士長為之言於襄子，襄子出，問其故，母曰：「不得見主君則不言。」於是襄子見而問之曰：「不當死何也？」母曰：「妾之當死亦何也？」襄子曰：「而子反。」母曰：「子反，母何為當死？」襄子曰：「母不能教子，故使至於反，母何為不當死也？」母曰：「吁，以主君殺妾為有說也，乃以母無教邪！妾之職盡久矣，此乃在於主君。妾聞子少而慢者，母之罪也。長而不能使者，父之罪也。今妾之子少而不慢，長又能使，妾何負哉！妾聞之，子少則為子，長則為友，夫死從子，妾能為君長子，君自擇以為臣，妾之子與在論中，此君之臣，非妾之子。君有暴臣，妾無暴子，是以言妾無罪也。」襄子曰：「善，夫佛肸之反，寡人之罪也。」遂釋之。（《列女傳》〈辯通傳〉）

示之不得已

魏文侯向趙國借道攻打中山。趙烈侯想拒絕。趙利勸諫說：「您錯了。魏國攻打中山如果不能取勝，一定很疲憊；魏國疲憊，趙國的地位就重。魏國即便攻佔中山，也不可能越過趙國擁有中山的土地。這意味著，用兵的是魏國，取得土地的卻是趙國。君王不如答應他，但如果答應得很痛快，他們就會明白趙國的用心，從而放棄攻打中山。君王不如借路給他們，卻做出迫不得已的樣子。」

【出處】

魏文侯借道於趙攻中山。趙侯將不許。趙利曰：「過矣。魏攻中山而不能取，則魏必罷，罷則趙重。魏拔中山，必不能越趙而有中山矣。是用兵者，魏也；而得地者，趙也。君不如許之，許之大勸，彼將知矣利之也，必輟。君不如借之道，而示之不得已。」（《戰國策》〈趙策一〉）

烈侯好音

烈侯愛好音樂，對相國公仲連說：「寡人喜歡的人，可以使他尊貴嗎？」公仲說：「使他富有可以，尊貴就不好辦了。」烈侯說：「好吧。鄭國的歌手槍和石，我想賜給他們每人田地各一萬畝。」公仲回答說：「好。」但卻不予落實。過了一個月，烈侯從代地歸來，追問賞田的事，公仲說：「正在找，還沒找到合適的。」沒過幾天，烈侯再問。公仲仍然不辦，並稱病不上朝。番吾君從代地來，對公仲說：「國君其實喜歡善政，只是不知道怎樣實行。現在您擔任相國已有四年，是否向國君推薦過人才？」公仲說：「沒有。」番吾君說：「牛畜、荀欣、徐越，三個人都不錯。」公仲於是向烈侯推薦。烈侯又提起給歌手賞田的事，公仲回答說：「正在派人挑選最好的地塊。」牛畜侍奉烈侯時，對他講仁義道德，用王道約束他，烈侯覺得很受用。第二天，荀欣陪侍，建議烈侯選拔賢才，根據能力任命官吏。第三天，徐越陪侍，建議烈侯節約財物，儉省用度，考察評估官吏們的功績德行。烈侯覺得三人講的話很受用，心裡很高興，於是派人去對相國說：「給歌手賜田的事暫時停止。」接著又拜牛畜為師、荀欣為中尉、徐越為內史，同時賞給相國兩套衣服，以示嘉獎。

【出處】

烈侯好音，謂相國公仲連曰：「寡人有愛，可以貴之乎？」公仲曰：「富之可，貴之則否。」烈侯曰：「然。夫鄭歌者槍、石二人，吾賜之田，人萬畝。」公仲曰：「諾。」不與。居一月，烈侯從代來，問歌者田。公仲曰：「求，未有可者。」有頃，烈侯復問。公仲終不與，乃稱疾不朝。番吾君自代來，謂公仲曰：「君實好善，而未知所持。今公仲相趙，於今四年，亦有進士乎？」公仲曰：「未也。」番吾君曰：「牛畜、荀欣、徐越皆可。」公仲乃進三人。及朝，烈侯復問：「歌者田何如？」公仲曰：「方使擇其善者。」牛畜侍烈侯以仁義，約以王道，烈侯逌然。明日，荀欣侍，以選練舉賢，任官使能。明日，徐越侍以節財儉用，察度功德。所與無不充，君說。烈侯使使謂相國曰：「歌者之田且止。」官牛畜為師，荀欣為中尉，徐越為內史，賜相國衣二襲。（《史記》〈趙世家〉）

柱之不可書

趙王派遣使者到楚國去。剛彈瑟為使者送行，就告誡他說：「你一定要按照我的話去做。」使者說：「大王彈瑟，音調未曾像這樣悲哀。」趙王說：「音調本來是剛才就調好的。」使者說：「調好了音為什麼不記在弦柱上呢？」趙王說：「天氣有乾燥濕潤的時候，弦也隨之有鬆緊，音的轉移是不能預知的，因此不去記它。」使者說：「英明的君主派人出使，只把事情託付給他，而不用言辭來限制他。遭遇順利就祝賀他，遭遇凶險就慰勞他。楚、趙兩國相距千里有餘，吉凶憂患不能預知，就好比弦柱上不能記下調好的音一樣。」《詩經》上說：「眾多匆匆趕路的使者，各自的私念無暇顧及。」

【出處】

趙王遣使者之楚，方鼓瑟而遣之，誡之曰：「必如吾言。」使者曰：「王之鼓瑟，未嘗悲若此也！」王曰：「宮商固方調矣！」使者曰：「調則何不書其柱耶？」王曰：「天有燥濕，弦有緩急，宮商移徙不可知，是以不書。」使者曰：「明君之使人也，任之以事，不制以辭，遇吉則賀之，凶則弔之。今楚、趙相去，千有餘里，吉凶憂患，不可豫知，猶柱之不可書也。詩云：『駪駪征夫，每懷靡及。』」[13]（《說苑》〈奉使〉）

文武盡勝

齊國攻打廩丘。趙國派孔青率領敢死的勇士去援救，把齊國人打得大敗。齊國的將帥被打死，孔青俘獲戰車兩千輛，屍體三萬具，他把這些屍體封土堆成兩個高丘。甯越對孔青說：「太可惜了，不如把屍體歸還給齊國而從內部攻擊它。我聽說，古代善於作戰的人，該堅守就堅守，該進退就進退。我軍後退三十里，給敵軍以收屍的機會，他們因收屍而耗盡財物，戰車鎧甲在戰爭中喪失盡了，府庫裡的錢財在安葬戰死者時用光了，這就叫從內部攻擊它。」孔青說；「齊人如果不來收屍，那該怎麼辦？」甯越說：「作戰不能取勝，這是他們

13.「駪駪征夫，每懷靡及」，出自《詩經》〈小雅・皇皇者華〉。

的第一條罪狀，率領士兵出去作戰不能使他們安全返回，這是第二條罪狀；給他們屍體卻不收取，這是第三條罪狀。人民將因為這三條怨恨居於上位的人。上位的人無法役使下位的人，下位的人不肯侍奉上位的人，這就叫作雙重攻擊。」甯越可以說是懂得運用文武兩種辦法了。用武就憑力量取勝，用文就憑仁德取勝。用文用武都能取勝，什麼樣的敵人不能降服？

【出處】

齊攻廩丘。趙使孔青將死士而救之，與齊人戰，大敗之。齊將死，得車二千，得屍三萬，以為二京。甯越謂孔青曰：「惜矣，不如歸屍以內攻之。越聞之，古善戰者，莎隨賁服。卻舍延屍，彼得屍而財費乏，車甲盡於戰，府庫盡於葬，此之謂內攻之。」孔青曰：「敵齊不屍則如何？」甯越曰：「戰而不勝，其罪一；與人出而不與人入，其罪二；與之屍而弗取，其罪三。民以此三者怨上。上無以使下，下無以事上，是之謂重攻之。」甯越可謂知用文武矣。用武則以力勝，用文則以德勝。文武盡勝，何敵之不服！（《呂氏春秋》〈慎大覽・不廣〉）

愚者之患

唐尚的同齡人做了史官，他的老朋友以為他也願意做史官，就把消息告訴給了唐尚。唐尚說：「我並不是沒有機會做史官，而是恥於去做。」老朋友並不相信他的話。等到魏國圍困邯鄲的時候，唐尚通過遊說魏惠王解了邯鄲之圍，趙王便把伯陽邑賞給了唐尚。他的老友這才相信他真的羞於為史官。過了一些日子，這個舊友來替自己的哥哥請求官職。唐尚說：「等衛國君主死了，我讓你哥哥代替他。」舊友起身離席，退避再拜，竟然信以為真。對可信的不相信，對不可信的反倒相信，這就是愚人的災禍。知道別人貪求私利，自己卻不能克服這種欲望，這種人做了君主，即使據有天下，又有什麼益處？所以沒有比愚蠢更大的災禍了。愚蠢的災禍，在於遇事固執己見。因為固執己見，粗鄙無知的人就會跑來祝賀。像這樣據有國家，還不如沒有。古代讓賢的事情就是這樣產生的。讓賢的人並不是憎惡自己的子孫，並不是追求和炫耀讓賢的美名，而是基於實際情況才這樣做的。

【出處】

唐尚敵年為史，其故人謂唐尚願之，以謂唐尚。唐尚曰：「吾非不得為史也，羞而不為也。」其故人不信也。及魏圍邯鄲，唐尚說惠王而解之圍，以與伯陽，其故人乃信其羞為史也。居有間，其故人為其兄請，唐尚曰：「衛君死，吾將汝兄以代之。」其故人反興再拜而信之。夫可信而不信，不可信而信，此愚者之患也。知人情不能自遺，以此為君，雖有天下何益？故敗莫大於愚。愚之患，在必自用。自用則戇陋之人從而賀之。有國若此，不若無有。古之與賢從此生矣。非惡其子孫也，非徼而矜其名也，反其實也。（《呂氏春秋》〈士容論・士容〉）

逾郭而入

梁車剛擔任鄴縣縣令，他姐姐前去看他，天黑時才趕到。當時城門已關，於是她越過外城進去，梁車依法砍斷了她的腳。趙成侯認為梁車不講仁慈，就收回他的官印，罷免了他的官職。

【出處】

梁車新為鄴令，其姊往看之，暮而後，門閉；因逾郭而入。車遂刖其足。趙成侯以為不慈，奪之璽而免之令。（《韓非子》〈外儲說左下〉）

前倨後恭

蘇秦從秦國推銷連橫之策失敗回到家中時，家人對他非常冷淡，嫂子更是橫眉冷對，連飯也不做給他吃。受到刺激的蘇秦發憤讀書，懸梁刺股，最終得到天下諸侯的認可。趙王封他做武安君，掛相印，主導六國合縱。蘇秦衣錦還鄉時，父母得知消息，清掃道路，打掃院落，安排酒宴歌舞，迎出家門三十里地表示歡迎。妻子對他小心翼翼，不敢正眼看他；嫂子更是匍匐於地，像蟲子一樣爬到蘇秦腳下，一邊磕頭一邊用卑微的言辭道歉。蘇秦笑問她說：「嫂子為何以前那樣傲慢，現在又這樣卑下，難道我蘇秦是兩個人嗎？」嫂子回答說：「因為您現在的地位尊貴，又有錢。」蘇秦由此慨嘆說：「唉！貧賤則父母不認親子，富貴則妻嫂畏懼。人生在世，富與貴怎麼能忽視不顧呢？」

【出處】

說秦王書十上而說不行。黑貂之裘弊，黃金百斤盡，資用乏絕，去秦而歸。羸縢履蹻，負書擔橐，形容枯槁，面目犁黑，狀有歸色。歸至家，妻不下紝，嫂不為炊，父母不與言。蘇秦喟嘆曰：「妻不以我為夫，嫂不以我為叔，父母不以我為子，是皆秦之罪也。」乃夜發書，陳篋數十，得太公《陰符》之謀，伏而誦之，簡練以為揣摩。讀書欲睡，引錐自刺其股，血流至足。於是六國從合而併力焉。蘇秦為從約長，並相六國。北報趙王，乃行過洛陽，車騎輜重，諸侯各發使送之甚眾，疑於王者。周顯王聞之恐懼，除道，使人郊勞。蘇秦之昆弟妻嫂側目不敢仰視，俯伏侍取食。蘇秦笑謂其嫂曰：「何前倨而後恭也？」嫂委蒲服，以面掩地而謝曰：「見季子位高金多也。」蘇秦喟然嘆曰：「此一人之身，富貴則親戚畏懼之，貧賤則輕易之，況眾人乎！且使我有雒陽負郭田二頃，吾豈能佩六國相印乎！」於是散千金以賜宗族朋友。（《戰國策》〈秦策一〉）

誠得其道

蘇秦從燕國到達趙國，向趙王推銷他的合縱策略時說：「我聽說堯過去連三百畝大的地盤都沒有，舜甚至沒有一尺大的封地，竟然擁有了天下。禹只有一個不滿百人的部落，竟成為諸侯的共主。商湯、周武王的士兵不滿三千，戰車不過三百輛，最後竟成為天子。這都是因為他們獲得了治國安邦的真經。所以英明的國君，對外要估計敵國的強弱，對內要視察士卒的多寡、賢與不賢，而在兩軍對壘之前，就已經對戰爭的勝敗存亡心中有數，也絕對不會被眾人的七嘴八舌所矇蔽，而稀里糊塗做決定。」

【出處】

臣聞，堯無三夫之分，舜無咫尺之地，以有天下。禹無百人之聚，以王諸侯。湯、武之卒不過三千人，車不過三百乘，立為天子。誠得其道也。是故明主外料其敵國之強弱，內度其士卒之眾寡、賢與不肖，不待兩軍相當，而勝敗存亡之機節，固已見於胸中矣，豈掩於眾人之言，而以冥冥決事哉！（《戰國策》〈趙策二〉）

抵掌而談

蘇秦因往秦國遊說連橫不成功，轉而倡導合縱，去遊說趙肅侯。肅侯在華麗的宮殿裡召見蘇秦，雙方談得極為投機。肅侯非常讚賞蘇秦的觀點，激動之時，情不自禁地握住蘇秦的雙手。會談結束，趙肅侯十分高興，封蘇秦為武安君，任他為相國，並給予他兵車百輛、錦繡千束、白璧百雙，黃金萬鎰，讓他率車隊前往各國約談合縱之盟，以禦強秦。

【出處】

於是乃摩燕烏集闕，見說趙王於華屋之下，抵掌而談。趙王大悅，封為武安君。受相印，革車白乘，錦繡千純，白璧百雙，黃金萬溢，以隨其後，約從散橫，以抑強秦。（《戰國策》〈秦策一〉）

六國併力為一

蘇秦向趙王推銷他的合縱策略時說：「我私下拿天下的地圖察看，諸侯的土地相當於秦國的五倍，估計諸侯的兵力也十倍於秦國。假如六國能夠團結一致，合力攻打秦國，秦國必定滅亡。現在各國面臨被秦國滅亡的危險，於是向西侍奉秦國，向秦國稱臣。所以我私下為大王謀劃，不如團結韓、魏、齊、楚、燕，使六國合縱，相互親近，以此抗拒秦國。傳令各國將相到洹水集會，交換人質，殺白馬締結盟約。盟約上這樣寫：『假如秦國攻打楚國，齊、魏都要各出精兵為楚國作戰，韓國負責切斷秦國的糧道，趙國渡過黃河、漳水，燕國守住常山以北。如果秦國攻打韓、魏二國，楚國就切斷秦國的後路，齊國出動精兵支援韓、魏，趙國則渡過黃河、漳水，燕國堅守雲中。秦國如果攻打齊國，楚國負責切斷秦國的後路，韓國守住成皋，魏國封鎖午道，趙國越過黃河、漳水、博關，燕國派精兵援助齊國。假如秦兵攻打燕國，趙國就守住常山，楚國進兵武關，齊軍渡過渤海，韓、魏兩國各出精兵救援。秦兵如果攻打趙國，韓國就要鎮守宜陽，楚軍列陣武關，魏軍則駐紮在河外，齊軍渡過渤海，燕國則發精兵救趙。諸侯國中有誰先背棄盟約，其他五國就共同出兵討伐它，只要六國合縱，親密合作來抵抗秦國，秦國就不敢出兵函谷關侵害殽山以東了。這樣大王就可以成就霸業。」

【出處】

臣竊以天下地圖案之。諸侯之地五倍於秦，料諸侯之卒，十倍於秦。六國併力為一，西面而攻秦，秦必破矣。今見破於秦，西面而事之，見臣於秦。夫破人之與破於人也，臣人之與臣於人也，豈可同日而言之哉！夫橫人者，皆欲割諸侯之地以與秦成。與秦成，則高臺，美宮室，聽竽瑟之音，察五味之和，前有軒轅，後有長庭，美人巧笑，卒有秦患，而不與其憂。是故橫人日夜務以秦權恐猲諸侯，以求割地，願大王之熟計之也。臣聞，明王絕疑去讒，屏流言之跡，塞朋黨之門，故尊主廣地強兵之計，臣得陳忠於前矣。故竊本大王計，莫如一韓、魏、齊、楚、燕、趙六國從親，以儐畔秦。令天下之將相，相與會於洹水之上，通質刑白馬以盟之。約曰：『秦攻楚，齊、魏各出銳師以佐之，韓絕食道，趙涉河、漳，燕守常山以北。秦攻韓、魏，則楚絕其後，齊出銳師以佐之，趙涉河、漳，燕守雲中。秦攻齊，則楚絕其後，韓守成皋，魏塞午道，趙涉河、漳、博關，燕出銳師以佐之。秦攻燕，則趙守常山，楚軍武關，齊涉渤海，韓、魏出銳師以佐之。秦攻趙，則韓軍宜陽，楚軍武關，魏軍河外，齊涉渤海，燕出銳師以佐之。諸侯有先背約者，五國共伐之。六國從親以擯秦，秦必不敢出兵函谷關以害山東矣。如是則伯業成矣。（《戰國策》〈趙策二〉）

三日不見

蘇秦為趙王出使秦國，回來後，三天沒得到趙王的接見。蘇秦對趙王說：「我從前經過柱山時，看見那裡有兩棵樹。一棵樹在呼喚自己的夥伴，一棵樹在哭泣。問它們其中的緣故，一棵樹回答說：『我已經長得很高大，年紀也老了，我痛苦的是那些匠人用墨線和規矩來雕刻我。』一棵樹說：『這不是我的痛苦，這本是我分內的事。我痛苦的是那鐵鑽，從我身上想進就進，想出就出。』如今臣下出使秦國，歸來後三天不得進見，恐怕有人認為臣下是那來去自由、為了自身利益任意傷害樹幹的鐵鑽吧？」

【出處】

蘇秦為趙王使於秦，反，三日不得見。謂趙王曰：「秦乃者過柱山，有兩木焉。一蓋呼侶，一蓋哭。問其故，對曰：『吾已大矣，年已長矣，吾苦夫匠人且以繩墨案規矩刻鏤我。』一蓋曰：『此非吾所苦也，是故吾事也。吾所苦夫鐵鑽然，自入而出夫人者。』今臣使於秦，而三日不見，無有謂臣為鐵鑽者乎？」（《戰國策》〈趙策一〉）

土梗與木梗

蘇秦遊說李兌說：「洛陽乘軒里的蘇秦，家境貧寒，雙親年老，打著綁腿，腳穿草鞋，步行千里，跋山涉水，來到您的宮外，希望拜見您，親口談談天下大事。」李兌說：「先生給我講講鬼故事還行，若以人事遊說我，就不必了。」蘇秦回答說：「臣下本來就是來講鬼故事的。」見到李兌後，蘇秦說：「今天我來的時候天色已晚，外城城門已關，連個草蓆都沒找到，只好借宿在人家的田地裡。田地旁邊有一個宗祠。半夜的時候，我聽見土偶跟木偶鬥嘴說：『你比我差遠了。假如我遇到暴風驟雨而被毀壞，就又回歸於土。而你並非樹根，不過是樹枝而已。遇上暴風驟雨，就會漂向江河，東流大海，隨處飄浮而無安身立命之處。』我私下以為土偶獲勝了。如今閣下殺死武靈王，滅了他的宗族，您現在的處境危如累卵。您若採納臣下的計謀就能免除憂患，否則極其危險。」李兑說：「您到客舍住下吧，明天再來見我。」蘇秦出去後，李兑家臣對李兑說：「臣下暗中觀察您與蘇公的談話，他的辯才和博學都在您之上，您能聽取他的計謀嗎？」李兑說：「不能。」家臣說：「如果不能，希望您牢牢堵住兩隻耳朵，不要聽信他的話。」第二天蘇秦又來拜見李兑，談了一整天才離去。家臣出來送蘇秦，蘇秦對家臣說：「昨天簡單幾句話卻讓相國動心，今天談了一天相國卻不為所動，這是為什麼？」舍人說：「您的計謀宏大高遠，但相國是不會採用的，是我叫他堵住耳朵，不要聽信你的話。雖然如此，您明天再來，我會請相國資助您一大筆費用。」第三天蘇秦再來，李兑同他擊掌暢談。末了贈送蘇秦明月珠、和氏璧、黑貂裘及黃金百鎰。蘇秦得到這些資助，於是西行進入秦國。

【出處】

蘇秦說李兌曰：「洛陽乘軒里蘇秦，家貧親老，無罷車駑馬，桑輪蓬篋羸幐，負書擔橐，觸塵埃，蒙霜露，越漳、河，足重繭，日百而舍，造外闕願見於前。口道天下之事。」李兌曰：「先生以鬼之言見我則可，若以人之事，兌盡知之矣。」蘇秦對曰：「臣固以鬼之言見君，非以人之言也。」李兌見之。蘇秦曰：「今日臣之來也暮，後郭門，藉席無所得，宿寄人田中，傍有大叢。夜半，土梗與木梗鬥曰：『汝不如我，我者乃土也。使我逢疾風淋雨，壞沮，乃復歸土。今汝非木之根，則木之枝耳。汝逢疾風淋雨，漂入漳、河，東流至海，氾濫無所止。』臣竊以為土梗勝也。今君殺主父而族之，君之立於天下，危於累卵。君聽臣計則生，不聽臣計則死。」李兌曰：「先生就舍，明日復來見兌也。」蘇秦出，李兌舍人謂李兌曰：「臣竊觀君與蘇公談也，其辯過君，其博過君，君能聽蘇公之計乎？」李兌曰：「不能。」舍人曰：「君即不能，願君堅塞兩耳，無聽其談也。」明日復見，終日談而去。舍人出送蘇君，蘇秦謂舍人曰：「昨日我談粗而君動，今日精而君不動，何也？」舍人曰：「先生之計大而規高，吾君不能用也。乃我請君塞兩耳，無聽談者。雖然，先生明日復來，吾請資先生厚用。」明日來，抵掌而談。李兌送蘇秦明月之珠，和氏之璧，黑貂之裘，黃金百鎰。蘇秦得以為用，西入於秦。（《戰國策》〈趙策一〉）

微之為著者強

秦國攻打趙國，蘇秦勸諫秦王說：「臣下聽說懷揣珍寶的人不會在夜間走路，身當大任的人不會輕敵。因此賢明的人重任在肩而行為恭謹，聰明的人功勞很大而言辭謙順。民眾不憎恨他們的尊貴，世人不嫉妒他們的功業。臣下還聽說：土地廣大的國家，民眾爭先歸附，功高蓋世的人，國君不再重用；力量耗盡的民眾，仁義的人不使用；想要得到的東西反而不去強求，這是聖明君主一貫的做法。建立大的功業以後，使百姓休養生息，這是用兵的法則。如今長年用兵不止，老百姓已經精疲力竭。雖然想著一定要戰服趙國，把它變為秦國的縣邑，但趙國是個四通八達的國家，即便得到邯鄲，也不符合國家的長遠利益。土地雖廣卻無法耕種，民眾疲弱得不到休息，又用嚴刑峻法來約束他們，百姓表面上雖然服從，反抗卻絕不會停止。俗話說：『打了勝仗就會使國家處於危險的境地，戰事就會不斷。看重功業而輕視利益，就不會得到土地。』所以父親不會讓兒子幹超過能力的事情，君主不會對臣子提出過分的要求。見微知著才能強大，懂得使民眾休息才可以成為霸主，舉重若輕才可以稱王。」

【出處】

臣聞懷重寶者，不以夜行；任大功者，不以輕敵。是以賢者任重而行恭，知者功大則辭順。故民不惡其尊，而世不妬其業。臣聞之：百倍之國者，民不樂後也；功業高世者，人主不再行也；力盡之民，仁者不用也；求得而反靜，聖主之制也；功大而息民，用兵之道也。今用兵終身不休，力盡不罷，趙怒必於其己邑，趙僅存哉！然而四輪之國也，今雖得邯鄲，非國之長利也。意者地廣而不耕，民羸不休，又嚴之以刑罰，則雖從而不止矣。語曰：『戰勝而國危者，物不斷也。功大而權輕者，地不入也。』故過任之事，父不得於子；無已之求，君不得於臣。故微之為著者強，察乎息民之為用者伯，明乎輕之為重者王。」（《戰國策》〈趙策二〉）

無因以進

蘇秦對他親近的人說：「張儀是天下最有才能的人，然而很貧窮，沒有進身之階。我擔心他以小的利益為滿足而不能成就大的功業，所以把他召來羞辱他，以激發他的意志，您替我暗中侍奉他。」蘇秦稟明趙王，派人暗中跟隨張儀，和他投宿同一客棧，逐漸接近他，凡是他需要的，都供給他，卻不說明誰給的。於是張儀才有機會拜見秦惠王。惠王任用他做客卿，和他策劃攻打諸侯的計劃。這時，蘇秦派來的門客要告辭離去，張儀說：「依靠您鼎力相助，我才得到顯貴的地位，正要報答您的恩德，為什麼要走呢？」門客說：「我並不了解您，真正了解您的是蘇先生。蘇先生擔心秦國攻打趙國，破壞合縱聯盟，認為除了您沒有誰能掌握秦國的大權，所以激怒先生，派我暗中供您錢財，這都是蘇先生謀劃的策略。如今先生已被重用，請讓我回去覆命吧！」

【出處】

蘇秦已而告其舍人曰：「張儀，天下賢士，吾殆弗如也。今吾幸先用，而能用秦柄者，獨張儀可耳。然貧，無因以進。吾恐其樂小利而不遂，故召辱之，以激其意。子為我陰奉之。」乃言趙王，發金幣車馬，使人微隨張儀，與同宿舍，稍稍近就之，奉以車馬金錢，所欲用，為取給，而弗告。張儀遂得以見秦惠王。惠王以為客卿，與謀伐諸侯。蘇秦之舍人乃辭去。張儀曰：「賴子得顯，方且報德，何故去也？」舍人曰：「臣非知君，知君乃蘇君。蘇君憂秦伐趙敗從約，以

無因以進

為非君莫能得秦柄，故感怒君，使臣陰奉給君資，盡蘇君之計謀。今君已用，請歸報。」（《史記》〈張儀列傳〉）

蘇秦之計

張儀對趙王說：「大王聽信合縱政策的道理，一定是出自蘇秦的計謀。蘇秦惑亂諸侯，以是為非，以非為是，陰謀顛覆齊國，未能得逞，自己白白地被車裂於齊國集市上。諸侯不可能結成聯盟，已是顯而易見。」

【出處】

張儀為秦連橫，說趙王曰：「凡大王之所信以為從者，恃蘇秦之計。熒惑諸侯，以是為非，以非為是。欲反覆齊國而不能，自令車裂於齊之市。夫天下之不可一亦明矣。」（《戰國策》〈趙策二〉）

胡服騎射

十九年春正月，武靈王在信宮舉行盛大朝會。召見肥義等討論天下大事，而後親赴北部考察，回宮後召見樓緩商議說：「我們的先王順應世事的變化，才有了今天趙國宏大的基業。如今趙國四面受敵，如果沒有強大的兵力，國家就有亡國的危險。要取得高出世人的功名，就必須擺脫舊俗的牽累。我想改革就先從穿胡服開始。」樓緩說：「很好。」但是群臣多不願意。肥義鼓勵武靈王說：「我聽說做事猶疑就不會成功，行動猶豫就不會成名。您既然願意承受背棄風俗的責難，就無需顧慮天下的議論。追求最高道德的人不附和世俗，成就大事的人不與凡夫俗子商議。從前舜用舞蹈感化三苗，禹到裸國脫衣而入，都是為了宣揚德政。愚蠢的人做事成功了還不明白，聰明人事前已知道結果，您還猶疑什麼呢！」武靈王說：「穿胡服的功效無可估量，我不怕天下人都來笑我。胡地和中山國一定要佔有。」於是武靈王率先穿起胡服。武靈王又讓王紲去做叔父公子成的工作。公子成難以理解，說：「我聽說中原之國是聰明人居住的地方，是萬物財用聚集、聖賢教化、仁義施行的地方，遠方之人願來觀覽，蠻夷之族樂於效法。如今大王卻遠離自己的風俗，穿起異族的服裝，希望大王仔細掂量此事。」使者回報武靈王，於是武靈王親往公子成家中說服他說：「衣服要穿著方便，禮節不應繁瑣礙事。聖人觀察鄉俗順俗制宜，根據實際情況制定禮儀，所以能達到利民富國的效果。剪髮文身，衣襟開在左邊，這是甌越百姓的習慣；染黑牙齒，額上刺花，戴魚皮帽子，穿粗針大線的衣服，這是吳國人的風俗。所以禮制服裝各地不同，為了便利卻是一致的。區域不同用器就有差別，事情變化禮制也會更改。聖人認為只要有利國家，辦法不必一樣。只要便於行事，禮節允許有別。儒者同事一個老師而學術不同，中原禮儀相同但教化各異，何況要照顧偏僻地區呢？所以進退取捨的變化，聰明人也不能一致；遠方和近處的服飾，聖賢也不能使它相同。窮鄉僻壤風俗多異，學識淺陋卻多詭辯。不了解的事不去懷疑，與自己意見不同但不去非議的人，才會公正地博采眾見以求盡善。面對四面強敵，以叔父的世俗之見，厭惡變服的名聲而違背簡主、襄主的遺志，忘掉鄗城被困的恥辱，放棄先祖尚未成就的功業。這不是我所希望的。」公子成再拜叩頭說：「我太蠢了，沒能理解大王的深意，胡亂發表世俗的見解，這是我的罪過。如今大王要繼承簡主、襄主的遺志，順從先王的意願，我怎敢不遵從王命！」於是武靈王賜給他胡服。在全國發布改穿胡服的命令。

【出處】

十九年春正月，大朝信宮。召肥義與議天下，五日而畢。王北略中山之地，至於房子，遂之代，北至無窮，西至河，登黃華之上。召樓緩謀曰：「我先王因世之變，以長南藩之地，屬阻漳、滏之險，立長城，又取藺、郭狼，敗林人於荏，而功未遂。今中山在我腹心，北有燕，東有胡，西有林胡、樓煩、秦、韓之邊，而無強兵之救，是亡社稷，奈何。夫有高世之名，必有遺俗之累。吾欲胡服。」樓緩曰：「善。」群臣皆不欲。……肥義曰：「臣聞疑事無功，疑行無名。王既定負遺俗之慮，殆無顧天下之議矣。夫論至德者不和於俗，成大功者不謀於眾。昔者舜舞有苗，禹袒裸國，非以養欲而樂志也，務以論德而約功也。愚者暗成事，智者睹未形，則王何疑焉。」王曰：「吾不疑胡服也，吾恐天下笑我也。狂夫之樂，智者哀焉。愚者所笑，賢者察焉。世有順我者，胡服之功未可知也。雖驅世以笑我，胡地中山吾必有之。」於是遂胡服矣。使王緤告公子成曰：「寡人胡服，將以朝也，亦欲叔服之。家聽於親而國聽於君，古今之公行也。子不反親，臣不逆君，兄弟之通義也。今寡人作教易服而叔不服，吾恐天下議之也。制國有常，利民為本。從政有經，令行為上。明德先論於賤，而行政先信於貴。今胡服之意，非以養欲而樂志也。事有所止而功有所出，事成功立，然後善也。今寡人恐叔之逆從政之經，以輔叔之議。且寡人聞之，事利國者行無邪，因貴戚者名不累，故願慕公叔之義，以成胡服之功。使紲謁之叔，請服焉。」公子成再拜稽首曰：「臣固聞王之胡服也。臣不佞，寢疾，未能趨走以滋進也。王命之，臣敢對，因竭其愚忠。曰：臣聞中國者，蓋聰明徇智之所居也，萬物財用之所聚也，賢聖之所教也，仁義之所施也，詩書禮樂之所用也，異敏技能之所試也，遠方之所觀赴也，蠻夷之所義行也。今王舍此而襲遠方之服，變古之教，易古人道，逆人之心，而怫學者，離中國，故臣願王圖之也。」使者以報。王曰：「吾固聞叔之疾也，我將自往請之。」王遂往之公子成家，因自請之，曰：「夫服者，所以便用也。禮者，所以便事也。聖人觀鄉而順宜，因事而制禮，所以利其民而厚其國也。夫翦髮文身，錯臂左衽，甌越之民也。黑齒雕題，卻冠秫絀，大吳之國也。故禮服莫同，其便一也。鄉異而用變，事異而禮易。是以聖人果可以利其國，不一其用。果可以便其事，不同其禮。儒者一師而俗異，中國同禮而教離，況於山谷之便乎。故去就之變，智者不能一。遠近之服，賢聖不能同。窮鄉多異，曲學多辯。不知而不疑，異於己而不非者，公焉而眾求盡善也。今叔之所言者俗也，吾所言者所以制俗也。……而叔順中國之俗以逆簡、襄之意，惡變服之名以忘鄗事之醜，非寡人之所望也。」公子成再拜稽首曰：「臣愚，不達於王之義，敢道世俗之聞，臣之罪也。今王將繼簡、襄之意以順先王之志，臣敢不聽命乎。」再拜稽首。乃賜胡服。明日，服而朝。於是始出胡服令也。（《史記》〈趙世家〉）

敬循衣服

趙燕遲遲不穿胡服，趙武靈王派人責備他說：「侍奉君王應該盡心盡力，婉轉進諫而不必過於張揚，應對君王的提問要不厭其煩，不違背君王的意願而自誇，不靠樹立私人威信而揚名。做兒子的應該順從父親的意願，做臣子的要懂得謙讓而不與君王爭執。做兒子的另搞一套，家庭就亂了套；做臣子的另擇標準，國家就很危險。與父母的教導背道而馳，慈愛的父親也不會認這個兒子；違背君王的意願博求功名，仁惠的君主也不會接納這種臣僚。寡人改穿胡服，唯獨你不跟從，罪過沒有比違背君王的意願更大的了。你把改穿胡服的政事視為負擔，把違背君王的意願比作高尚，沽名釣譽的私欲太大了。寡人擔心你犯下殺頭之罪，特派人向你強調法律的嚴明。」趙燕聽說後，跪拜回覆說：「前些日子，官吏命令我改穿胡服，君王的恩惠已經賜給臣下，臣下沒能執行命令。如今已過了限期，君主不以刑罰而施以教誨，這是君王的恩惠。臣下遵旨改穿胡服，現在就奉行。」

【出處】

趙燕後胡服，王令讓之曰：「事主之行，竭意盡力，微諫而不嘩，應對而不怨，不逆上以自伐，不立私以為名。子道順而不拂，臣行讓而不爭。子用私道者家必亂，臣用私義者國必危。反親以為行，慈父不子；逆主以自成，惠主不臣也。寡人胡服，子獨弗服，逆主罪莫大焉。以從政為累，以逆主為高，行私莫大焉。故寡人恐親犯刑戮之罪，以明有司之法。」趙燕再拜稽首曰：「前吏命胡服，施及賤

臣，臣以失令過期，更不用侵辱教，王之惠也。臣敬循衣服，以待今日。」(《戰國策》〈趙策二〉)

立傅之道

趙武靈王請周紹擔任王子的師傅，對他說：「寡人早年視察縣邑的時候路過番吾，當時您還很年輕，大夫以上的官員都稱道您的孝心。所以寡人贈您玉璧，賜您酒食，想登門拜會，您卻託病推辭了。父親的孝子，就是君王的忠臣。寡人認為您的智謀、為人、誠信完全可以引導別人，所以想讓您穿上胡服，出任王子的師傅。」周紹推辭說：「擔任師傅有六條標準，不是臣下所能勝任的。」趙武靈王問說：「哪六條標準？」周紹說：「心懷憂患不急不躁懂得變通，身體力行為人寬惠知書達禮，威嚴不能左右他的行事準則，高官厚祿不能改變他的心意，恭謹施教而不放縱，和藹待人而不虛偽。具備以上六條，才可以做人師傅，臣下現在一條都做不到，所以請君王另擇他人。」趙武靈王說：「您已經知道這六條標準，所以委派您出任王子的師傅。」

【出處】

王立周紹為傅曰：「寡人始行縣，過番吾，當子為子之時，踐石以上者皆道子之孝。故寡人問子以璧，遺子以酒食，而求見子。子謁病而辭。人有言子者曰：『父之孝子，君之忠臣也。』故寡人以子之知慮，為辯足以道人，危足以持難，忠可以寫意，信可以遠期。詩云『服難以勇，治亂以知，事之計也。立傅以行，教少以學，義之經也。循計之事，失而累；訪議之行，窮而不憂。』故寡人欲子之胡服以傅王乎。」周紹曰：「王失論矣，非賤臣所敢任也。」王曰：「選子莫若父，論臣莫若君。君，寡人也。」周紹曰：「立傅之道六。」王曰：「六者何也？」周紹曰：「知慮不躁達於變，身行寬惠達於禮，威嚴不足以易於位，重利不足以變其心，恭於教而不快，和於下而不危。六者，傅之才，而臣無一焉。隱中不竭，臣之罪也。傅命僕官，以煩有司，吏之恥也。王請更論。」王曰：「知此六者，所以使子。」（《戰國策》〈趙策二〉）

因天下以破齊

齊軍攻破燕國，趙國想保存燕國。樂毅對趙武靈王說：「趙國並沒有與燕國結盟，現在攻打齊國，齊國一定會仇恨我們。不如請求用河東的土地換取被齊國佔領的燕國土地。趙國得到河北的土地，齊國拿到河東的土地，燕、趙兩國一定不會發生爭執。用河東的土地增強齊國的力量，以燕國和趙國輔助它，天下諸侯憎恨齊國的強大，一定會來侍奉大王討伐齊國。這是憑藉諸侯各國的力量打敗齊國的辦法。」趙武靈王說：「好。」於是以河東的土地和齊國交換，楚國、魏國憎恨這件事，就派淖滑、惠施來趙國，請求討伐齊國以保住燕國。

【出處】

齊破燕，趙欲存之。樂毅謂趙王曰：「今無約而攻齊，齊必仇趙。不如請以河東易燕地於齊。趙有河北，齊有河東，燕、趙必不爭矣。是二國親也。以河東之地強齊，以燕以趙輔之，天下憎之，必皆事王以伐齊。是因天下以破齊也。」王曰：「善。」乃以河東易齊，楚、魏憎之，令淖滑、惠施之趙，請伐齊而存燕。（《戰國策》〈趙策三〉）

中山可伐

趙武靈王派李疵察看中山國能不能討伐，李疵回來報告說：「可以討伐。您不趕快攻打的話，齊國、燕國就要搶先了。」武靈王說：「憑什麼說可以攻打？」李疵回答說：「中山國君主親近隱士，尊崇躲在偏僻胡同裡的讀書人數以十計，降低身分去拜訪不做官的讀書人則數以百計。」趙武靈王說：「照你說來，中山國君主很賢明啊，怎麼可以攻打呢？」李疵說：「不是這樣的。親近隱士並讓他們參加朝會，戰士們打仗時就會懈怠；君主尊重學者，文士高居朝廷，農夫就懶於耕作。戰士打仗時懈怠，兵力就削弱了；農夫懶於耕作，國家就貧窮了。兵力比敵人弱，國家內部又窮，這樣還不衰亡嗎？」趙武靈王說：「很好。」於是起兵攻打中山，將其滅國。

【出處】

趙主父使李疵視中山可攻不也？還報曰：「中山可伐也，君不亟伐，將後齊、燕。」主父曰：「何故可攻？」李疵對曰：「其君見好岩穴之士，所傾蓋與車以見窮閭隘巷之士以十數，伉禮下布衣之士以百數矣。」君曰：「以子言論，是賢君也，安可攻？」疵曰：「不然。夫好顯岩穴之士而朝之，則戰士怠於行陳；上尊學者，下士居朝，則農夫惰於田。戰士怠於行陳者則兵弱也，農夫惰於田者則國貧也。兵弱於敵，國貧於內，而不亡者，未之有也，伐之不亦可乎？」主父曰：「善。」舉兵而伐中山，遂滅也。（《韓非子》〈外儲說左上〉）

喬裝入秦

主父想讓兒子自主治國，自己就穿上胡服率領士大夫到西北巡視胡地。為圖謀從雲中、九原直向南方襲擊秦國，他親自喬裝成趙國使者進入秦國。秦昭王沒有覺察，過後覺得他的形象特別魁偉，氣度非凡不似人臣，立即派人追趕，然而主父早已飛馬馳出秦國關口。仔細詢問，才知道是主父。秦人非常驚恐。主父要進入秦國，是想親自察看地形，並趁機觀察秦王的為人。

【出處】

主父欲令子主治國，而身胡服將士大夫西北略胡地，而欲從雲中、九原直南襲秦，於是詐自為使者入秦。秦昭王不知，已而怪其狀甚偉，非人臣之度，使人逐之，而主父馳已脫關矣。審問之，乃主父也。秦人大驚。主父所以入秦者，欲自略地形，因觀秦王之為人也。（《史記》〈趙世家〉）

趙靈吳女

趙靈吳女孟姚，是吳廣的女兒、趙武靈王的王后。趙武靈王即位五年的時候，娶韓女為夫人，生太子章。十六年，他到大陵遊歷，一日晚上做夢，夢見一位美女為他彈琴，邊彈邊唱說：「美人亮熒熒，嬌容似苕花美豔；命運啊命運，天生有麗質，誰似我嬴嬴。」武靈王十分動心。第二天，他與大臣一起喝酒取樂，多次說起夢中的所見所聞，顯露出非常想念的神情。在座有個大臣名叫吳廣，聽了武靈王的講述，覺得是個獻媚取寵的好機會，於是上前說：「我家女兒孟姚，也喚做嬴嬴，和大王夢見的美人一模一樣啊。」武靈王聞言，當即讓他將孟姚進獻入宮。武靈王見到孟姚，果然與夢中女子相似，滿心歡喜，十分寵愛，於是為她建吳娃宮，予以專房之寵。孟姚生下兒子趙何，武靈王專門請老師教他學習各方面的知識。孟姚常常在武靈王面前說皇后淫邪不正，太子沒有慈孝的行為，於是武靈王就把皇后、太子廢了，改立趙何為太子、孟姚為王后。年富力強的武靈王把王位讓給了趙何，自稱主父，封廢太子趙章為安陽君，讓田不禮輔助他。趙惠文王四年，安陽君來朝，主父看到趙章向弟弟稱臣的樣子，心裡頗為難過，於是就想把趙國的土地分一部分出來，讓趙章做代王，計劃尚未決斷就停止了。不久主父遊沙丘宮，趙章率領部下叛亂，李兌帶領四邑之兵攻打趙章，趙章敗退沙丘宮，李兌包圍沙丘宮，殺死趙章。按律令，私闖君主禁宮當斬。於是李兌等將主父關閉於沙丘宮內。掏小鳥充饑，三個多月後，主父餓死在沙丘宮。

【出處】

趙靈吳女者，號孟姚吳廣之女，趙武靈王之后也。初，武靈王娶韓王女為夫人，生子章，立以為后，章為太子。王嘗夢見處女，鼓瑟而歌，曰：「美人熒熒兮，顏若苕之榮，命兮命兮，逢天時而生，曾莫我嬴嬴。」異日，王飲酒樂，數言所夢，想見其人，吳廣聞之，乃因後而入其女孟姚，甚有色焉，王愛幸之，不能離，數年，生子何。孟姚數微言后有淫意，太子無慈孝之行，王乃廢后與太子，而立孟姚為惠后，以何為王，是為惠文王。武靈王自號主父，封章於代，號安陽君。四年，朝群臣，安陽君來朝，主父從旁觀窺，群臣宗室見章儽然也，反臣於弟，心憐之。是時惠后死久恩衰，乃欲分趙而王章於代，計未決而輟。主父游沙丘宮，章以其徒作亂，李兌乃起四邑之兵擊章，章走主父，主父閉之，兌因圍主父宮。既殺章，乃相與謀曰：「以章圍主父，即解兵，吾屬夷矣。」乃遂圍主父，主父欲出不得，又不得食，乃探雀鷇而食之，三月餘，遂餓死沙丘宮。(《列女傳》〈孽嬖傳〉《史記》〈趙世家〉)

肥義守諾

李兌找機會對宰相肥義說：「公子章正當壯年，黨徒眾多，野心很大，難免會有想法，而田不禮為人殘忍傲慢。這兩人攪在一起，遲早會出亂子。您現在身負重任且握有大權，一旦發生動亂，肯定最先受到傷害。仁者博愛萬物，智者防患於未然，不仁不智，怎能治理國家？您何不聲稱有病待在家裡，把政事移交給公子成呢？」肥義搖頭說：「不行。當初主父把新王託付給我時，就對我說過，務必要忠心耿耿直到去世。我拜受王命時，史官也做了記載。如今因為懼怕田不禮作亂就違背王命，變節負心，即便刑罰也不能寬容。諺語說：『死者復生，生者不愧。』既然我已經有言在先，那就要實現我的承諾，而不必考慮自身的安全。災難臨頭才顯出人的節操，遇到牽累才能見識忠臣的堅貞。感謝您的賜教及忠告。儘管如此，我已有言在先，始終不敢違背。」李兌說：「好吧，您勉力而行吧。」說完涕泣而去。肥義找到信期，對他說：「我擔心公子章和田不禮將給國家造成動亂，為此我廢寢忘食。對盜賊的出沒不可不防。從今以後，如果有人請見君王一定要先讓我見面，沒有變故君王才能出來。」信期含淚答應了。後來趙章和田不禮在沙丘果然詐傳主父的命令召見惠文王。肥義率先前往察看，結果被殺死了。

【出處】

李兌謂肥義曰：「公子章彊壯而志驕，黨眾而欲大，殆有私乎。田不禮之為人也，忍殺而驕。二人相得，必有謀陰賊起，一出身徼幸。夫小人有欲，輕慮淺謀，徒見其利而不顧其害，同類相推，俱入禍門。以吾觀之，必不久矣。子任重而勢大，亂之所始，禍之所集也，子必先患。仁者愛萬物而智者備禍於未形，不仁不智，何以為國。子奚不稱疾毋出，傳政於公子成。毋為怨府，毋為禍梯。」肥義曰：「不可，昔者主父以王屬義也，曰：毋變而度，毋異而慮，堅守一心，以歿而世。義再拜受命而籍之。今畏不禮之難而忘吾籍，變孰大焉。進受嚴命，退而不全，負孰甚焉。變負之臣，不容於刑。諺曰死者復生，生者不愧。吾言已在前矣，吾欲全吾言，安得全吾身。且夫貞臣也難至而節見，忠臣也累至而行明。子則有賜而忠我矣，雖然，吾有語在前者也，終不敢失。」李兌曰：「諾，子勉之矣。吾見子已今年耳。」涕泣而出。李兌數見公子成，以備田不禮之事。異日肥義謂信期曰：「公子與田不禮甚可憂也。其於義也聲善而實惡，此為人也不子不臣。吾聞之也，奸臣在朝，國之殘也。讒臣在中，主之蠹也。此人貪而欲大，內得主而外為暴。矯令為慢，以擅一旦之命，不難為也，禍且逮國。今吾憂之，夜而忘寐，饑而忘食。盜賊出入不可不備。自今以來，若有召王者必見吾面，我將先以身當之，無故而王乃入。」信期曰：「善哉，吾得聞此也。」四年，朝群臣，安陽君亦來朝。主父令王聽朝，而自從旁觀窺群臣宗室之禮。見其長子章傫然也，反北面為臣，詘於其弟，心憐之，於是乃欲分趙而王章於代，計未決而輟。主父及王游沙丘，異宮，公子章即以其徒與田不禮作亂，詐以主父令召王。肥義先入，殺之。（《史記》〈趙世家〉）

餓死沙丘

趙武靈王起初立長子趙章為太子，後來得到吳娃，給予專房之寵。吳娃生下兒子趙何後，廢太子章而立趙何。趙武靈王在趙何十多歲時把王位傳給他，這就是惠文王，用肥義作宰相，自稱主父，大權仍由自己掌握。吳娃死後，武靈王對趙何的愛隨之減少。一次，主父讓新王主持朝拜，他從一旁暗中觀察群臣和王室宗親的禮儀。看到長子趙章屈身向弟弟稱臣時垂頭喪氣的樣子，心裡很憐憫他，產生了把趙國一分為二、讓趙章做代國之王的想法。這個打算沒有實施就中止了。此後不久，主父到沙丘遊覽，惠文王、公子章作陪，三人分處三個宮室。公子章和黨徒田不禮詐傳主父命令召見惠文王，肥義前往探聽虛實被殺。公子章和田不禮隨即帶兵包圍了惠文王。公子成和李兌得知消息，星夜趕至沙丘，殺死了田不禮，從主父宮室裡抓到公子章將其殺死。公子成和李兌商量說：「我們因為趙章的緣故包圍了主父，即使撤兵，接下來也要被滅族啊！」於是繼續包圍主父宮室，傳令宮中的人最後出來的滅族。宮裡的人全出來了，只有主父想出宮卻出不來，又得不到食物，只好去掏雛雀充饑。三個月之後，派人進去察看，主父已餓死在沙丘宮。

【出處】

主父及王游沙丘，異宮，公子章即以其徒與田不禮作亂，詐以主父令召王。肥義先入，殺之。高信即與王戰。公子成與李兌自國至，乃起四邑之兵入距難，殺公子章及田不禮，滅其黨賊而定王室。公子成為相，號安平君，李兌為司寇。公子章之敗，往走主父，主父開之，成、兌因圍主父宮。公子章死，公子成、李兌謀曰：「以章故圍主父，即解兵，吾屬夷矣。」乃遂圍主父。令宮中人「後出者夷」，宮中人悉出。主父欲出不得，又不得食，探爵鷇而食之，三月餘而餓死沙丘宮。主父定死，乃發喪赴諸侯。是時王少，成、兌專政，畏誅，故圍主父。主父初以長子章為太子，後得吳娃，愛之，為不出者數歲，生子何，乃廢太子章而立何為王。吳娃死，愛弛，憐故太子，欲兩王之，猶豫未決，故亂起，以至父子俱死，為天下笑，豈不痛乎。（《史記》〈趙世家〉）

殺生之柄

趙武靈王正當盛年時，就把王位傳給他的小兒子。惠文王臨政，李兌任國相，武靈王因為不能親手掌握生殺大權，所以被李兌劫殺。

【出處】

武靈王使惠文王蒞政，李兌為相，武靈王不以身躬親殺生之柄，故劫於李兌。(《韓非子》〈外儲說右下〉)

輕則失臣 躁則失君

主父（趙武靈王）活著的時候就傳位給小兒子，這相當於離開了他的物資給養車啊。所以雖然有代郡、雲中郡的快樂，實際上已失去對趙國的控制了。武靈王是大國君主，卻讓自己被天下人看輕。失去權勢叫作輕，離開君位叫作躁，因此被活活囚禁而餓死了。所以《老子》說：「輕，就會失去臣下；躁，就會丟掉君位。」說的就是趙武靈王這類情況。

【出處】

制在己曰重，不離位曰靜。重則能使輕，靜則能使躁。故曰：「重為輕根，靜為躁君。故曰君子終日行不離輜重也。」邦者，人君之輜重也。主父生傳其邦，此離其輜重者也。故雖有代、雲中之樂，然已無趙矣。主父，萬乘之主，而以身輕於天下，無勢之謂輕，離位

之謂躁，是以生幽而死。故曰：「輕則失臣，躁則失君，」主父之謂也。（《韓非子》〈喻老〉）

因賤趙莊

趙國派趙莊率領合縱國的軍隊討伐齊國。齊國請求割土求和，趙國因此輕視趙莊。齊明為趙莊對趙王說：「齊國害怕各國合縱，所以獻出土地。如今聽說趙國怠慢趙莊，破壞合縱的張勤顯貴，齊國一定不會獻出土地了。」趙王說：「好。」於是召見趙莊仍然使他顯貴。

【出處】

趙使趙莊合從，欲伐齊。齊請效地，趙因賤趙莊。齊明為謂趙王曰：「齊畏從人之合也，故效地。今聞趙莊賤，張勤貴，齊必不效地矣。」趙王曰：「善。」乃召趙莊而貴之。（《戰國策》〈趙策四〉）

周最相魏

魏國因為富丁的緣故想跟秦國聯合，趙國恐懼，請求向魏國獻地並聽從薛公的指揮。子欬對李兌說：「趙國害怕連橫之策成功，所以想向魏國進獻土地並聽從薛公的指揮。您不如讓君王用土地資助周最，請他到魏國為相。周最是主張合縱抗秦的人，如今做了魏相，魏國、秦國一定不會結盟。齊國、魏國雖然強大，沒有秦國的幫助就不能傷害趙國。魏國不聽齊國的指揮，就是輕視齊國。秦國、魏國雖然強大，沒有齊國的幫助也不能得到趙國。」

【出處】

魏因富丁且合於秦，趙恐，請效地於魏而聽薛公。教子欬謂李兌曰：「趙畏橫之合也，故欲效地於魏而聽薛公。公不如令主父以地資周最，而請相之於魏。周最以天下辱秦者也，今相魏，魏、秦必虛矣。齊、魏雖勁，無秦不能傷趙。魏王聽，是輕齊也。秦、魏雖勁，無齊不能得趙。此利於趙而便於周最也。」（《戰國策》〈趙策三〉）

藺相如可使

趙惠文王的時候，趙國得到了楚國的和氏璧。秦昭王聽說這件事後，寫信給趙王表示願意用十五座城換這塊寶玉。趙王同將軍廉頗及眾大臣商量：要是把寶玉給了秦國，卻得不到秦國的城邑，就是白白地受騙；不給寶玉又怕秦國派兵攻打。左右為難的時候，宦者令繆賢說：「不如派我的門客藺相如出使秦國，他能妥善處理這件事。」趙王問：「你怎麼知道他可以呢？」繆賢回答說：「為臣曾經犯過錯，私下打算逃往燕國，當時相如攔住我說，您怎麼了解燕王呢？我說我曾隨從大王在國境上見過燕王，燕王私下握住我的手說，願意跟您交個朋友，因此我想逃亡燕國。相如對我說：趙國強，燕國弱，而您受寵於趙王，燕王當然渴望與您結交。現在您離趙奔燕，燕國懼怕趙國，這種情勢下燕王怎會收留您呢？恐怕還會把您捆綁起來送回趙國呢。您不如脫掉上衣，露出肩背，伏在斧刃之下請求治罪，這樣也許僥倖得以免罪。』臣子聽從他的建議，大王果然開恩赦免了臣下罪過。臣下私下以為此人智勇雙全，派他出使非常適宜。」於是趙王召見藺相如，對他委以重任。

【出處】

趙惠文王時，得楚和氏璧。秦昭王聞之，使人遺趙王書，願以十五城請易璧。趙王與大將軍廉頗諸大臣謀：「欲予秦，秦城恐不可得，徒見欺；欲勿予，即患秦兵之來。計未定，求人可使報秦者，未得。」宦者令繆賢曰：「臣舍人藺相如可使。」王問：「何以知之？」對曰：「臣嘗有罪，竊計欲亡走燕，臣舍人相如止臣，曰：『君何以知燕王？』臣語曰：『臣嘗從大王與燕王會境上，燕王私握臣手，曰「願結友」。以此知之，故欲往。』相如謂臣曰：『夫趙彊而燕弱，而君幸於趙王，故燕王欲結於君。今君乃亡趙走燕，燕畏趙，其勢必不敢留君，而束君歸趙矣。君不如肉袒伏斧質請罪，則幸得脫矣。』臣從其計，大王亦幸赦臣。臣竊以為其人勇士，有智謀，宜可使。」（《史記》〈廉頗藺相如列傳〉）

完璧歸趙

趙王召見藺相如，詢問他說：「秦王提出以十五座城池交換和氏璧，可不可以給他？」相如說：「秦強趙弱，不能不答應它。」趙王說：「他們拿到寶璧，卻不給我們城邑怎麼辦？」相如說：「秦國請求以城換璧，趙國不答應是趙國理虧；趙國給了寶璧，秦國不給城邑秦國理虧。以臣下的觀點，寧可答應秦國，讓秦國理虧。」趙王說：「誰可以為使臣去辦這件事？」相如說：「大王如果確實無人可派，臣願意捧護寶璧前往秦國。城邑歸屬趙國了，就把寶璧留下；秦國不給城邑，臣一定會使寶璧完好歸趙。」趙王於是派遣藺相如攜和氏璧西行入秦。秦王在章臺接見藺相如，相如獻上和氏璧給秦王。秦王大喜，把寶璧給妻妾和左右侍從傳看，左右都高呼萬歲。相如看出秦王並沒有以城邑交換的意思，便走上前去說：「璧上有個小紅斑，我指給大王看看。」秦王把璧交給他，相如手持璧玉退後幾步，身體靠在石柱上，怒髮衝冠，對秦王說：「大王想得到寶璧，派人送信給趙王，趙王召集全體大臣商議，大家都說：『秦國貪婪，倚仗自己的強大想白白得到寶璧，給我們城邑肯定是辦不到的。』商議的結果是不把寶璧給秦國。我認為平民百姓的交往尚且不相互欺騙，何況大國呢！況且為了一塊玉璧而使秦國不高興也不應該。於是趙王齋戒五天，派我捧著寶璧專程來獻，這是尊重大國的威望以表示敬意啊。如今我來到貴國，大王卻在大眾廣庭之下接見我，禮節傲慢；得到寶璧後，又遍傳姬妾觀看，以此戲弄我。我觀察大王沒有拿出十五座城池的誠意，所以我又收回寶璧。大王如果一定要逼我，我的頭今天就同寶璧一起在柱子上撞碎！」相如手持寶璧，斜視石柱，做出要撞的樣子。秦王怕他真把寶璧撞碎，便向他道歉，當即召來主管官員查看地圖，指明從某地到某地的十五座城邑交割給趙國。相如估計秦王不過用欺詐手段假裝給趙國城邑，於是對秦王說：「和氏璧是天下公認的寶物，趙王懼怕貴國，不敢不奉獻。趙王送璧之前，曾經齋戒五天，如今大王也應齋戒五天，在殿堂上安排九賓大典，我才敢獻上寶璧。」秦王估量不可強奪，就答應齋戒五天，安排相如住在廣成賓館。相如估計秦王答應齋戒只是幌子，便派貼身隨從穿上粗布衣服，懷揣寶璧，從小路逃出，把寶璧送回趙國。五天之後，秦王在殿堂上安排九賓大典，請趙國使者藺相如赴約。相如到達後對秦王說：「秦國從穆公以來的二十幾位君主，沒有一個堅守盟約的。我怕被大王欺騙而對不起趙王，已派人帶著寶璧歸國。秦強趙弱，只要大王肯把十五座城邑割讓給趙國，大王派一位使臣到趙國，趙國就會把寶璧獻上。我知道欺騙大王罪該誅殺，我情願下油鍋被烹，希望大王和各位大臣仔細考慮此事。」秦王和群臣面面相覷，有侍從提出把相如推進油鍋。秦王說：「殺了相如還是得不到寶璧，反而破壞了秦趙兩國的交情，不如放他回國，難道趙王會為一塊璧玉而欺騙秦國嗎？」最終在殿堂上接見相如，而後禮送他回國。

【出處】

於是王召見，問藺相如曰：「秦王以十五城請易寡人之璧，可予不？」相如曰：「秦彊而趙弱，不可不許。」王曰：「取吾璧，不予我城，奈何？」相如曰：「秦以城求璧而趙不許，曲在趙。趙予璧而秦不予趙城，曲在秦。均之二策，寧許以負秦曲。」王曰：「誰可使者？」相如曰：「王必無人，臣願奉璧往使。城入趙而璧留秦；城不入，臣請完璧歸趙。」趙王於是遂遣相如奉璧西入秦。秦王坐章臺見相如，相如奉璧奏秦王。秦王大喜，傳以示美人及左右，左右皆呼萬歲。相如視秦王無意償趙城，乃前曰：「璧有瑕，請指示王。」王授璧，相如因持璧卻立，倚柱，怒髮上衝冠，謂秦王曰：「大王欲得璧，使人發書至趙王，趙王悉召群臣議，皆曰『秦貪，負其彊，以空言求璧，償城恐不可得』。議不欲予秦璧。臣以為布衣之交尚不相欺，況大國乎！且以一璧之故逆彊秦之歡，不可。於是趙王乃齋戒五日，使臣奉璧，拜送書於庭。何者？嚴大國之威以修敬也。今臣至，大王見臣列觀，禮節甚倨；得璧，傳之美人，以戲弄臣。臣觀大王無意償趙王城邑，故臣復取璧。大王必欲急臣，臣頭今與璧俱碎於柱矣！」相如持其璧睨柱，欲以擊柱。秦王恐其破璧，乃辭謝固請，召有司案圖，指從此以往十五都予趙。相如度秦王特以詐詳為予趙城，實不可得，乃謂秦王曰：「和氏璧，天下所共傳寶也，趙王恐，不敢不獻。趙王送璧時，齋戒五日，今大王亦宜齋戒五日，設九賓於廷，臣乃敢上璧。」秦王度之，終不可彊奪，遂許齋五日，舍相如廣成傳。相如度秦王雖齋，決負約不償城，乃使其從者衣褐，懷其璧，從徑道亡，歸璧於趙。秦王齋五日後，乃設九賓禮於廷，引趙使者藺相如。相如至，謂秦王曰：「秦自繆公以來二十餘君，未嘗有堅明約束者也。臣誠恐見欺於王而負趙，故令人持璧歸，間至趙矣。且秦彊而趙弱，大王遣一介之使至趙，趙立奉璧來。今以秦之彊而先割十五都予趙，趙豈敢留璧而得罪於大王乎？臣知欺大王之罪當誅，臣請就湯鑊，唯大王與群臣孰計議之。」秦王與群臣相視而嘻。左右或欲引相如去，秦王因曰：「今殺相如，終不能得璧也，而絕秦趙之歡，不如因而厚遇之，使歸趙，趙王豈以一璧之故欺秦邪！」卒廷見相如，畢禮而歸之。（《史記》〈廉頗藺相如列傳〉）

秦王為趙王擊缶

秦王派使者通告趙王，約趙王在西河外的澠池相見。趙王畏懼秦國，想推託不去。廉頗、藺相如商議說：「大王如果不去，就顯得趙國既軟弱又膽小。」於是趙王前往赴會，相如隨行，廉頗率軍一直送到邊境。分手時廉頗說：「大王此行，估計路程和會見禮儀結束，再加上返回的時間，不會超過三十天。如果三十天還沒回來，請您允許

完璧歸趙

我們立太子為王，以斷絕秦國的妄想。」趙王點頭同意，便去澠池與秦王會見。酒興正濃的時候，秦王說：「寡人私下裡聽說趙王愛好音樂，請您彈瑟吧！」趙王就彈起瑟來。秦國史官上前寫道：「某年某月某日，秦王與趙王一起飲酒，令趙王彈瑟。」藺相如上前說：「趙王私下裡聽說秦王擅長秦地土樂，請讓我給秦王捧上盆缶，以便互相娛樂。」相如向前遞上瓦缶，跪下請秦王演奏。秦王面有怒色，不肯擊缶。相如說：「在這五步之內，我藺相如要把脖頸裡的血濺在大王身上了！」侍從們想要殺相如，相如圓睜雙眼大喝一聲，侍從們都嚇得倒退，秦王只好敲了一下缶。相如回頭招呼趙國史官寫道：「某年某月某日，秦王為趙王敲缶。」秦國的大臣們說：「請你們用趙國的十五座城向秦王獻禮。」藺相如也說：「請你們用秦國的咸陽向趙王獻禮。」直到酒宴結束，秦國始終未能壓倒趙國。廉頗在邊境囤積重兵守備，秦國終究不敢造次。

【出處】

秦王使使者告趙王，欲與王為好會於西河外澠池。趙王畏秦，欲毋行。廉頗、藺相如計曰：「王不行，示趙弱且怯也。」趙王遂行，相如從。廉頗送至境，與王訣曰：「王行，度道里會遇之禮畢，還，不過三十日。三十日不還，則請立太子為王。以絕秦望。」王許之，遂與秦王會澠池。秦王飲酒酣，曰：「寡人竊聞趙王好音，請奏瑟。」趙王鼓瑟。秦御史前書曰：「某年月日，秦王與趙王會飲，令趙王鼓瑟。」藺相如前曰：「趙王竊聞秦王善為秦聲，請奏盆缶秦王，以相娛樂。」秦王怒，不許。於是相如前進缶，因跪請秦王。秦王不肯擊缶。相如曰：「五步之內，相如請得以頸血濺大王矣！」左右欲刃相如，相如張目叱之，左右皆靡。於是秦王不懌，為一擊缶。相如顧召趙御史書曰：「某年月日，秦王為趙王擊缶。」秦之群臣曰：「請以趙十五城為秦王壽。」藺相如亦曰：「請以秦之咸陽為趙王壽。」秦王竟酒，終不能加勝於趙。趙亦盛設兵以待秦，秦不敢動。（《史記》〈廉頗藺相如列傳〉）

負荊請罪

藺相如因完璧歸趙和澠池會功勞顯著，被拜為上卿，地位在廉頗之上。廉頗心懷不滿說：「我是趙國將軍，有攻城略地的戰功，藺相如不過憑三寸之舌能說會道，現在地位竟然超過我。他過去是賤僕出身，被他領導，真令人感到羞恥。」又揚言說：「我遇見相如，一定會羞辱他。」相如聽說後，不肯和他見面，每到上朝時，就推說有病，避免和廉頗因位次先後發生不快。一次相如外出，遠遠看到廉頗，就掉轉車子迴避。相如的門客因此進諫說：「我們所以離開親人來侍奉您，是因為仰慕您高尚的節義啊。如今您與廉頗同為朝廷重臣，廉老先生口出惡言，您卻畏懼躲避他，也太懦弱了。這種事平常人都難以忍受，何況身為國相呢！我們這些人沒出息，就讓我們告辭吧！」藺相如極力挽留他們，問他們說：「諸位認為廉將軍和秦王誰厲害？」回答說：「秦王厲害。」相如說：「以秦王的威勢，我卻敢在朝廷上呵斥他，羞辱他的臣屬，我藺相如雖然愚鈍無能，難道單單就怕廉將軍嗎？我認為，強秦所以不敢對趙國用兵，就是因為有我倆在啊。如果兩虎相鬥，勢必不能共存。我所以這樣忍讓，主要是從國家利益考慮，並沒有計較個人的私怨。」廉頗聽到藺相如的話後，就脫去上衣，露出上身，背著荊條，由賓客帶引，來到藺相如門前請罪。廉頗說：「我是個粗野卑俗之人，想不到將軍如此寬厚啊！」二人終於交歡和好，成為刎頸之交。

【出處】

既罷歸國，以相如功大，拜為上卿，位在廉頗之右。廉頗曰：「我為趙將，有攻城野戰之大功，而藺相如徒以口舌為勞，而位居我上，且相如素賤人，吾羞，不忍為之下。」宣言曰：「我見相如，必辱之。」相如聞，不肯與會。相如每朝時，常稱病，不欲與廉頗爭列。已而相如出，望見廉頗，相如引車避匿。於是舍人相與諫曰：「臣所以去親戚而事君者，徒慕君之高義也。今君與廉頗同列，廉君宣惡言而君畏匿之，恐懼殊甚，且庸人尚羞之，況於將相乎！臣等不肖，請辭去。」藺相如固止之，曰：「公之視廉將軍孰與秦王？」曰：「不若也。」相如曰：「夫以秦王之威，而相如廷叱之，辱其群臣，相如雖駑，獨畏廉將軍哉？顧吾念之，彊秦之所以不敢加兵於趙者，徒以吾兩人在也。今兩虎共鬥，其勢不俱生。吾所以為此者，以先國家之急而後私仇也。」廉頗聞之，肉袒負荊，因賓客至藺相如門謝罪。曰：「鄙賤之人，不知將軍寬之至此也。」卒相與歡，為刎頸之交。（《史記》〈廉頗藺相如列傳〉）

兩鼠鬥於穴中

秦國進攻韓國，軍隊駐紮在閼與。趙王召見廉頗說：「可以救援嗎？」回答說：「路途遙遠且艱險狹隘，很難救援。」又召見樂乘詢問，回答與廉頗一樣。再召趙奢來詢問，趙奢回答說：「路途遙遠且艱險狹隘，就好比兩隻老鼠在洞裡爭鬥，勇猛者得勝。」趙王於是派趙奢領兵前往救援。軍隊離開邯鄲三十里，趙奢在軍中下令說：「以軍事進諫者處以死刑。」秦軍駐紮在武安西邊，擊鼓吶喊的練兵之聲把武安城中的屋瓦都震動了。趙軍中的一個偵察人員請求疾速援救武安，趙奢當即將他斬首。趙軍堅守營壘，停留二十八天不發，反而加築營壘。秦軍間諜潛入趙軍營地，趙奢以酒肉款待後將其遣送出營。間諜把情況向秦軍將領匯報，秦將大喜說：「離開國都三十里軍隊就駐紮不動，而且還增修營壘，趙軍不會來救援閼與了。」秦軍間諜剛走，趙奢立即下令士兵扔開鐵甲，疾速向閼與進發。兩天一夜就到達前線，並下令擅長射箭的士兵距閼與五十里紮營。剛剛安營紮寨，秦軍得知消息，立即迎頭趕來。一個名叫許歷的軍士請求進諫，趙奢說：「讓他進來。」許歷說：「秦人沒想到趙軍會來這裡，過來時士氣很盛，將軍一定要集中兵力嚴陣以待。不然的話，就會失敗。」趙奢說：「謝謝您的指教。」許歷說：「就請按軍法處死我吧。」趙奢說：「等回邯鄲以後再說吧。」許歷又提建議說：「先佔據北面山頭的得勝，後到者失敗。」趙奢同意他的看法，立即派一萬士兵迅速登上北山。秦兵後到，與趙軍爭奪北山，趙奢指揮士兵奮勇還擊，大敗秦軍。秦軍四散逃跑，於是閼與解圍，趙軍回國。

【出處】

秦伐韓，軍於閼與。王召廉頗而問曰：「可救不？」對曰：「道遠險狹，難救。」又召樂乘而問焉，樂乘對如廉頗言。又召問趙奢，奢對曰：「其道遠險狹，譬之猶兩鼠鬥於穴中，將勇者勝。」王乃令趙奢將，救之。兵去邯鄲三十里，而令軍中曰：「有以軍事諫者死。」秦軍軍武安西，秦軍鼓譟勒兵，武安屋瓦盡振。軍中候有一人言急救武安，趙奢立斬之。堅壁，留二十八日不行，復益增壘。秦間來入，趙奢善食而遣之。間以報秦將，秦將大喜曰：「夫去國三十里而軍不行，乃增壘，閼與非趙地也。」趙奢既已遣秦間，卷甲而趨之，二日一夜至，令善射者去閼與五十里而軍。軍壘成，秦人聞之，悉甲而至。軍士許歷請以軍事諫，趙奢曰：「內之。」許歷曰：「秦人不意趙師至此，其來氣盛，將軍必厚集其陣以待之。不然，必敗。」趙奢曰：「請受令。」許歷曰：「請就鈇質之誅。」趙奢曰：「胥後令邯鄲。」許歷復請諫，曰：「先據北山上者勝，後至者敗。」趙奢許諾，即發萬人趨之。秦兵後至，爭山不得上，趙奢縱兵擊之，大破秦軍。秦軍解而走，遂解閼與之圍而歸。（《史記》〈廉頗藺相如列傳〉）

曠日持久

趙惠文王三十年，相國安平君田單對馬服君趙奢說：「我很欣賞將軍的用兵方策，略有異議的是將軍每次作戰出兵太多。出動的兵員多，農民的生產就受影響，糧食供應也成問題，這是坐以待斃的辦法，我想我不會這麼做。我聽說上古帝王出兵，從來不超過三萬人，天下就能歸服。現在將軍每次出征，都要統率十萬、二十萬的兵員，這是我不能佩服的。」趙奢說：「看來您不僅不懂得用兵之道，也不了解當今的形勢變化。拿吳國的干將之劍切肉，可以輕易地斬斷牛馬，用來切削金屬，也能削割盤匜。但若把它靠在柱子上砸，就會折為三段，墊在石頭上砸，則會碎為百片。現在以三萬兵力去對付強國的軍隊，這跟把寶劍靠在柱子上、墊在石頭上砸是一樣的。況且吳國的干將劍雖然鋒利，如果劍背不夠厚，劍鋒就無法刺入；劍面不夠薄，劍刃就無法斷物。兩者兼有了，也還要劍環、劍珥等輔助之物，否則就只能手持劍刃操作，劍還沒有發力，手指先就斷了。如果沒有十萬、二十萬的兵力作為劍環、劍珥之類的配合，只想憑藉三萬精兵橫行天下，怎麼做得到呢？古時候的諸侯國成千上萬，大城邑的城牆也不過三百丈，人口雖多，也沒有超過三千家的。以訓練有素的三萬軍隊攻打這樣的城邑，有什麼困難的？如今天下諸侯已歸併成七雄，動輒能召集數十萬兵力，打曠日持久的消耗戰，幾年時間，就可能出現當年齊國被燕國攻破的狀況。齊國以二十萬兵力攻楚，戰爭五年才結束；趙國以二十萬兵力攻打中山，也花了五年時間。如今齊、韓兩國勢均力敵，相互圍攻，誰敢對我誇口說，只要三萬兵力就能出兵解圍？如今方圓千丈的大城、戶口上萬的大邑相互對峙，用三萬兵力去包圍千丈大城，恐怕連城牆的一個角落都圍不住，至於野戰，就更顯不足了，你憑這點兵力能做什麼呢？」田單長嘆了一口氣說：「我比您差太多了。」

【出處】

趙惠文王三十年，相都平君田單問趙奢曰：「吾非不說將軍之兵法也，所以不服者，獨將軍之用眾。用眾者，使民不得耕作，糧食輓賃不可給也。此坐而自破之道也，非單之所為也。單聞之，帝王之兵，所用者不過三萬，而天下服矣。今將軍必負十萬、二十萬之眾乃用之，此單之所不服也。」馬服曰：「君非徒不達於兵也，又不明其時勢。夫吳干之劍，肉試則斷牛馬，金試則截盤匜；薄之柱上而擊之，則折為三，質之石上而擊之，則碎為百。今以三萬之眾而應強國之兵，是薄柱擊石之類也。且夫吳干之劍材，難夫毋脊之厚，而鋒不入；無脾之薄，而刃不斷。兼有是兩者，無釣罕鐔蒙須之便，操其刃而刺，則未入而手斷。君無十餘、二十萬之眾，而為此釣罕鐔蒙須之便，而徒以三萬行於天下，君焉能乎？且古者四海之內，分為萬國。城雖大，不過三百丈者。人雖眾，不過三千家者。而以集兵三萬，距此奚難哉！今取古之為萬國者，分以為戰國七，能具數十萬之兵，曠日持久，數歲，即君之齊已。齊以二十萬之眾攻荊，五年乃罷。趙以二十萬之眾攻中山，五年乃歸。今者齊韓相方，而國圍攻焉，豈有敢曰，我其以三萬救是者乎哉？今千丈之城，萬家之邑相望也，而索以三萬之眾，圍千丈之城，不存其一角，而野戰不足用也，君將以此何之？」都平君喟然太息曰：「單不至也！」（《戰國策》〈趙策三〉）

國奚無人

燕王封宋人榮蚠為高陽君，讓他率兵攻打趙國。趙王以割讓濟水東部五十七座城邑為代價，請求齊國安平君出任趙國主將，率兵抵抗燕國。趙奢對平原君說：「我們國家就這麼缺乏人才嗎？這些地盤都是將士們浴血奮戰，從敵國手裡奪來的，就這麼大方地給了齊國嗎？為什麼不任命我為大將？我曾經因抵償罪責留居燕國，燕國任命我為上谷太守，我對燕國的關隘要塞了如指掌，不出百天就能攻克燕國。為什麼一定要請安平君來擔任主將呢？」平原君說：「這事已經定了，將軍就不要再說了。」趙奢說：「您錯了！您之所以請安平君，大概是因為齊國跟燕國有血海深仇吧。對此我不以為然。假如安平君愚蠢，那他就不是榮蚠的對手；假如安平君聰明，就不會與燕人較真。兩種情況安平君必居其一。假如安平君聰明，又豈會為趙國的強大而進攻燕國？因為趙國強大了，齊國就不能稱霸。如今安平君得以掌控趙國軍隊抵禦燕軍，戰爭一定會曠日持久。拖延幾年，趙、燕兩國就會國窮民疲，從而懾服於齊國，這時安平君就會率領自己的軍隊回國。他的做法，一定是盡量消耗兩國的軍力，沒有比這個更明顯的了。」不久安平君艱苦地攻下三座城池，大的城牆也沒有超過三百丈的，果然像趙奢說的那樣。

【出處】

燕封宋人榮蚠為高陽君，使將而攻趙。趙王因割濟東三城令盧、高唐、平原陵地封邑市五十七，命以與齊，而以求安平君而將之。馬服君謂平原君曰：「國奚無人甚哉！君致安平君而將之，乃割濟東三令城市邑五十七以與齊，此夫子與敵國戰，覆軍殺將之所取、割地於敵國者也。今君以此與齊，而求安平君而將之，國莫無人甚也！且君奚不將奢也？奢嘗抵罪居燕，燕以奢為上谷守，燕之通谷要塞，奢習知之。百日之內，天下之兵未聚，奢已舉燕矣。然則君奚求安平君而為將乎？」平原君曰：「將軍釋之矣，僕已言之僕主矣。僕主幸以聽僕也。將軍無言已。」馬服君曰：「君過矣！君之所以求安平君者，以齊之於燕也，茹肝涉血之仇耶。其於奢不然。使安平君愚，固不能當榮盆；使安平君知，又不肯與燕人戰。此兩言者，安平君必處一焉。雖然，兩者有一也。使安平君知，則奚以趙之強為？趙強則齊不復霸矣。今得強趙之兵，以杜燕將，曠日持久數歲，令士大夫餘子之力，盡於溝壘，車甲羽毛裂敝，府庫倉廩虛，兩國交以習之，乃引其兵而歸。夫盡兩國之兵，無明此者矣。」夏，軍也縣釜而炊。得三城也，城大無能過百雉者，果如馬服之言也。（《戰國策》〈趙策四〉）

奉公如法

趙奢擔任稅收官吏，依法催繳租稅，平原君家拒絕出租，趙奢依法處死了平原君家族的九名當事人。平原君大怒，要殺死趙奢。趙奢進諫說：「您是趙國的貴公子，如果縱容家人破壞國法，法律就會失去威望，國家也會因此貧弱，到時候諸侯出兵來犯，趙國就會滅亡，您還怎麼保有財富呢？以您尊貴的地位，如果帶頭奉公守法，就會體現上下公平，上下公平國家就會強盛，趙氏的政權就會穩固，您身為趙國貴戚，天下人誰敢輕視您？」平原君認為趙奢很有才幹，把他推薦給趙王，趙王任用他掌管全國賦稅。趙奢處事非常公平合理，因此趙國不僅民眾富足，國庫也很充實。

【出處】

趙奢者，趙之田部吏也。收租稅而平原君家不肯出租，奢以法治之，殺平原君用事者九人。平原君怒，將殺奢。奢因說曰：「君於趙為貴公子，今縱君家而不奉公則法削，法削則國弱，國弱則諸侯加兵，諸侯加兵是無趙也，君安得有此富乎？以君之貴，奉公如法則上下平，上下平則國彊，國彊則趙固，而君為貴戚，豈輕於天下邪？」平原君以為賢，言之於王。王用之治國賦，國賦大平，民富而府庫實。（《史記》〈廉頗藺相如列傳〉）

毛遂自薦

秦國圍攻邯鄲，趙王派平原君往楚國求援。平原君說：「如果能通過談判取得成功最好，談判不成，也要挾制楚王在大庭廣眾之下簽定合縱盟約。隨同前往的文武之士不必另找，就從我門下食客中挑選好了。」計劃挑二十人，只挑到十九個，這時門客中有個叫毛遂的主動自薦說：「就拿我充個數吧。」平原君問說：「先生投靠我幾年了？」毛遂答說：「三年。」平原君說：「有才能的賢士行走於世，就如同口袋裡的錐子，錐尖立即會露出來。先生投在我的門下三年，我身邊左右的人從未提起你，我也毫無印象，說明先生沒什麼專長啊。先生還是留下吧。」毛遂說：「就算是請求您今天把我放入口袋吧。如果早一點放入口袋，恐怕整個錐鋒都露出來了，哪裡只有一點點錐尖呢？」平原君於是同意帶上他。另十九個人面帶譏諷相視而笑。平原君到達楚國後，與楚王商談訂立合縱盟約，再三陳述利害，從早晨談到中午，仍然沒有結果。這時毛遂緊握劍柄，拾階大步而上，對平原君說：「合縱是利是害，兩句話就能說清楚。從早晨談到中午還沒定下來，是為什麼？」楚王問平原君說：「這位是幹什麼的？」平原君回答說：「是我的隨從家臣。」楚王厲聲呵叱說：「還不下去！我跟你的主人談判，你來幹什麼！」毛遂緊握劍柄上前說：「大王敢呵叱我，不過是倚仗楚國人多勢眾。現在我與你相距十步，十步之內大王倚仗不了人多勢眾，大王的性命也在我控制之中。我的主人就在面前，當著他面你呵叱什麼？我聽說商湯以七十里地統治天下，周文王以百里地使天下臣服，哪裡是因為兵廣人多，而是能根據天下大勢奮發有為。如今楚國縱橫五千里，軍卒百萬，這是可以爭王稱霸的資本。以楚國的強大，天下誰能與之抗衡？白起這小子，率領幾萬人的部隊，一戰攻克鄢城郢都，二戰焚燬夷陵，三戰使大王的先祖受辱。這是楚國百世難解的仇怨，連趙王都感到羞愧，大王不覺得恥辱嗎？合縱不單單是為趙國，也是楚國的需要。我的主人就在面前，你憑什麼呵叱我？」楚王說：「哦，哦，的確如先生所言，我一定竭盡全國的力量履行合縱盟約。」毛遂問說：「算是確定了嗎？」楚王回答說：「確定了。」毛遂於是對楚王左右的侍臣說：「快把雞、狗、馬的血取來。」毛遂雙手捧著盛血的銅盤下跪獻給楚王說：「大王請先歃血表示誠意，下一個是我主人，接下來是我。」就這樣在楚國的殿堂上確定了合縱盟約。毛遂左手托起血盤，右手招呼十九個同伴說：「各位在堂下也請一起歃血吧，總算沒有辜負主人的使命。」返回趙國後，平原君感嘆說：「從此我不敢再吹噓識才了。我觀察識別的人才多說上千，少說也有數百，自認為不會遺漏天下的賢能之士，卻把重要的毛先生忽略了。毛先生一到楚國，就使趙國的地位重於九鼎大呂。他以三寸之舌，勝過百萬大軍啊。」從此尊毛遂為上等賓客。

【出處】

秦之圍邯鄲，趙使平原君求救，合從於楚，約與食客門下有勇力文武備具者二十人偕。平原君曰：「使文能取勝，則善矣。文不能取勝，則歃血於華屋之下，必得定從而還。士不外索，取於食客門下足矣。」得十九人，餘無可取者，無以滿二十人。門下有毛遂者，前，自贊於平原君曰：「遂聞君將合從於楚，約與食客門下二十人偕，不外索。今少一人，原君即以遂備員而行矣。」平原君曰：「先生處勝之門下幾年於此矣？」毛遂曰：「三年於此矣。」平原君曰：「夫賢士之處世也，譬若錐之處囊中，其末立見。今先生處勝之門下三年於此矣，左右未有所稱誦，勝未有所聞，是先生無所有也。先生不能，先生留。」毛遂曰：「臣乃今日請處囊中耳。使遂蚤得處囊中，乃穎脫而出，非特其末見而已。」平原君竟與毛遂偕。十九人相與目笑之而未廢也。毛遂比至楚，與十九人論議，十九人皆服。平原君與楚合從，言其利害，日出而言之，日中不決。十九人謂毛遂曰：「先生上。」毛遂按劍歷階而上，謂平原君曰：「從之利害，兩言而決耳。今日出而言從，日中不決，何也？」楚王謂平原君曰：「客何為者也？」平原君曰：「是勝之舍人也。」楚王叱曰：「胡不下！吾乃與而君言，汝何為者也！」毛遂按劍而前曰：「王之所以叱遂者，以楚國之眾也。今十步之內，王不得恃楚國之眾也，王之命縣於遂手。吾君在前，叱者何也？且遂聞湯以七十里之地王天下，文王以百里之壤而臣諸侯，豈其士卒眾多哉，誠能據其勢而奮其威。今楚地方五千里，持戟百萬，此霸王之資也。以楚之彊，天下弗能當。白起，小豎子耳，率數萬之眾，興師以與楚戰，一戰而舉鄢郢，再戰而燒夷陵，三戰而辱王之先人。此百世之怨而趙之所羞，而王弗知惡焉。合從者為楚，非為趙也。吾君在前，叱者何也？」楚王曰：「唯唯，誠若先生之言，謹奉社稷而以從。」毛遂曰：「從定乎？」楚王曰：「定矣。」毛遂謂楚王之左右曰：「取雞狗馬之血來。」毛遂奉銅槃而跪進之楚王曰：「王當歃血而定從，次者吾君，次者遂。」遂定從於殿上。毛遂左手持槃血而右手招十九人曰：「公相與歃此血於堂下。公等錄錄，所謂因人成事者也。」平原君已定從而歸，歸至於趙，曰：「勝不敢復相士。勝相士多者千人，寡者百數，自以為不失天下之士，今乃於毛先生而失之也。毛先生一至楚，而使趙重於九鼎大呂。毛先生以三寸之舌，彊於百萬之師。勝不敢復相士。」遂以為上客。（《史記》〈平原君虞卿列傳〉）

貴士而賤妾

平原君家的高樓緊挨民宅。民宅裡有個跛子，總是一瘸一拐地出外打水。平原君的一位美妾從樓上看見跛子打水的樣子，忍不住大聲發笑。第二天，這位跛子找到平原君府上，對平原君說：「我聽說您喜愛賢士，士子們所以不遠千里來投奔您，是因為您看重士人而輕賤姬妾啊。我因小兒麻痺症落下殘疾，您的姬妾卻在高樓上笑話我，我希望得到拿我開心的那人的頭。」平原君笑著答應說：「好吧。」等跛子走後，平原君笑著說：「看這小子，竟因一笑的緣故要我殺掉愛妾，不也太過分了嗎？」終歸沒殺愛妾。過了一年多，門下賓客陸陸續續地走了一半多。平原君感到很奇怪，說：「我趙勝待人並沒有不周到之處，怎麼有那麼多人離開我呢？」一位門客告訴他說：「因為您不殺恥笑跛子的愛妾，大家認為您喜好美色而輕視士子，所以紛紛離去了。」於是平原君處死了恥笑跛子的愛妾，拎著她的頭親自登門獻給跛子，向他道歉。於是從前的門客又陸續回來了。當時，齊國有孟嘗君，魏國有信陵君，楚國有春申君，加上平原君，共是四君子，都好客養士，延攬人才。

【出處】

平原君家樓臨民家。民家有躄者，槃散行汲。平原君美人居樓上，臨見，大笑之。明日，躄者至平原君門，請曰：「臣聞君之喜士，士不遠千里而至者，以君能貴士而賤妾也。臣不幸有罷癃之病，而君之後宮臨而笑臣，臣願得笑臣者頭。」平原君笑應曰：「諾。」躄者去，平原君笑曰：「觀此豎子，乃欲以一笑之故殺吾美人，不亦甚乎！」終不殺。居歲餘，賓客門下舍人稍稍引去者過半。平原君怪之，曰：「勝所以待諸君者未嘗敢失禮，而去者何多也？」門下一人前對曰：「以君之不殺笑躄者，以君為愛色而賤士，士即去耳。」於是平原君乃斬笑躄者美人頭，自造門進躄者，因謝焉。其後門下乃復稍稍來。是時齊有孟嘗，魏有信陵，楚有春申，故爭相傾以待士。（《史記》〈平原君虞卿列傳〉）

牛缺之死

居住在上地的牛缺是個知識淵博的大儒。有一次他去邯鄲，途經耦沙時遇上強盜。強盜索要他口袋裡的財物，牛缺就給了強盜，再要他的車馬，也給了，進一步又要他的衣物被子，牛缺也都給了他們。牛缺步行離開以後，強盜們相互商議說：「他是個名人，今天這樣侮辱他，他一定會向君主狀告我們的所作所為，君主一定下令全力討伐我們，那時大家必死無疑。不如追上他把他殺死，滅掉蹤跡。」於是這些強盜追趕了三十里地，終於把牛缺殺死。牛缺賢人的名氣害了他。

【出處】

牛缺居上地，大儒也。下之邯鄲，遇盜於耦沙之中。盜求其橐中之載，則與之。求其車馬，則與之。求其衣被，則與之。牛缺出而去，盜相謂曰：「此天下之顯人也，今辱之如此，此必訴我於萬乘之主。萬乘之主必以國誅我，我必不生，不若相與追而殺之，以滅其跡。」於是相與趨之，行三十里，及而殺之。此以知故也。（《呂氏春秋》〈孝行覽・必己〉）

以人投人

趙國進攻中山。中山國有個大力士，名叫吾丘�，身穿鐵甲，手持鐵杖作戰，所擊無所不碎，所衝無所不陷。以車投車，以人投人，似乎無可阻擋。趙國騎兵以捉迷藏的遊戲，消耗其體力，因此吾丘鴷還未接近趙軍主帥，就被殺死了。

【出處】

趙氏攻中山。中山之人多力者曰吾丘鴪。衣鐵甲操鐵杖以戰，而所擊無不碎，所衝無不陷，以車投車，以人投人也。幾至將所而後死。(《呂氏春秋》〈開春論・貴卒〉)

樓緩辭行

樓緩將要出使去執行祕密使命，辭行時對趙惠文王說：「即使我用盡全部力量和智慧，終究難免一死，恐怕不能再見大王了。」趙惠文王說：「這是什麼話？我一定寫信說明，是委您以重任。」樓緩說：「大王沒有聽說公子牟夷嗎？他在宋國地位尊貴，文張與宋王友好，誣衊牟夷，以致公子牟夷遭受肉刑。現在我與大王的關係非公子牟夷與宋王的關係可比，但誣衊我的人的地位卻都可能超過文張。所以我終究難免一死。」趙惠文王說：「您盡力去做吧，寡人和您已定立誓言了。」樓緩於是出發。後來因為中牟的人造反，樓緩叛逃到魏國。偵探向趙王報告，趙王不聽，說：「我已經和樓緩立過誓言了。」

【出處】

樓緩將使，伏事，辭行，謂趙王曰：「臣雖盡力竭知，死不復見於王矣。」王曰：「是何言也？固且為書而厚寄卿。」樓子曰：「王不聞公子牟夷之於宋乎？非肉不食。文張善宋，惡公子牟夷，寅然。今臣之於王，非宋之於公子牟夷也，而惡臣者過文張。故臣死不復見於王矣。」王曰：「子勉行矣，寡人與子有誓言矣。」樓子遂行。後以

中牟反，入梁。候者來言，而王弗聽，曰：「昔已與樓子有言矣。」（《戰國策》〈趙策四〉）

覆巢毀卵

秦國攻打魏國，佔領寧邑，諸侯都去祝賀。趙惠文王也派使者前往祝賀，往返三次均未得到接見。趙惠文王非常擔心秦國報復。左右的侍臣說：「使者多次往返得不到接見，一定是人選不當。有個叫諒毅的人能言善辯，大王不妨派他去試試。」諒毅到了秦國，上書給秦昭王說：「大王打了勝仗，諸侯都來祝賀，敝國君王派使臣三次前來恭賀，卻得不到召見。如果使臣沒有罪過，希望大王不要拒絕我們承歡的機會。如果使臣有罪，情願接受大王的懲處。」秦王派使者告訴諒毅說：「我所要求趙國的，是大事小情都要聽我的話，那麼我就接受送來的書信財物。如果不聽從我的話，那麼使者就回去吧。」諒毅回答說：「臣下這次來，本來希望接受大國的旨意，怎麼敢難為大王？大王如果有什麼命令，請允許我們奉命實行，不敢有什麼懷疑的地方。」秦昭王這才接見諒毅，對他說：「趙豹、趙勝數次欺騙愚弄寡人，如果趙國能殺掉這兩人，那就算了；如果不肯，我會馬上率領諸侯各國的軍隊，到邯鄲城下接受指教。」諒毅說：「平陽君和平原君是我們君王的親兄弟，就像大王有葉陽君、涇陽君兩位兄弟一樣。大王用孝治聞名天下，合體的衣服、可口的飯菜，沒有不分給葉陽君和涇陽君的。葉陽君、涇陽君的車馬衣服，與大王都在一個檔次。臣下聽說：『傾覆鳥巢毀壞鳥蛋，鳳凰就會遠飛；剖開胚胎焚燒幼獸，麒麟就不會再來。』如今使臣接受大王的命令回國秉報，敝國君主心存畏懼不敢不執行，不過這樣一來，恐怕也要傷害葉陽君、涇陽君的心吧？」秦昭王說：「行，那也不能讓他們再參與政事。」諒毅說：「敝國君主有親兄弟而不能教誨，惹惱大國，請讓敝國罷免他們，以滿足大國的心願。」秦王於是高興地接受了諒毅帶來的禮物，並給予他熱情接待。

【出處】

秦攻魏，取寧邑，諸侯皆賀。趙王使往賀，三反不得通。趙王憂之，謂左右曰：「以秦之強，得寧邑，以制齊、趙。諸侯皆賀，吾往賀而獨不得通，此必加兵我，為之奈何？」左右曰：「使者三往不得通者，必所使者非其人也。曰諒毅者，辯士也，大王可試使之。」諒毅親受命而往。至秦，獻書秦王曰：「大王廣地寧邑，諸侯皆賀，敝邑寡君亦竊嘉之，不敢寧居，使下臣奉其幣物三至王廷，而使不得通。使若無罪，願大王無絕其歡；若使有罪，願得請之。」秦王使使者報曰：「吾所使趙國者，小大皆聽吾言，則受書幣。若不從吾言，則使者歸矣。」諒毅對曰：「下臣之來，固願承大國之意也，豈敢有難？大王若有以令之，請奉而西行之，無所敢疑。」於是秦王乃見使者曰：「趙豹、平原君數欺弄寡人，趙能殺此二人，則可。若不能殺，請今率諸侯受命邯鄲城下。」諒毅曰：「趙豹、平原君，親寡君之母弟也，猶大王之有葉陽、涇陽君也。大王以孝治聞於天下，衣服使之便於體，膳啖使之嗛於口，未嘗不分於葉陽、涇陽君。葉陽君、涇陽君之車馬衣服，無非大王之服御者。臣聞之：『有覆巢毀卵，而鳳凰不翔；刳胎焚夭，而麒麟不至。』今使臣受大王之令以還報，敝邑之君，畏懼不敢不行，無乃傷葉陽君、涇陽君之心乎？」秦王曰：「諾，勿使從政。」諒毅曰：「敝邑之君，有母弟不能教誨，以惡大國，請黜之，勿使與政事，以稱大國。」秦王乃喜，受其幣而厚遇之。（《戰國策》〈趙策四〉）

兵不可偃

趙惠王對公孫龍說：「我致力於消除戰爭有十多年了，至今沒有成功。難道戰爭不可能被消除嗎？」公孫龍回答說：「消除戰爭的本意，體現了兼愛天下人的思想。兼愛天下人，不是靠虛名就能實現的，一定要有實際內容。現在藺、離石二縣歸屬了秦國，您就穿上喪國的服飾；向東攻打齊國奪取了城邑，您就安排酒筵加餐慶賀。秦國得到土地您就穿上喪服，齊國喪失土地您就加餐慶賀，這都不符合兼愛天下人的思想。這就是不能消除戰爭的原因啊。」假如有這樣的人，傲慢無禮卻想受到尊敬，結黨營私、處事不公卻想得到好名聲，號令繁雜屢次變更卻想平靜，暴戾殘暴、貪得無厭卻想安定，即使是黃帝也會束手無策的。

【出處】

趙惠王謂公孫龍曰：「寡人事偃兵十餘年矣，而不成，兵不可偃乎？」公孫龍對曰：「偃兵之意，兼愛天下之心也。兼愛天下，不可以虛名為也，必有其實。今藺、離石入秦，而王縞素布總；東攻齊得城，而王加膳置酒。秦得地而王布總，齊亡地而王加膳，所非兼愛之心也。此偃兵之所以不成也。」今有人於此，無禮慢易而求敬，阿黨不公而求令，煩號數變而求靜，暴戾貪得而求定，雖黃帝猶若困。（《呂氏春秋》〈審應覽・審應〉）

借車者馳之

趙王把武城賞給孟嘗君。孟嘗君在門客中挑選了一些人去管理武城，對他們說：「俗語不是說『借來的車子使勁跑，借來的衣服使勁穿』嗎？」門客點頭說：「有這種說法。」孟嘗君說：「這種做法很不可取。借來的衣服和車子，不是親友的就是兄弟的，怎能不加愛護？我田文絕不允許這麼做。現在趙王不了解我的不賢，把武城封給我。希望你們去後，要愛惜當地的一草一木，體恤百姓，恭謹從事，讓趙王感覺到我們的治理。」

【出處】

趙王封孟嘗君以武城。孟嘗君擇舍人以為武城吏，而遣之曰：「鄙語豈不曰，借車者馳之，借衣者被之哉？」皆對曰：「有之。」孟嘗君曰：「文甚不取也。夫所借衣車者，非親友，則兄弟也。夫馳親友之車，被兄弟之衣，文以為不可。今趙王不知文不肖，而封之以武城，願大夫之往也，毋伐樹木，毋發屋室，訾然使趙王悟而知文也。謹使可全而歸之。」（《戰國策》〈趙策一〉）

王若無兵，鄰國得志

鄭同北上拜見趙王。趙王說：「您是南方的博學之士，有什麼指教呢？」鄭同回答說：「我本是南方鄙陋無知的草民，哪有什麼指教？但大王既然問到我，多少也說幾句吧。我年輕的時候，父親曾教給我兵法。」趙王搖頭說：「我不喜歡兵法。」鄭同仰天大笑說：「兵法本來就是天下最狡詐的人喜歡的東西，我原本就猜想大王不會喜歡。早先我也曾用兵法遊說過魏昭王，昭王也說：『我不喜歡。』我就說：『大王的高行比得上許由嗎？許由不為世俗的名利牽累，所以不接受堯的禪讓。現在大王既然接受了先王遺傳的王位，是否想要保持國家安定，領土完整，神靈和祖廟的祭祀不被侵擾呢？』魏昭王說：『那當然。』如果有人攜帶隨侯之珠，持丘之環和萬金之財宿於荒野，身邊既沒有孟賁、荊慶那樣的勇士貼身拱衛，外圍又沒有手持強弓利箭的士卒把守，不出一宿，這人一定會死於非命。假設有強大貪婪的國家逼近大王的邊境，向大王索求疆土，對它曉之以理、動之以義，它也不肯放棄強求。大王如果不能手握利器，拿什麼去抵禦敵人的進攻呢？大王如果不懂得用兵策略，鄰國的野心就會得逞啊。」趙王說：「寡人聆聽教誨。」

【出處】

鄭同北見趙王。趙王曰：「子南方之傳士也，何以教之？」鄭同曰：「臣南方草鄙之人也，何足問？雖然，王致之於前，安敢不對乎？臣少之時，親嘗教以兵。」趙王曰：「寡人不好兵。」鄭同因撫手仰天而笑之曰：「兵固天下之狙喜也，臣故意大王不好也。臣亦嘗以兵說魏昭王，昭王亦曰：『寡人不喜。』臣曰：『王之行能如許由乎？許由無天下之累，故不受也。今王既受先王之傳；欲宗廟之安，壤地不削，社稷之血食乎？』王曰：『然。』今有人操隨侯之珠，持丘之環，萬金之財，時宿於野，內無孟賁之威，荊慶之斷，外無弓弩之御，不出宿夕，人必危之矣。今有強貪之國，臨王之境，索王之地，告以理則不可，說以義則不聽。王非戰國守圉之具，其將何以當之？王若無兵，鄰國得志矣。」趙王曰：「寡人請奉教。」（《戰國策》〈趙策三〉）

仁人之兵

荀子和臨武君在趙孝成王面前討論軍事，孝成王問：「請問用兵的要訣是什麼？」臨武君回答說：「上得天時，下得地利，後發先至，這就是打仗的要訣。」荀子說：「不對。我聽說上古時候凡有戰爭，用兵的要訣在於和民眾協力同心。弓箭不協調，后羿就射不中太陽；六匹駿馬不配合，造父就不能日馳千里；士民不擁戴親附，商湯周武也不能獲得勝利。善於用兵的人，重視民心的歸附。」臨武君說：「不對，用兵打仗最重要的是乘勢爭利，所崇尚的是用機變詭詐的辦法去攻佔奪取。擅長此道的人，如孫武、吳起，用兵神出鬼沒，天下無敵。由此看來，怎麼一定要民心歸附呢？」荀子說：「不是這樣，剛才我說的是實行王道的用兵之術，是賢明的君主所遵從的事業。對仁者的軍隊是無法行欺詐之術的。可以欺詐的，是那些懈怠大意、羸弱疲憊、君臣之間離心離德的軍隊。如果以夏桀欺詐夏桀，或許能僥倖取勝，但要以夏桀去欺詐唐堯，就如同拿雞蛋砸石頭，用手指攪開水。又好比把羽毛投入烈火，轉瞬間就會化為灰燼，怎麼可能行使欺詐呢？所以仁者的軍隊，展開陣形就像揮動莫邪寶劍的利刃一樣，纏繞上的都會斷裂；衝鋒陷陣就彷彿莫邪寶劍的利鋒，阻擋的就會潰敗；列陣駐守猶如堅硬的磐石，敢於進犯者必定會狼狽而逃，又怎麼可以欺詐呢？所以仁者的軍隊，將使三軍同力，上下一心，臣子對君主，下級對上級，就像兒子侍奉父親，弟弟侍奉兄長，又好比手腳捍衛腦袋眼睛保護胸部腹部。先欺詐而後襲擊，與先驚動後攻擊，失敗的結果是一樣的，又怎麼可以欺詐呢？況且那些暴躁淫亂的君主，又有誰會跟隨他們一起作戰呢？縱然他統帥民眾出戰，但民心既已親附我們，見到我們就歡然如遇父母，喜歡我們就像喜愛芳香的椒蘭；再回頭看看他們的君主，就彷彿被火燒，臉上刺字，遇見仇敵。以人之常情，即便是夏桀盜跖，也不會為厭惡的人去殘害喜歡的人，讓別人的子孫去殺害他們的父母親人。《詩經》說：『周武王駕車擎旗，威武地手握大斧，猶如熊熊的烈火，沒有人能阻擋。』說的就是這種情況啊。」孝成王和臨武君說：「好。」

【出處】

孫卿與臨武君議兵於趙孝成王前。王曰：「請問兵要？」臨武君對曰：「上得天時，下得地利，後之發，先之至，此用兵之要術也。」孫卿曰：「不然。臣之所聞，古之道，凡戰，用兵之術，在於一民，弓矢不調，羿不能以中微，六馬不和，造父不能以御遠；士民不親附，湯武不能以勝。故善兵者，務在於善附民而已。」臨武君曰：

仁人之兵

「不然，夫兵之所貴者，勢利也；所上者，變軸攻奪也。善用之者，奄忽焉莫知所從出，孫吳用之，無敵於天下。由此觀之，豈必待附民哉！」孫卿曰：「不然，臣之所言者，王者之兵，君人之事也。君之所言者，勢利也；所上者，變軸攻奪也。仁人之兵不可軸也，彼可軸者，怠慢者也，落單者也。君臣上下之間，渙然有離德者也。若以桀軸桀，猶有幸焉，若以桀軸堯，譬之若以卵投石，若以指繞沸，若羽蹈烈火，入則焦沒耳，夫又何可軸也。故仁人之兵，鋌則若莫邪之利刃，嬰之者斷，銳則若莫邪之利鋒，當之者潰。圓居而方止，若盤石然，觸之者隴種而退耳。夫又何可軸也？」故仁人之兵，或將三軍同力，上下一心，臣之於君也，下之於上也，若子之事父也，若弟之事兄也，若手足之捍頭目而覆胸腹也。軸而襲之，與先驚而後擊之一也，夫又何可軸也？且夫暴亂之君，將誰與至哉？彼其所與至者，必其民也，民之親我，歡然如父母，好我芳如椒蘭，反顧其上，如灼黥，如仇仇。人之情，雖桀跖豈有肯為其所惡，而賊其所好者哉！是指使人之孫子，而賊其父母也。詩曰：『武王載旆，有虔秉鉞，如火烈烈，則莫我敢曷。』[14]此之謂也。」孝成王臨武君曰：「善。」（《新序》〈雜事第三〉）

人之有鬥

荀況說：爭強好鬥的人，除了將自身置之度外，也罔顧親生父母

14. 「武王載旆，有虔秉鉞，如火烈烈，則莫我敢曷」，出自《詩經》〈商頌・長發〉。

和國君。為了逞一時之氣而惹終身之禍仍然去做的，就是置自己的生死於度外。冒著家庭離散，親人慘遭殺害的危險仍然去做的，就是罔顧親生父母。君王表示憎惡、刑罰明令禁止偏要去觸犯，就是罔顧國君。禽獸尚知道親近父母，不忘血親，做人怎能罔顧自身、父母和君主？大凡爭強好鬥的人，往往自以為真理在手。如果自己真的正確，別人不對，那麼自己就是君子，對方就是小人。以君子的身分而與小人爭鬥，這就好比用珍貴的白狐腋皮來補綴狗皮、羊皮，用炭灰來塗抹身體，簡直是愚蠢至極。自以為有利，卻不知是最大的害處；自以為榮耀，卻不知是最大的恥辱。人為什麼愛爭強鬥狠？把他們比作精神狂亂的病人，又彷彿不是。他們的好惡之情大多相同，應該是源於愚昧而缺乏修養的原因吧。《詩經》上說：「狂呼亂叫，把白天當作黑夜。」說的就是爭強好鬥的行為啊！

【出處】

孫卿曰：「夫鬥者忘其身者也，忘其親者也，忘其君者也；行須臾之怒，而鬥終身之禍，然乃為之，是忘其身也；家室離散，親戚被戮，然乃為之，是忘其親也；君上之所致惡，刑法上所大禁也，然乃犯之，是忘其君也。今禽獸猶知近父母，不忘其親也；人而忘其身，內忘其親，上忘其君，是不若禽獸之仁也。凡鬥者皆自以為是而以他人為非，己誠是也，人誠非也，則是己君子而彼小人也；夫以君子而與小人相賊害，是人之所謂以狐白補犬羊，身塗其炭，豈不過甚矣哉！以為智乎，則愚莫大焉；以為利乎，則害莫大焉；以為榮乎，則辱莫大焉；人之有鬥何哉？比之狂惑疾病乎，則不可面目人也，而好

惡多同，人之鬥誠愚惑夫道者也。詩云：『式號式呼，俾晝作夜』[15]，言鬥行也。」（《說苑》〈貴德〉）

見賢思齊

南瑕子拜訪程本子，程本子請他吃娃娃魚。南瑕子說：「我聽說君子不吃娃娃魚啊。」程本子說：「君子不吃，你又何必追隨他們呢？」南瑕子回答說：「我聽說君子向上看齊，德行與日俱增；如果向下看齊，德行就與日俱減。向壞的靠攏是倒退的根源。《詩經》裡說：『高山使人敬仰，大道使人直行。』我哪裡敢自稱君子，不過是有志於向他們學習罷了。」孔子說：「見賢思齊焉，見不賢而內自省」。意思是看見賢人就向他們看齊，看見不好的行為就內心反省，引以為戒。

【出處】

昔者南瑕子過程太子，太子為烹鯢魚。南瑕子曰：「吾聞君子不食鯢魚。」程太子曰：「乃君子否？子何事焉？」南瑕子曰：「吾聞君子上比所以廣德也，下比所以狹行也，於惡自退之原也。詩云：『高山仰止，景行行止。』[16]吾豈敢自以為君子哉？志向之而已。孔子曰：『見賢思齊焉，見不賢而內自省。』」（《說苑》〈雜言〉）

15.「式號式呼，俾晝作夜」，出自《詩經》〈大雅・蕩〉。

16.「高山仰止，景行行止」，出自《詩經》〈小雅・車舝〉。

成王之信

齊國人李伯拜見趙孝成王，孝成王很喜歡他，任命他為代郡太守。李伯擔任太守時間不長，有人向孝成王告發他謀反。當時孝成王正在用餐，聽到消息後，並沒有中斷飯局。沒多久，又有告發的人進來，孝成王仍然不為所動。過後不久，李伯派使者向孝成王報告說：「齊國發兵攻打燕國，我擔心他們以攻打燕國為名，率兵偷襲趙國，所以布置軍隊做好交戰的準備。如今燕國、齊國已經開戰，臣下請求率兵中途攔截疲憊的一方，可以多割取土地。」從此之後，為孝成王在外面辦事的人，沒有誰懷疑孝成王不信任自己。

【出處】

齊人李伯見孝成王。成王說之，以為代郡守。而居無幾何，人告之反。孝成王方饋，不墜食。無幾何，告者復至，孝成王不應。已，乃使使者言：「齊舉兵擊燕，恐其以擊燕為名，而以兵襲趙，故發兵自備。今燕、齊已合，臣請要其敝，而地可多割。」自是之後，為孝成王從事於外者，無自疑於中者。（《戰國策》〈趙策三〉）

鴻毛至輕　不能自舉

有人勸諫張相國說：「您怎麼能貶低趙國人卻讓趙國人尊重您，憎惡趙國人卻讓趙國人愛戴您呢？膠、漆是最黏的東西，但是不能把相距遙遠的東西黏合在一起；鴻毛很輕，卻不能自己飛起來，只有飄浮於風中才能橫行四海。有些事能輕易成功，一定是因為有所憑藉。如今趙國是擁有萬輛兵車的強國，甲兵百萬，以河山險峻為屏障，曾經抑制強大的齊國，四十多年來秦國對它的非分之想從未得逞。可見趙國是天下舉足輕重的國家。如今您輕視擁有萬輛兵車的強大趙國，傾慕那難以預料的弱小魏國，臣私下認為很不可取。」張相國說：「好。」從此以後，在大庭廣眾之下，張相國對趙國人的長處和風俗讚不絕口。

【出處】

說張相國曰：「君安能少趙人，而令趙人多君？君安能憎趙人，而令趙人愛君乎？夫膠漆，至韌也，而不能合遠；鴻毛，至輕也，而不能自舉。夫飄於清風，則橫行四海。故事有簡而功成者，因也。今趙萬乘之強國也，前漳、滏，右常山，左河間，北有代，帶甲百萬，嘗抑強齊，四十餘年而秦不能得所欲。由是觀之，趙之於天下也不輕。今君易萬乘之強趙，而慕思不可得之小梁，臣竊為君不取也。」君曰：「善。」自是之後，眾人廣坐之中，未嘗不言趙人之長者也，未嘗不言趙俗之善者也。（《戰國策》〈趙策三〉）

觸讋說太后

趙太后剛剛主持國政，秦國就加緊攻趙。趙國向齊國求援，齊王說：「以長安君為人質，我們就馬上出兵。」太后不肯，大臣們極力勸諫。太后明確告誡左右大臣說：「誰要再提起長安君做人質的事，我這個老婆子就把唾沫吐到他臉上。」左師觸讋提出想拜見太后，太后一臉怒氣地等他。觸讋進宮後慢慢往前走，到了太后跟前向她請罪說：「老臣的腳有毛病，走路不快，很久沒來拜見您了。雖然私下原諒自己，仍然擔心太后的身體欠安，所以來看看您。」太后說：「我現在只能坐在車子上推著走。」觸讋問：「每天飲食該不會減少吧？」太后說：「靠喝粥維持。」觸讋說：「老臣近來特別不想吃東西，就勉強散步，每天走上三四里，漸漸地有了食慾，身體也舒服多了。」太后說：「我做不到啊。」臉色略微緩和了一些。左師接著說：「老臣的兒子舒祺，年齡最小，沒什麼出息。我年紀老了，心裡很疼愛他。希望您能讓他進宮充當一名衛士保衛王宮，我冒死向太后請求這件事。」太后說：「好吧。他今年多大了？」觸讋回答說：「十五歲了。年紀雖小，但老臣想趁自己還活著把他託付給您。」太后說：「男子漢也疼愛自己的小兒子嗎？」觸讋答說：「比女人還厲害。」太后說：「女人疼愛小兒子才厲害啊。」觸讋說：「老臣私下認為您疼愛燕后要超過長安君呢。」太后說：「你錯了。遠不如疼愛長安君厲害。」觸讋說：「父母疼愛子女，就要替他們做長遠打算。您送燕后出嫁的時候，在車下握著她的腳後跟流淚，想到她離家遠嫁就傷心。燕后出嫁後，您並不是不想念她，祭祀時卻總是為她禱告說：『千萬別叫她回來。』這難道不是替她做長遠打算、希望她的子孫世代相繼當國王嗎？」太后說：「是這樣。」觸讋問說：「從現在起，上推三代，甚至到趙氏立國的時候，趙王子孫被封侯的，後代還有繼續為侯的嗎？」太后搖頭說：「沒有啊。」觸讋又問：「不只是趙國，其他諸侯國的子孫，後代還有為侯的嗎？」太后答說：「沒有聽說過。」觸讋說：「這些封君們，有些是自己惹禍上身，有些是禍延子孫後代。難道說國君的子孫都不會有好結果嗎？只是因為他們地位尊貴卻無功於國，俸祿豐厚卻不肯為國出力，坐擁金玉珍玩而已。現在您尊顯長安君的地位，封給他富庶的土地，賜給他金玉玩好，卻不趁現在讓他為國立功。一旦您百年之後，長安君將憑什麼在趙國安身立命呢？老臣認為您替長安君考慮得太少了，所以說趕不上疼愛燕后。」太后說：「好吧，任憑您怎樣安排他吧！」於是為長安君準備了一百輛車子，送他到齊國做人質，而齊國的援兵也出發了。子義聽說這件事後感嘆說：「君主的兒子是親生骨肉，尚且不能倚仗沒有功勞的高位、沒有付出的俸祿來保持富貴，更何況是做臣子呢！」

【出處】

趙太后新用事，秦急攻之。趙氏求救於齊。齊曰：「必以長安君為質，兵乃出。」太后不肯，大臣強諫。太后明謂左右：「有復言令長安君為質者，老婦必唾其面。」左師觸讋願見太后。太后盛氣而揖之。入而徐趨，至而自謝，曰：「老臣病足，曾不能疾走，不得見久矣。竊自恕，而恐太后玉體之有所郄也，故願望見太后。」太后曰：「老婦恃輦而行。」曰：「日食飲得無衰乎？」曰：「恃粥耳。」曰：「老臣今者殊不欲食，乃自強步，日三四里，少益耆食，和於身也。」太后曰：「老婦不能。」太后之色少解。左師公曰：「老臣賤息舒祺，最少，不肖。而臣衰，竊愛憐之，願令得補黑衣之數，以衛王宮，沒死以聞。」太后曰：「敬諾。年幾何矣？」對曰：「十五歲矣。雖少，願及未填溝壑而托之。」太后曰：「丈夫亦愛憐其少子乎？」對曰：「甚於婦人。」太后笑曰：「婦人異甚。」對曰：「老臣竊以為媼之愛燕后賢於長安君。」曰：「君過矣，不若長安君之甚。」左師公曰：

「父母之愛子，則為之計深遠。媼之送燕后也，持其踵為之泣，念悲其遠也，亦哀之矣。已行，非弗思也，祭祀必祝之，祝曰：『必勿使反。』豈非計久長，有子孫相繼為王也哉？」太后曰：「然。」左師公曰：「今三世以前，至於趙之為趙，趙主之子孫侯者，其繼有在者乎？」曰：「無有。」曰：「微獨趙，諸侯有在者乎？」曰：「老婦不聞也。」「此其近者禍及身，遠者及其子孫。豈人主之子孫則必不善哉？位尊而無功，奉厚而無勞，而挾重器多也。今媼尊長安君之位，而封之以膏腴之地，多予之重器，而不及今令有功於國。一旦山陵崩，長安君何以自托於趙？老臣以媼為長安君計短也，故以為其愛不若燕后。」太后曰：「諾。恣君之所使之。」於是為長安君約車百乘，質於齊，齊兵乃出。子義聞之曰：「人主之子也，骨肉之親也，猶不能恃無功之尊，無勞之奉，而守金玉之重也，而況人臣乎？」（《戰國策》〈趙策四〉）

輕強秦而重弱燕

馮忌為廬陵君對趙孝成王說：「大王驅逐廬陵君，是為了燕國吧。」趙王說：「我之所以處罰這樣重，與燕國和秦國的事情無關。」馮忌說：「秦國多次用虞卿為他說話，大王都沒有驅逐他。如今燕國剛用廬陵君為他說話，大王卻要驅逐他，這是大王輕視強秦而重視弱燕啊。」趙王說：「並非是為了燕國，我本來就想驅逐他。」馮忌說：「這樣說來，大王驅逐廬陵君，不是因為燕國。驅逐親愛的弟弟，加上無視燕國和秦國，臣私下認為大王的做法不可取。」

【出處】

馮忌為廬陵君謂趙王曰：「王之逐廬陵君，為燕也。」王曰：「吾所以重者，無燕、秦也。」對曰：「秦三以虞卿為言，而王不逐也。今燕一以廬陵君為言，而王逐之。是王輕強秦而重弱燕也。」王曰：「吾非為燕也，吾固將逐之。」「然則王逐廬陵君，又不為燕也。行逐愛弟，又兼無燕、秦，臣竊為大王不取也。」（《戰國策》〈趙策四〉）

交淺而言深

馮忌拜見趙孝成王，拱手低頭，想說話又不敢。趙王問他什麼緣故，馮忌回答說：「有客人介紹一個人去拜見服子，過後他問服子這人有什麼過錯。服子說：『您引薦的人有三條過錯，望著我笑，是不尊重我；談話不稱我老師，是不禮貌；交情淺而言語深，是沒分寸。』客人說：『不是這樣。望見人笑是和藹；言談不稱老師，是說平常話；交情淺而言語深，是坦誠。從前堯在草茅中會見舜，坐在田頭，就在桑樹的陰涼下把天下禪讓給了舜。伊尹背著鍋和砧板遇見商湯，姓名還不知道就接受了三公的職位。如果交情淺就不可以深談，那麼堯的天下就無法禪讓，伊尹三公的職位也不可能得到。」趙王說：「講得太好了。」馮忌說：「我這個外來之臣和您交情淺卻想深談，您願意嗎？」趙王說：「敬請賜教。」

【出處】

馮忌請見趙王，行人見之。馮忌接手免首，欲言而不敢。王問其故，對曰：「客有見人於服子者，已而請其罪。服子曰：『公之客獨有三罪：望我而笑，是狎也；談語不稱師，是倍也；交淺而言深，是亂也。』客曰：『不然。夫望人而笑，是和也；言而不稱師，是庸說也；交淺而言深，是忠也。昔者堯見舜於草茅之中，席隴畝而蔭庇桑，陰移而授天下傳。伊尹負鼎俎而干湯，姓名未著而受三公。使夫交淺者不可以深談，則天下不傳，而三公不得也。」趙王曰：「甚善。」馮忌曰：「今外臣交淺而欲深談，可乎？」王曰：「請奉教。」於是馮忌乃談。（《戰國策》〈趙策四〉）

四戰之國

燕王派丞相栗腹同趙國交好，送五百斤黃金為趙王祝酒。栗腹回國後向燕王報告說：「趙國的壯丁都死在長平，他們的遺孤還沒長大，可以進攻它。」燕王召見昌國君樂間商議。樂間回答說：「趙國是四面受敵的國家，它的百姓都受過軍事訓練，不能進攻它。」燕王說：「我們以多打少，兩個打一個可以嗎？」回答道：「不可以。」燕王說：「那就五個打一個，總可以吧？」回答說：「不可以。」燕王大怒。群臣都認為可以攻趙，於是燕國派出兩支軍隊，戰車兩千乘，一支由栗腹統率攻打鄗城，一支由卿秦率領進攻代地。趙國以廉頗為主將迎戰，打敗並殺死栗腹，俘虜卿秦、樂間。

【出處】

燕王令丞相栗腹約歡，以五百金為趙王酒，還歸，報燕王曰：「趙氏壯者皆死長平，其孤未壯，可伐也。」王召昌國君樂閒而問之。對曰：「趙，四戰之國也，其民習兵，伐之不可。」王曰：「吾以眾伐寡，二而伐一，可乎？」對曰：「不可。」王曰：「吾即以五而伐一，可乎？」對曰：「不可。」燕王大怒。群臣皆以為可。燕卒起二軍，車二千乘，栗腹將而攻鄗，卿秦將而攻代。廉頗為趙將，破殺栗腹，虜卿秦、樂閒。（《史記》〈趙世家〉）

紙上談兵

孝成王七年，秦、趙兩軍在長平對壘。此時趙奢已死，藺相如有重病在身，趙王派老將廉頗率兵抵抗秦軍。趙軍堅守營壘，秦軍屢次挑戰，廉頗都置之不理。秦國派間諜到邯鄲散布謠言說：「廉頗年老膽怯，馬上就要投降了，秦人最怕的是馬服君趙奢的兒子趙括接任將軍。」趙王因此用趙括取代廉頗。藺相如說：「大王只憑名聲來任用趙括，就好像用膠把調弦的柱黏死再去彈瑟。趙括只會讀他父親留下的兵書，紙上談兵，卻不懂靈活應變。」趙王不聽，仍然堅持以趙括為將。趙括從小熟讀兵法，談論軍事，認為天下沒人能比得過他。父親趙奢與他討論軍事，有時也爭不過他，但趙奢並不讚賞他。趙括的母親問其原因，趙奢說：「用兵打仗是關乎生死的大事，括兒卻把事情說得很容易。趙國不用趙括為將則已，一旦以他為將，使趙軍失敗的一定是他啊。」趙括將要起程時，他母親上書諫阻說：「趙括不可以做將軍。」趙王問：「為什麼？」回答說：「當初他父親任將軍之時，由他親自侍候吃喝的人數以十計，被他引為朋友知己的數以百計，大王和王族的賞賜全都分給軍吏和僚屬，從接受命令的那天起，就不再過問家事。現在趙括剛做了將軍，向東接受朝見，軍吏沒人敢抬頭看他的，大王賞賜的金帛都帶回家中收藏起來，還天天訪查可以買賣的田地房產，這哪像他父親？希望大王千萬不要派他領兵。」趙王說：「您別管了，我已經定了。」趙括的母親失望地說：「您一定要派他領兵，如果他出現瀆職，我能不受株連嗎？」趙王答應了。趙括取代廉頗之後，立即改變了原有的規章制度，更換了之前的軍吏。秦將白起得知消息，便調遣奇兵，假裝敗逃，而後派兵繞後截斷趙軍的糧道，將趙軍分割兩半。趙軍士卒離心，堅守了四十多天。趙軍饑餓，趙括親率精兵突圍，被秦軍射死。趙軍戰敗，幾十萬大軍被迫投降。白起以詐騙的手段將其全部活埋，趙國前後損失達四十五萬人。

【出處】

七年，秦與趙兵相距長平，時趙奢已死，而藺相如病篤，趙使廉頗將攻秦，秦數敗趙軍，趙軍固壁不戰。秦數挑戰，廉頗不肯。趙王信秦之間。秦之間言曰：「秦之所惡，獨畏馬服君趙奢之子趙括為將耳。」趙王因以括為將，代廉頗。藺相如曰：「王以名使括，若膠柱而鼓瑟耳。括徒能讀其父書傳，不知合變也。」趙王不聽，遂將之。趙括自少時學兵法，言兵事，以天下莫能當。嘗與其父奢言兵事，奢不能難，然不謂善。括母問奢其故，奢曰：「兵，死地也，而括易言之。使趙不將括即已，若必將之，破趙軍者必括也。」及括將行，其母上書言於王曰：「括不可使將。」王曰：「何以？」對曰：「始妾事其父，時為將，身所奉飯飲而進食者以十數，所友者以百數，大王及宗室所賞賜者盡以予軍吏士大夫，受命之日，不問家事。今括一旦為將，東向而朝，軍吏無敢仰視之者，王所賜金帛，歸藏於家，而日視便利田宅可買者買之。王以為何如其父？父子異心，原王勿遣。」王曰：「母置之，吾已決矣。」括母因曰：「王終遣之，即有如不稱，妾得無隨坐乎？」王許諾。趙括既代廉頗，悉更約束，易置軍吏。秦將白起聞之，縱奇兵，詳敗走，而絕其糧道，分斷其軍為二，士卒離心。四十餘日，軍餓，趙括出銳卒自博戰，秦軍射殺趙括。括軍敗，數十萬之眾遂降秦，秦悉阬之。趙前後所亡凡四十五萬。（《史記》〈廉頗藺相如列傳〉）

天子之禮

魏安釐王派外籍將軍辛垣衍祕密潛入邯鄲城，通過平原君說服趙王：如果趙國能派遣使者尊秦昭王為帝，秦國就會自解邯鄲之圍。此時魯仲連恰巧到趙國遊歷，聽說此事後，就讓平原君安排兩人會面。魯仲連說：「如果讓秦國稱帝，再以自己的政策號令天下，我魯仲連寧可跳東海自殺，也不會做它的順民。我之所以要見將軍，只是想對趙國有所幫助。」辛垣衍問：「先生想怎樣幫助趙國呢？」魯仲連說：「我要讓魏國和燕國發兵救趙，而齊國、楚國本來也願意幫助。」辛垣衍說：「我剛從魏國來，先生怎樣讓魏國幫助趙國呢？」魯仲連回答：「如果魏國看到秦國稱帝的危害，就一定會出兵救助趙國。」辛垣衍問說：「秦國稱帝究竟有什麼危害？」魯仲連說：「當初齊威王施行仁政，率領諸侯各國去朝見天子。當時的周王室又窮又弱，諸侯們都不願意跟隨，只有齊國到了。一年後周烈王死了，各諸侯國都去弔喪，齊國去得稍晚，周室很生氣，在給齊國的訃告裡說：『天子駕崩好比天崩地裂，新天子親自守喪。戍守東部的齊國田嬰竟敢遲到，按理該處死才是。』齊威王怒罵說：『呸！你母親也不過是個奴婢罷了。』結果成為天下笑柄。威王在周天子活著的時候去朝見他，死後卻辱罵他，實在是因為忍受不了周室的苛求啊！然而做天子的本來如此，並沒有什麼可大驚小怪的。」辛垣衍說：「先生見過奴僕嗎？十個奴僕跟隨一個主子，難道是因為他們的力量和智慧不如嗎？只是由於懼怕主子罷了。」魯仲連問：「按你的說法，魏國和秦國就像僕人與主子的關係了？」辛垣衍回答說：「是這樣。」魯仲連問：「既然如此，那我就可以讓秦王把魏王剁成肉醬！」辛垣衍說：「咳！先生的話太過分了，秦王又怎麼會把魏王剁成肉醬呢？」魯仲連說：「從前，鬼侯、鄂侯、文王是商紂王所封的三個諸侯。鬼侯有個女兒很漂亮，就把她送入後宮。紂嫌她醜陋，就把鬼侯剁成肉醬；鄂侯極力為鬼侯辯護，也被紂王製成了肉乾；文王只是一聲嘆息，也被囚禁在羑里的庫房，幾乎處死。你沒覺察出諸侯與帝王的區別嗎？那我再告訴你齊國的例子。齊閔王準備去魯國，夷維子駕車隨行，問魯國人：『你們打算用什麼樣的禮節接待我們的國君呢？』魯國人回答說：『我們準備用十太牢的規格款待。』夷維子說：『那怎麼行？我們的國君是天子。天子巡視四方，各諸侯國君都要離開自己的宮室到別處避居，還要交出鑰匙，自己提起衣襟，捧著几案，在堂下侍候天子吃飯。天子吃完飯，諸侯才能告退去處理政務。』魯國人聽到這番話，立刻鎖門下匙，不讓齊國人進城。齊王轉道去薛地，向鄒國借路。恰巧鄒國國君死了。閔王想入城弔喪，夷維子就對鄒國的孝子說：『天子來弔喪，主人一定要把靈柩移到相反的方向，在南邊設立朝北的靈堂，然後讓天子向南祭弔。』鄒國的大臣們說：『如果一定要這麼辦，我們就只有以死抗爭了。』魯國和鄒國的臣子都很貧寒，生前領不到俸祿，死後也得不到很好的安葬，然而一旦齊王讓他們行天子之禮，他們都不能接受。現在秦魏兩國都是擁有萬輛兵車的大國，相互都有稱王的名分，僅僅看到秦國打了一次勝仗，就要尊秦為帝，看來，趙、韓、魏三國的大臣還不如小國鄒、魯的臣子啊！況且秦國一旦實現稱帝的野心，馬上就會更換諸侯各國的大臣，排斥異己，安插親信，他們還會把那些善於毀賢嫉能的女人配給諸侯充當妃嬪，日夜讒毀。這樣的女人進入魏王的王宮，魏王還能安安然然地過日子嗎？而將軍您又怎麼能繼續受寵呢？」辛垣衍站起身來向魯仲連拜了兩拜，道歉說：「起初我以為先生是個平庸之輩，如今我才知道先生是經緯天下的賢才！我不敢再說尊秦為帝的事了。」秦國的將軍聽說這件事後，把圍困邯鄲的部隊撤退了五十里。恰好這時魏公子無忌奪取了晉鄙的兵權，率領軍隊前來援救趙國，逼迫秦軍撤離了邯鄲。平原君想封賞魯仲連。魯仲連辭讓不受。平原君就設酒宴款待他。酒喝得正暢快的時候，平原君站起身來，上前用千金向魯仲連祝福。魯仲連笑著說：「天下之士所看重的，是替人排憂解難。如果說收取報酬，那就和買賣人沒有什麼區別了。我魯仲連不做這種事。」於是辭別平原君離開趙國，終身不再露面。

【出處】

秦圍趙之邯鄲。魏安釐王使將軍晉鄙救趙。畏秦，止於蕩陰，不進。魏王使客將軍辛垣衍間入邯鄲，因平原君謂趙王曰：「秦所以急圍趙者，前與齊湣王爭強為帝，已而復歸帝，以齊故。今齊湣王已益弱。方今唯秦雄天下，此非必貪邯鄲，其意欲求為帝。趙誠發使尊秦昭王為帝，秦必喜，罷兵去。」平原君猶豫未有所決。此時魯仲連適游趙，會秦圍趙。聞魏將欲令趙尊秦為帝，乃見平原君曰：「事將奈何矣？」平原君曰：「勝也何敢言事？百萬之眾折於外，今又內圍邯鄲而不能去。魏王使將軍辛垣衍令趙帝秦，今其人在是，勝也何敢言事！」魯仲連曰：「始吾以君為天下之賢公子也，吾乃今然後知君非天下之賢公子也。梁客辛垣衍安在？吾請為君責而歸之。」平原君曰：「勝請召而見之與先生。」平原君遂見辛垣衍曰：「東國有魯仲連先生，其人在此，勝請為紹介而見之於將軍。」辛垣衍曰：「吾聞魯仲連先生，齊國之高士也。衍，人臣也，使事有職。吾不願見魯仲連先生也。」平原君曰：「勝已洩之矣。」辛垣衍許諾。魯仲連見辛垣衍而無言。辛垣衍曰：「吾視居北圍城之中者，皆有求於平原君者也。今吾視先生之玉貌，非有求於平原君者，曷為久居此圍城之中而不去也？」魯仲連曰：「世以鮑焦無從容而死者，皆非也。今眾人不知，則為一身。彼秦者，棄禮義而上首功之國也。權使其士，虜使其民。彼則肆然而為帝，過而遂正於天下，則連有赴東海而死矣。吾不忍為之民也！所為見將軍者，欲以助趙也。」辛垣衍曰：「先生助之奈何？」魯仲連曰：「吾將使梁及燕助之。齊、楚則固助之矣。」辛垣衍曰：「燕則吾請以從矣。若乃梁，則吾乃梁人也，先生惡能使梁助之耶？」魯仲連曰：「梁未睹秦稱帝之害故也，使梁睹秦稱帝之害，則必助趙矣。」辛垣衍曰：「秦稱帝之害將奈何？」魯仲連曰：「昔齊威王嘗為仁義矣，率天下諸侯而朝周。周貧且微，諸侯莫朝，而齊獨朝之。居歲餘，周烈王崩，諸侯皆弔，齊後往。周怒，赴於齊曰：『天崩地坼，天子下席。東藩之臣田嬰齊後至，則斮之！』威王勃然怒曰：『叱嗟，而母婢也。』卒為天下笑。故生則朝周，死則叱之，誠不忍其求也。彼天子固然，其無足怪。」辛垣衍曰：「先生獨未見夫僕乎？十人而從一人者，寧力不勝、智不若耶？畏之也。」魯仲連曰：「然梁之比於秦若僕耶？」辛垣衍曰：「然。」魯仲連日：「然吾將使秦王烹醢梁王。」辛垣衍怏然不悅曰：「噫！亦太甚矣，先生之言也。先生又惡能使秦王烹醢梁王？」魯仲連曰：「固也，待吾言之。昔者，鬼侯、鄂侯、文王，紂之三公也。鬼侯有子而好，故入之於紂，紂以為惡，醢鬼侯。鄂侯爭之急，辨之疾，故脯鄂侯。文王聞之，喟然而嘆，故拘之於牖里之車，百日而欲舍之死。曷為與人俱稱帝王，卒就脯醢之地也？齊閔王將之魯，夷維子執策而從，謂魯人曰：『子將何以待吾君？』魯人曰：『吾將以十太牢待子之君。』維子曰：『子安取禮而來待吾君？彼吾君者，天子也。天子巡狩，諸侯辟舍，納筦鍵，攝衽抱几，視膳於堂下，天子已食，退而聽朝也。』魯人投其籥，不果納，不得入於魯。將之薛，假涂於鄒。當是時，鄒君死，閔王欲入弔。夷維子謂鄒之孤曰：『天子弔，主人必將倍殯柩，設北面於南方，然後天子南面弔也。』鄒之群臣曰：『必若此，吾將伏劍而死。』故不敢入於鄒。鄒、魯之臣，生則不得事養，死則不得飯含。然且欲行天子之禮於鄒，魯之臣，不果納。今秦萬乘之國，梁亦萬乘之國。俱據萬乘之國，交有稱王之名，睹其一戰而勝，欲從而帝之，是使三晉之大臣不如鄒、魯之僕妾也。且秦無已而帝，則且變易諸侯之大臣。彼將奪其所謂不肖，而予其所謂賢；奪其所憎，而與其所愛。彼又將使其子女讒妾為諸侯妃姬，處梁之宮，梁王安得晏然而已乎？而將軍又何以得故寵乎？」於是辛垣衍起，再拜謝曰：「始以先生為庸人，吾乃今日而知先生為天下之士也。吾請去，不敢復言帝秦。」秦將聞之，為卻軍五十里。適會魏公子無忌奪晉鄙軍以救趙擊秦，秦軍引而去。於是平原君欲封魯仲連。魯仲連辭讓者三，終不肯受。平原君乃置酒，酒酣，起前以千金為魯仲連壽。魯仲連笑曰：「所貴於天下之士者，為人排患、釋難、解紛亂而無所取也。即有所取者，是商賈之人也，仲連不忍為也。」遂辭平原君而去，終身不復見。（《戰國策》〈趙策三〉）

李同戰死

秦國圍攻邯鄲，平原君極為焦慮。賓舍小吏的兒子李同問平原君說：「您不擔憂趙國滅亡嗎？」平原君說：「趙國滅亡我就要當俘虜，怎麼會不擔憂呢？」李同說：「邯鄲的百姓拿人骨當柴燒，交換子女而食，可以說危急至極，而您的後宮姬妾侍女數以百計，穿著絲綢繡衣，每餐有肉有魚。百姓睏乏，兵器用盡，削竹木為長矛箭矢，而您宮中銅鐘玉磬堆積如山。假如秦軍攻破趙國，您將一無所有；假若趙國得以保全，您自然榮華富貴依舊。如果您能命令夫人以下的全體成員編入守城隊伍，拿出家中所有的物品分發給守城官兵享用，在此危難困苦的時刻，是很容易贏得人心的。」於是平原君採納李同的意見，組成三千人的敢死隊。李同也加入敢死隊奔赴抗秦前線，秦軍因此被擊退了三十里。正好楚、魏兩國的救兵也到達了。秦軍於是撤離，邯鄲得以保存。李同在同秦軍作戰時陣亡，趙王賜封李同的父親為李侯。

【出處】

秦急圍邯鄲，邯鄲急，且降，平原君甚患之。邯鄲傳舍吏子李同說平原君曰：「君不憂趙亡邪？」平原君曰：「趙亡則勝為虜，何為不憂乎？」李同曰：「邯鄲之民，炊骨易子而食，可謂急矣，而君之後宮以百數，婢妾被綺縠，餘粱肉，而民褐衣不完，糟糠不厭。民困兵盡，或剡木為矛矢，而君器物鍾磬自若。使秦破趙，君安得有此？使趙得全，君何患無有？今君誠能令夫人以下編於士卒之間，分功而作，家之所有盡散以饗士，士方其危苦之時，易德耳。」於是平原君從之，得敢死之士三千人。李同遂與三千人赴秦軍，秦軍為卻三十里。亦會楚、魏救至，秦兵遂罷，邯鄲復存。李同戰死，封其父為李侯。（《史記》〈平原君虞卿列傳〉）

明其所謂

鄒衍路過趙國，平原君讓他和公孫龍辯論「白馬非馬」。鄒衍說：「不行。所謂辯論，應該區別不同類型，不相侵害；排列不同概念，不相混淆；抒發自己的意旨和一般概念，表明自己的觀點，讓別人理解，而不是使人困惑迷惘。如此，辯論的勝者能堅持自己的立場，不勝者也能得到他所追求的真理，這樣的辯論是可以進行的。如果用繁文縟節來作為憑據，用巧言飾辭來互相詆毀，用華麗詞藻來偷換概念，吸引別人使之不得要領，就會妨害治學的根本道理。那種糾纏不休、咄咄逼人，總要別人認輸才肯住口的做法，有害君子風度，我鄒衍是絕不參加的。」在座的人聽罷都齊聲叫好。從此，公孫龍便受到了冷落。

【出處】

齊鄒衍過趙，平原君使與公孫龍論白馬非馬之說。鄒子曰：「不可。夫辯者，別殊類使不相害，序異端使不相亂。抒意通指，明其所謂，使人與知焉，不務相迷也。故勝者不失其所守，不勝者得其所求。若是，故辯可為也。及至煩文以相假，飾辭以相惇，巧譬以相移，引人使不得及其意，如此害大道。夫繳紛爭言而競後息，不能無害君子，衍不為也。」座皆稱善。公孫龍由是遂絀。（《資治通鑑》〈周紀三〉）

不辭無能

邯鄲解圍後，虞卿想替平原君請求增加封邑。公孫龍得知消息，連夜乘車去見平原君，說：「我聽說虞卿想以信陵君出兵救趙為由為您請賞，有這回事嗎？」平原君回答說：「有。」公孫龍說：「這不合適。國君聘請您擔任宰相，並不是因為您的才智在趙國獨一無二，以東武城封賜您，也不是您居功甚偉，您接受相印而不推辭，取得封邑未予拒絕，都是因為您是國君近親的緣故啊。如今信陵君出兵救趙，朝廷又要增加您的封邑，這很不合適。況且虞卿掌握著事情成敗的主動權。封賞成功，您就欠他天大的人情；事情不成，也會拿為您求封的虛名讓您感激他。您千萬不要聽從他的主張。」平原君於是拒絕了虞卿的建議。

【出處】

虞卿欲以信陵君之存邯鄲為平原君請封。公孫龍聞之，夜駕見平原君曰：「龍聞虞卿欲以信陵君之存邯鄲為君請封，有之乎？」平原君曰：「然。」龍曰：「此甚不可。且王舉君而相趙者，非以君之智能為趙國無有也。割東武城而封君者，非以君為有功也，而以國人無勳，乃以君為親戚故也。君受相印不辭無能，割地不言無功者，亦自以為親戚故也。今信陵君存邯鄲而請封，是親戚受城而國人計功也。此甚不可。且虞卿操其兩權，事成，操右券以責；事不成，以虛名德君。君必勿聽也。」平原君遂不聽虞卿。(《史記》〈平原君虞卿列傳〉)

以罷趙攻強燕

平原君對馮忌說：「我想北伐上黨，出兵攻打燕國，怎麼樣？」馮忌回答說：「不可以。秦將白起趁著七次戰勝趙國的威勢，和馬服君之子趙括戰於長平，大敗趙軍後包圍邯鄲。趙國用亡敗的餘兵守城，竟然令秦國的攻城部隊疲倦不堪。邯鄲堅守不破的原因，在於攻難守易。如今趙國缺乏七勝的威勢，燕國也沒有長平之戰的敗禍，趙國若想以疲倦之師去攻打強大的燕國，等於是重複秦軍圍困邯鄲的情景；如果秦國用休整的士兵趁著趙國破敗疲倦之機突然來襲，後果不堪設想。這就是強大的吳國之所以滅亡，弱小的越國之所以稱霸的原因啊。所以臣下說，沒有進攻燕國的理由。」平原君說：「說得對。」

【出處】

平原君請馮忌曰：「吾欲北伐上黨，出兵攻燕，何如？」馮忌對曰：「不可。夫以秦將武安君公孫起乘七勝之威，而與馬服之子戰於長平之下，大敗趙師，因以其餘兵圍邯鄲之城。趙以亡敗之餘眾，收破軍之敝守，而秦罷於邯鄲之下，趙守而不可拔者，以攻難而守者易也。今趙非有七克之威也，而燕非有長平之禍也。今七敗之禍未復，而欲以罷趙攻強燕，是使弱趙為強秦之所以攻，而使強燕為弱趙之所以守。而強秦以休兵承趙之敝，此乃強吳之所以亡，而弱越之所以霸。故臣未見燕之可攻也。」平原君曰：「善哉！」（《戰國策》〈趙策三〉）

藏之三牙

孔穿、公孫龍在平原君那裡互相辯論，言辭精深而雄辯，談到羊有三耳的命題，公孫龍說羊有三耳，說得頭頭是道。孔穿不回答，過了一會兒，就告辭走了。第二天，孔穿來朝見，平原君對孔穿說：「昨天公孫龍說的話非常雄辯。」孔穿說，「是的。幾乎能讓羊有三耳了。儘管這說法很難成立。我願問問您，說羊有三耳難度很大，而實際上卻不是這樣，說羊有兩耳很容易，而事實確實是這樣。不知您贊同容易而正確的說法呢？還是贊同困難而不正確的說法呢？」平原君不回答。第二天，平原君對公孫龍說：「你不要跟孔穿辯論了。」

【出處】

孔穿、公孫龍相與論於平原君所，深而辯，至於藏三牙，公孫龍言藏之三牙甚辯。孔穿不應，少選，辭而出。明日，孔穿朝，平原君謂孔穿曰：「昔者公孫龍之言甚辯。」孔穿曰：「然。幾能令藏三牙矣。雖然難。願得有問於君：謂藏三牙甚難而實非也，謂藏兩牙甚易而實是也。不知君將從易而是者乎，將從難而非者乎？」平原君不應。明日，謂公孫龍曰：「公無與孔穿辯。」（《呂氏春秋》〈審應覽・淫辭〉）

以小請其禍

魏國想和趙國結盟，趙孝成王召虞卿商量此事。平原君對虞卿說：「希望先生強調一下合縱的好處。」虞卿入見趙王，趙王說：「魏國請求結盟。」虞卿說：「魏國錯了。」趙王說：「寡人本來就沒同意。」虞卿說：「大王也錯了。」趙王說：「魏國請求合縱，愛卿說魏國錯了；寡人沒同意，又說寡人錯了。那到底要不要合縱呢？」虞卿回答說：「臣下聽說小國和大國結盟，勝了，大國得到好處；敗了，小國遭殃。現在魏國以小國的地位請求承受災難，大王以大國的地位推掉好處，所以臣下說大王錯了，魏國也錯了。臣私下認為合縱對趙國有利。」趙王說：「好。」於是同意與魏國聯盟抗秦。假如虞卿長期受到趙國的重用，趙國一定能成為霸主。不巧遇上虞卿為救魏齊，拋棄相印離開了趙國。趙國不用虞卿，很快就滅亡了。

【出處】

魏請為從，趙孝成王，召虞卿謀，過平原君。平原君曰：「願卿之論從也。」虞卿入見。王曰：「魏請為從。」對曰：「魏過。」王曰：「寡人固未之許。」對曰：「王過。」王曰：「魏請從，卿曰魏過；寡人未之許，又曰寡人過，然則從終不可邪？」對曰：「臣聞小國之與大國從事也，有利，大國受福；有敗，小國受禍。今魏以小請其禍，而王以大辭其福，臣故曰王過，魏亦過。竊以為從便。」王曰：「善。」乃合魏為從。使虞卿久用於趙，趙必霸。會虞卿以魏齊之事，棄侯捐相而歸，不用，趙旋亡。（《新序》〈善謀第九〉）

何慰秦心

秦軍在長平戰勝趙軍，同意趙國獻出六座城邑講和。趙孝成王問樓緩說：「該不該給秦國六座城邑呢？」樓緩辭謝說：「這不是臣下知道的事情。」趙王說：「即使這樣，還是請您談談個人的見解。」樓緩說：「君王聽說過公甫文伯母親嗎？文伯在魯國做官病死了，婦人為他在房中自殺的有十六人。他母親聽說後卻不肯為他哭泣。有人責問她說：『哪有兒子死了不哭的呢？』他母親說：『孔子是個賢明的人，被魯國驅逐出境，人們卻不去跟隨。如今我兒子死了，卻有十六個女人為他而死。這說明他對長者情薄，對婦人情厚。』這話由他母親說，別人會說是位賢良的母親；如果由別的婦人說，別人就會說這是個妒婦。同樣的話，說話的人不同，人們的看法也不一樣。如今臣下剛從秦國歸來，如果我說不割城給秦國，那不是好計謀；如果說割城給秦國，恐怕大王會認為臣下是在為秦國說話。所以不敢回答。假如讓臣下為大王謀劃此事，不如給它。」趙王說：「好吧。」虞卿聽到這件事，入宮拜見趙王說：「這是偽裝的遊說之辭。秦國攻打趙國，是他們疲倦退兵呢？還是有進攻能力，只是因為愛護大王才不進攻呢？」趙王說：「秦國進攻不遺餘力，一定是因為疲倦才退兵的。」虞卿說：「秦國因疲倦而退兵，大王卻要割讓城邑去資助它，這不是幫助秦國打自己嗎？如果明年秦國再來攻打大王，大王還有辦法挽救自己嗎？」趙王把虞卿的話轉告樓緩。樓緩說：「虞卿了解秦國軍隊的實力嗎？如果的確知道秦國兵力不濟，那麼彈丸大的地方也不能給它，假如明年秦國再來攻打趙國，大王恐怕會要趙國割讓內地的城邑去講和吧？」趙王說：「果真聽您的話割讓城邑，您能保證明年秦國不再來攻打趙國嗎？」樓緩回答說：「這可不是我敢承擔的事情。假如明年大王不能像韓、魏兩國一樣贏得秦王的歡心，臣下不能保證秦國不會攻打趙國。」趙王把樓緩講的話告訴虞卿。虞卿說：「講和不講和，樓緩都不能保證秦國不再來進攻趙國，那割讓土地又有什麼好處？所以不如不講和。秦國即使善於進攻，也不能一下子奪取六座城邑；趙國即使不善防守，也不至於一連丟失六座城邑。秦國由於勞累退兵，一定疲憊不堪。我們用五座城邑收買天下諸侯去攻打疲憊的秦國，這樣，我們雖然在天下有所失，卻能從秦國得到補償。這顯然比白白割讓土地，自我削弱而使秦國強大要好。秦國是猛虎惡狼一樣的國家，沒有一點禮儀之心。它的追求沒有止境，但是大王的土地有限。以有限的土地供給毫無止境的貪求，其結果必然是趙國滅亡。所以說樓緩是裝飾詐偽的遊說之辭。大王一定不要割讓土地給秦國。」趙王說：「好吧。」樓緩聽說後，入宮再拜趙王說：「虞卿只知其一，不知其二。如果秦國、趙國結仇，天下諸侯都會高興，為什麼呢？他們會說：『我將依靠強大的秦國而欺凌弱小的趙國。』如今趙兵被秦國所困，天下祝賀戰勝的人都雲集秦國。所以大王不如趕快割地求和，以使天下諸侯心生疑慮，安慰秦王的心。倘若不這樣做，天下諸侯必將憑藉秦國的憤怒，趁著趙國的破敗而群起瓜分。趙國將要滅亡了，還圖謀什麼秦國？大王就此決斷，不要再打其他的主意了。」虞卿聞言，急忙入宮拜見趙王說：「危險了，樓緩是為秦國服務啊！趙兵被秦國所困，又去向秦國割地求和，越發會使天下諸侯對我們產生疑心，又怎麼能安慰秦王的心呢？這不是在向天下諸侯大肆顯示趙國的弱小嗎？再說臣下說不給土地，不是一定不拿出土地。秦國向大王索要六座城邑，大王可以用五座城邑賄賂齊國。齊、秦兩國之間有深仇大恨，齊國又得到五座城邑，就會與我們合力向西進攻秦國。大王雖然在齊國有所損失，卻能在秦國取得補償，這一舉動還可以使我們與韓、魏、齊三國結成親密友邦，從而把恐懼和包袱甩給秦國。」趙王說：「好。」於是派遣虞卿向東去拜會齊王，謀劃一起攻打秦國。虞卿還沒有從齊國回來，秦國派出講和的使者已到達趙國。樓緩聽說後，立即從趙國逃走了。趙王因此賞賜虞卿一座城邑。

【出處】

秦攻趙於長平，大破之，引兵而歸。因使人索六城於趙而講。趙計未定，樓緩新從秦來，趙王與樓緩計之曰：「與秦城何如？不與何如？」樓緩辭讓曰：「此非人臣之所能知也。」王曰：「雖然，試言公之私。」樓緩曰：」王亦聞夫公甫文伯母乎？公甫文伯官於魯，病死。婦人為之自殺於房中者二八。其母聞之，不肯哭也。相室曰：

『焉有子死而不哭者乎？』其母曰：『孔子，賢人也，逐於魯，是人不隨。今死，而婦人為死者十六人。若是者，其於長者薄，而於婦人厚？』故從母言之，之為賢母也；從婦言之，必不免為妒婦也。故其言一也，言者異，則人心變矣。今臣新從秦來，而言勿與，則非計也；言與之，則恐王以臣之為秦也。故不敢對。使臣得為王計之，不如予之。」王曰：「諾。」虞卿聞之，入見王，王以樓緩言告之。虞卿曰：「此飾說也。」秦既解邯鄲之圍，而趙王入朝，使趙郝約事於秦，割六縣而講。王曰：「何謂也？」虞卿曰：「秦之攻趙也，倦而歸乎？王以其力尚能進，愛王而不攻乎？」王曰：「秦之攻我也，不遺餘力矣，必以倦而歸也。」虞卿曰：「秦以其力攻其所不能取，倦而歸。王又以其力之所不能攻以資之，是助秦自攻也。來年秦復攻王，王無以救矣。」王又以虞卿之言告樓緩。樓緩曰：「虞卿能盡知秦力之所至乎？誠知秦力之不至，此彈丸之地，猶不予也，令秦來年復攻王，得無割其內而媾乎？」王曰：「誠聽子割矣，子能必來年秦之不復攻我乎？」樓緩對曰：「此非臣之所敢任也。昔者三晉之交於秦，相善也，今秦釋韓、魏而獨攻王，王之所以事秦必不如韓、魏也。今臣為足下解負親之攻，啟關通敝，齊交韓、魏。至來年而王獨不取於秦，王之所以事秦者，必在韓、魏之後也。此非臣之所敢任也。」王以樓緩之言告。虞卿曰：「樓緩言不媾，來年秦復攻王，得無更割其內而媾。今媾，樓緩又不能必秦之不復攻也，雖割何益？來年復攻，又割其力之所不能取而媾也，此自盡之術也。不如無媾。秦雖善攻，不能取六城；趙雖不能守，而不至失六城。秦倦而歸，兵必罷。我以五城收天下以攻罷秦，是我失之於天下，而取償於秦也，吾國尚利，孰與坐而割地，自弱以強秦？今樓緩曰：『秦善韓、魏而攻趙者，必王之事秦不如韓、魏也。』是使王歲以六城事秦也，即坐而地盡矣。來年秦復求割地，王將予之乎？不與，則是棄前貴而挑秦禍也；與之，則無地而給之。語曰：『強者善攻，而弱者不能自守。』今坐而聽秦，秦兵不敝而多得地，是強秦而弱趙也。以益愈強之秦，而割愈弱之趙，其計固不止矣。且秦虎狼之國也，無禮義之心。其求無已，而王之地有盡。以有盡之地給無已之求，其勢必無趙矣。故曰：此飾說也。王必勿與。」王曰：「諾。」樓緩聞之，入見於王，王又以虞卿言告之。樓緩曰：「不然。虞卿得其一，未知其二也。夫秦、趙構難，而天下皆說，何也？曰：『我將因強而乘弱。』今趙兵困於秦，天下之賀戰者，則必盡在於秦矣。故不若亟割地求和，以疑天下，慰秦心。不然，天下將因秦之怒，秦趙之敝而瓜分之，趙且亡，何秦之圖？王以此斷之，勿復計也。」虞卿聞之，又入見王曰：「危矣，樓子之為秦也！夫趙兵困於秦，又割地求和，是愈疑天下，而何慰秦心哉？是不亦大示天下弱乎？且臣曰勿予者，非固勿予而已也。秦索六城於王，王以五城賂齊。齊，秦之深仇也，得王五城，併力而西擊秦也，齊之聽王，不待辭之畢也。是王失於齊而取償於秦，一舉結三國之親，而與秦易道也。」趙王曰：「善！」因發虞卿東見齊王，與之謀秦。虞卿未反，秦之使者已在趙矣。樓緩聞之，逃去。（《戰國策》〈趙策三〉）

仇液之秦

秦昭王七年，樗里子死去，秦國派涇陽君到齊國作人質。趙國人樓緩去秦國任相，趙國認為對自己不利，於是派仇液到秦國遊說，請求讓魏冉擔任秦相。仇液即將上路，他的門客宋公對仇液說：「假如秦王不聽從您的勸說，樓緩必定怨恨您。您不如對樓緩說：『請為您打算，我勸說秦王任用魏冉為相時將會有所保留。』秦王見趙國使者請求任用魏冉並不急切，必感奇怪，或許不會不聽從您的勸說。您這麼說了，如果事情不成功，秦王乃用樓緩為相，您會得到樓緩的好感；如果事情成功，秦王任用魏冉為相，那麼魏冉會感激您。」仇液聽從了宋公的意見。秦國果然免掉了樓緩，以魏冉為丞相。

【出處】

昭王七年，樗里子死，而使涇陽君質於齊。趙人樓緩來相秦，趙不利，乃使仇液之秦，請以魏冉為秦相。仇液將行，其客宋公謂液曰：「秦不聽公，樓緩必怨公。公不若謂樓緩曰『請為公毋急秦』。秦王見趙請相魏冉之不急，且不聽公。公言而事不成，以德樓子；事成，魏冉故德公矣。」於是仇液從之。而秦果免樓緩而魏冉相秦。（《史記》〈穰侯列傳〉）

欲嫁其禍

趙孝成王夢見自己穿著左右兩色的衣服，乘飛龍上天，從半空中墜落下來，看見金玉堆積如山。第二天，孝成王召見筮史敢占卜，敢說：「夢見穿左右兩色衣服象徵殘缺，乘飛龍上天又從半空墜落下來，象徵有氣勢但沒有實力。看見金玉堆積如山，象徵憂患。」過了三天，韓國上黨守將馮亭派使者到趙國說：「韓國不能守住上黨，就要併入秦國了。上黨有城邑十七個，官吏百姓都願意歸屬趙國，請您裁決。」孝成王大喜，召見平陽君趙豹說：「馮亭進獻十七座城邑，可不可以接受？」趙豹回答說：「聖人把無緣無故的利益視為禍害。」孝成王說：「人們感念我的恩德，怎麼說是無緣無故呢？」趙豹回答說：「秦國攻打韓國，馬上就要得到上黨。馮亭現在獻出上黨，是想嫁禍趙國。秦國付出辛勞，趙國卻白白得利。強國大國也不能隨意從小國弱國得利，小國弱國反倒可以從強國大國得利嗎？」孝成王說：「如今出動百萬大軍進攻，一年半載也得不到一座城。現在人家把十七座城邑當禮物送給我國，哪能不要呢？」孝成王又召見平原君和趙禹，兩人也認為是大便宜，不應推託。於是派趙勝去接受土地，發兵佔領上黨，廉頗領兵進駐長平。廉頗被免職後，好紙上談兵的趙括接替他領兵。秦軍包圍趙括，趙括突圍不成被殺，四十多萬降卒被一夜坑殺。孝成王後悔沒有聽從趙豹的意見，終有長平之禍。

【出處】

（孝成王）四年，王夢衣偏裻之衣，乘飛龍上天，不至而墜，見金玉之積如山。明日，王召筮史敢占之，曰：「夢衣偏裻之衣者，殘也。乘飛龍上天不至而墜者，有氣而無實也。見金玉之積如山者，憂也。」後三日，韓氏上黨守馮亭使者至，曰：「韓不能守上黨，入之於秦。其吏民皆安為趙，不欲為秦。有城市邑十七，願再拜入之趙，財王所以賜吏民。」王大喜，召平陽君豹告之曰：「馮亭入城市邑十七，受之何如。」對曰：「聖人甚禍無故之利。」王曰：「人懷吾德，何謂無故乎。」對曰：「夫秦蠶食韓氏地，中絕不令相通，固自以為坐而受上黨之地也。韓氏所以不入於秦者，欲嫁其禍於趙也。秦服其勞而趙受其利，雖彊大不能得之於小弱，小弱顧能得之於彊大乎。豈可謂非無故之利哉。且夫秦以牛田之水通糧蠶食，上乘倍戰者，裂上國之地，其政行，不可與為難，必勿受也。」王曰：「今發百萬之軍而攻，踰年歷歲未得一城也。今以城市邑十七幣吾國，此大利也。」趙豹出，王召平原君與趙禹而告之。對曰：「發百萬之軍而攻，踰歲未得一城，今坐受城市邑十七，此大利，不可失也。」王曰：「善。」乃令趙勝受地，告馮亭曰：「敝國使者臣勝，敝國君使勝致命，以萬戶都三封太守，千戶都三封縣令，皆世世為侯，吏民皆益爵三級，吏民能相安，皆賜之六金。」馮亭垂涕不見使者，曰：「吾不處三不義也：為主守地，不能死固，不義一矣。入之秦，不聽主令，不義二矣。賣主地而食之，不義三矣。」趙遂發兵取上黨。廉頗將軍軍長平。七月，廉頗免而趙括代將。秦人圍趙括，趙括以軍降，卒四十餘萬皆坑之。王悔不聽趙豹之計，故有長平之禍焉。（《史記》〈趙世家〉）

為天下笑

秦、趙兩國在長平交戰，趙國失利，損失一員都尉。趙王召樓昌和虞卿商議說：「我軍初戰不利，都尉戰死，寡人想親率大軍與秦軍決戰，怎麼樣？」樓昌說：「沒有好處，不如派重要使臣去求和。」虞卿說：「樓昌主張求和的原因是認為不求和我軍必敗，可是控制和談的主動權在秦國一方。大王您猜想一下秦國的作戰意圖，是要擊敗趙國軍隊呢，還是不要？」趙王回答說：「秦國進攻不遺餘力，一定是要擊敗我軍。」虞卿說：「大王聽從我的意見，派使臣攜帶貴重的珍寶去聯合楚、魏兩國，只要楚、魏兩國接納趙國使臣，秦國就會懷疑天下諸侯聯合抗秦，因此必定恐慌。這樣和談才能進行。」趙王沒有採納虞卿的意見，與平陽君趙豹議妥求和，然後派鄭朱先到秦國聯絡。秦國接納了鄭朱。趙王於是召見虞卿說：「我派平陽君到秦國求和，秦國已接納鄭朱，您認為怎樣？」虞卿回答說：「大王的和談不能成功，趙軍肯定會被擊敗。祝賀秦國獲勝的各國使臣都已雲集秦國。鄭朱進入秦國，秦王和應侯一定會大加宣揚，展示給諸侯各國看。楚、魏兩國認為趙國到秦國求和，必定不會救援大王；秦國知道天下諸侯不救大王，和談又怎麼可能成功呢？」應侯果然把鄭朱來秦國請和之事大加宣揚，和談終究不成，趙軍在長平大敗，接著邯鄲被圍，趙王的舉措受到天下人的嘲笑。

【出處】

秦趙戰於長平，趙不勝，亡一都尉。趙王召樓昌與虞卿曰：「軍戰不勝，尉復死，寡人使束甲而趨之，何如？」樓昌曰：「無益也，不如發重使為媾。」虞卿曰：「昌言媾者，以為不媾軍必破也。而制媾者在秦。且王之論秦也，欲破趙之軍乎，不邪？」王曰：「秦不遺餘力矣，必且欲破趙軍。」虞卿曰：「王聽臣，發使出重寶以附楚、魏，楚、魏欲得王之重寶，必內吾使。趙使入楚、魏，秦必疑天下之合從，且必恐。如此，則媾乃可為也。」趙王不聽，與平陽君為媾，發鄭朱入秦。秦內之。趙王召虞卿曰：「寡人使平陽君為媾於秦，秦已內鄭朱矣，卿之為奚如？」虞卿對曰：「王不得媾，軍必破矣。天下賀戰者皆在秦矣。鄭朱，貴人也，入秦，秦王與應侯必顯重以示天下。楚、魏以趙為媾，必不救王。秦知天下不救王，則媾不可得成也。」應侯果顯鄭朱以示天下賀戰勝者，終不肯媾。長平大敗，遂圍邯鄲，為天下笑。（《史記》〈平原君虞卿列傳〉）

以市道交

廉頗在長平被免職回家。失掉權勢的時候，原來的門客都離他而去。等到官復原職時，門客們又都回來了。廉頗說：「先生們請回吧！」門客說：「唉！您的見解怎麼這樣落後呢？天下之人都是按市場交易的法則交往，您有權勢，我們就跟隨您；您失去權勢，我們就離開您，這本是很普通的道理，有什麼可抱怨的呢？」

【出處】

廉頗之免長平歸也，失勢之時，故客盡去。及復用為將，客又復至。廉頗曰：「客退矣！」客曰：「吁！君何見之晚也？夫天下以市道交，君有勢，我則從君，君無勢則去，此固其理也，有何怨乎？」居六年，趙使廉頗伐魏之繁陽，拔之。（《史記》〈廉頗藺相如列傳〉）

坐此者多

平原君對平陽君說：「公子牟遊歷秦國，返回魏國的時候，去向應侯辭行。應侯說：『公子就要走了，難道沒有什麼指教嗎？』公子牟說：『即使您不讓臣下說，臣下也準備說幾句。顯貴了，不追求財富，財富也會隨之而來；富有了，不追求美味佳餚，美味佳餚也會隨之而來；有了美味佳餚，不追求驕奢，驕奢也會隨之而來；驕奢了，不追求死亡，死亡也會隨之而來。古往今來，因此而得禍的人太多了。』應侯說：『公子的教導意味深長啊。』我聽到這些話後，一直牢記在心，希望您也不要忘記。」平陽君說：「謹遵君意。」

【出處】

平原君謂平陽君曰：「公子牟游於秦，且東，而辭應侯。應侯曰：『公子將行矣，獨無以教之乎？』曰：『且微君之命命之也，臣固且有效於君。夫貴不與富期，而富至；富不與粱肉期，而粱肉至；粱肉不與驕奢期，而驕奢至；驕奢不與死亡期，而死亡至。累世以前，坐此者多矣。』應侯曰：『公子之所以教之者厚矣。』僕得聞此，不忘於心。願君之亦勿忘也。」平陽君曰：「敬諾。」（《戰國策》〈趙策三〉）

平陽君之目

趙王在花園裡遊玩，侍從拿兔子餵老虎吃又收了回來，老虎發怒地圓瞪著眼睛。趙王說：「老虎的眼睛真可怕啊！」侍從說：「平陽君的眼睛比老虎的眼睛更可怕。看到老虎瞪眼還沒有危險，看到平陽君瞪眼睛，就一定要死了。」第二天，平陽君聽說後，立即派人殺死了進言的侍從，而趙王卻不責備平陽君。

【出處】

趙王游於圃中，左右以菟與虎而輟，盼然環其眼，王曰：「可惡哉，虎目也！」左右曰：「平陽君之目可惡過此。見此未有害也，見平陽君之目如此者則必死矣。」其明日，平陽君聞之，使人殺言者，而王不誅也。（《韓非子》〈外儲說右下〉）

豈敢輕國若此

建信君在趙國地位顯貴。公子魏牟經過趙國，趙孝成王迎接他後回到座位上，面前擺著一尺帛，準備讓工匠做帽子。工匠見有客人來，就迴避了。趙孝成王說：「公子有幸光臨寡人的國家，向您請教治理天下的道理。」魏牟說：「君王如果能像看重眼前的尺帛一樣看重國家，君王的國家就大治了。」趙孝成王顯得很不高興，說：「先王不知道寡人不成器，讓我享有國家，怎麼敢像你說的那樣輕視呢？」魏牟說：「君王不要發怒，請聽我解釋。君王有這一尺帛，為什麼不讓您眼前的郎中來做帽子呢？」趙孝成王說：「郎中不會做帽子。」魏國公子牟說：「把帽子做壞了，對大王的國家有什麼損害呢？而君王一定要等工匠來做。如今治理天下，則不是這樣。國家成為廢墟，先王得不到祭祀，君王不把它交給善於治理的工匠，竟然交給年幼無知的少年。再說君王的先祖，有犀首、馬服君這樣能謀善戰的大臣輔佐，秦國也只是與趙國勢均力敵，現在君王朦朦朧朧，竟然讓建信君坐著輦車去與強秦角逐勝負，臣下擔心會毀掉趙國啊。」

【出處】

建信君貴於趙。公子魏牟過趙，趙王迎之，顧反至坐，前有尺帛，且令工以為冠。工見客來也，因辟。趙王曰：「公子乃驅後車，幸以臨寡人，願聞所以為天下。」魏牟曰：「王能重王之國若此尺帛，則王之國大治矣。」趙王不說，形於顏色，曰：「先王不知寡人不肖，使奉社稷，豈敢輕國若此？」魏牟曰：「王無怒，請為王說之。」曰：「王有此尺帛，何不令前郎中以為冠？」王曰：「郎中不知為冠。」魏牟曰：「為冠而敗之，奚虧於王之國？而王必待工而後乃使之。今為天下之工，或非也，社稷為虛戾，先王不血食，而王不以予工，乃與幼艾。且王之先帝，駕犀首而驂馬服，以與秦角逐。秦當時適其鋒。今王憧憧，乃輦建信以與強秦角逐，臣恐秦折王之椅也。」（《戰國策》〈趙策三〉）

人莫與同朝

趙國緊急搜捕李欬，李言、續經跟隨他一起到衛國投奔公孫與。公孫與同意接納他們。續經卻乘機向衛國官員告密，讓他們逮捕了李欬。續經靠出賣朋友在趙國做了五大夫，但沒有人願意跟他一同上朝，就連他的子孫也交不到朋友。

【出處】

趙急求李欬。李言、續經與之俱如衛，抵公孫與。公孫與見而與入。續經因告衛吏使捕之。續經以仕趙五大夫。人莫與同朝，子孫不可以交友。（《呂氏春秋》〈慎行論・無義〉）

王不待工

有客人拜見趙王，說：「我聽說大王要派人買馬，有這回事嗎？」趙王回答：「有。」客人問說：「為什麼至今沒派人去呢？」趙王回答說：「沒找到會相馬的人。」說客問：「為什麼不派建信君去呢？」答說：「建信君要處理國家大事，何況他又不懂相馬。」說客問：「大王何不派紀姬去？」趙王答說：「紀姬一個婦人，哪懂相馬。」說客又問：「如果買到好馬，對國家有什麼好處？」趙王回答說：「沒什麼好處。」又問：「買來劣馬呢？對國家有危害嗎？」趙王答說：「沒什麼危害。」說客說：「既然買的馬好壞如何都對國家無礙，大王卻一定要等會相馬的人來。現在治理措施不當，國家就會衰敗滅亡，大王卻不尋找專家，而把大權交給建信君，這是為什麼？」趙王無言以對。

【出處】

客見趙王曰：「臣聞王之使人買馬也，有之乎？」王曰：「有之。」「何故至今不遣？」王曰：「未得相馬之工也。」對曰：「王何不遣建信君乎？」王曰：「建信君有國事，又不知相馬。」曰：「王何不遣紀姬乎？」王曰：「紀姬，婦人也，不知相馬。」對曰：「買馬而善，何補於國？」王曰：「無補於國。」「買馬而惡，何危於國。」王曰：「無危於國。」對曰：「然則買馬善而若惡，皆無危補於國。然而王之買馬也，必將待工。今治天下，舉錯非也，國家為虛戾，而社稷不血食，然而王不待工，而與建信君，何也？」趙王未之應也。（《戰國策》〈趙策四〉）

禍在於所愛

有客人問趙王說：「晉國大夫郭燕關於『柔癰』的說法，大王知道嗎？」趙王說：「沒聽說過。」客人解釋說：「所謂『柔癰』，就是您身邊受寵幸的親近之臣，以及您的夫人、樂伎、美女、玩偶之類。這些人都會趁您酒酣耳熱的時候，向您提出非分的要求。這些人的欲望能在宮中得到滿足，那些大臣就能在外面貪贓枉法。君主看那天上：太陽和月亮的光芒照亮世界，但它們的內部都有黑點。謹慎地防備自己憎惡的人，然而禍患往往就發生在自己溺愛的人身上啊。」

【出處】

客曰：「燕郭（郭燕）之法，有所謂桑雍（柔癰）者，王知之乎？」王曰：「未之聞也。」「所謂桑雍者，便辟左右之近者，及夫人優愛孺子也。此皆能乘王之醉昏，而求所欲於王者也。是能得之乎內，則大臣為之枉法於外矣。故日月暉於外，其賊在於內，謹備其所憎，而禍在於所愛。」（《戰國策》〈趙策四〉）

取信於百姓

腹擊把自己的官邸造得很大，荊敢為此向趙國君主稟報。趙王對腹擊說：「賢卿為什麼要建造那麼大的宅子呢？」腹擊回答說：「我只是寄居在趙國的臣子，爵位雖高，俸祿卻低。房子小，錢財也少。君王雖然信任我，百姓們卻會說：『一旦國家有難，腹擊肯定會抽身走人，不會為趙國效命。』我之所以把房子蓋得很大，就是為了得到百姓的信任啊。」趙王說：「好。」

【出處】

腹擊為室而鉅，荊敢言之主。謂腹子曰：「何故為室之鉅也？」腹擊曰：「臣，羈旅也，爵高而祿輕，宮室小而帑不眾。主雖信臣，百姓皆曰：『國有大事，擊必不為用。』今擊之鉅宮，將以取信於百姓也。」主君曰：「善。」（《戰國策》〈趙策一〉）

色老而衰，知老而多

有客人對建信君說，「您用來侍奉君王的是美色，葺用來侍奉君王的是智謀。美顏因為年老而衰退，智慧隨年齡增長而增加。（葺）用日益增長的智謀同您越來越衰退的姿色競爭，您一定會陷於困境。」建信君說：「該怎麼辦呢？」客人說：「與千里馬一起賽跑，跑五里地就精疲力竭了；套上千里馬駕馭它，毫無疲倦並且跑的路多。您讓葺掌握獨斷的權勢，居住在邯鄲；讓他對內治理國家大事，向外刺探諸侯動向，那麼葺就無暇事事向君王報告。您再讓大王嚴格要求他，葺不能面面俱到，就一定會垮臺。」建信君於是入宮向趙王進言，讓趙王把很多重任都託付給葺，並嚴格要求他。沒到一年，葺就逃走了。

禍在於所愛

【出處】

或謂建信：「君之所以事王者，色也。葺之所以事王者，知也。色老而衰，知老而多。以日多之知而逐衰之色，君必困矣。」建信君曰：「奈何？」曰：「並驥而走者，五里而罷；乘驥而御之，不倦而取道多。君令葺乘獨斷之車，御獨斷之勢，以居邯鄲；令之內治國事，外刺諸侯，則葺之事有不言者矣。君因言王而重責之，葺之軸今折矣。」建信君再拜受命，入言於王，厚任葺以事能，重責之。未期年而葺亡走矣。（《戰國策》〈趙策三〉）

從而無功

苦成常對建信君說：「諸侯各國實行合縱，卻唯獨認為趙國憎恨秦國，這是為什麼呢？從前魏國殺死秦國人器重的呂遺，因而天下諸侯都站在魏國一邊。如今趙國收復河間，這跟魏國當年殺死呂遺有什麼區別？即便您放棄虛偽難信的合縱，假裝有病，文信侯也還是會相信趙國收復河間之心不死。合縱若能成功，還擔心不能收復河間嗎？合縱如果失敗，收復河間又有什麼用呢？」

【出處】

苦成常謂建信君曰：「天下合從，而獨以趙惡秦，何也？魏殺呂遺，而天下交之。今收河間，於是與殺呂遺何以異？君唯釋虛偽疾，文信猶且知之也。從而有功乎，何患不得收河間？從而無功乎，收河間何益也？」（《戰國策》〈趙策三〉）

不如商賈

希寫拜見建信君。建信君說：「秦國派人來趙國做官，我任命他為丞相，賜爵五大夫。然而文信侯對我卻十分無禮。」希寫說：「臣下認為如今的當權者還不如商人。」建信君勃然大怒說：「您蔑視執政者而高抬商人嗎？」希寫說：「不是這樣的。高明的商人從不跟別人討價還價，而是謹慎地等待時機，賤買貴賣。從前周文王被關押在牖（羑）里，武王被羈押在玉門，最終砍下紂王頭顱懸掛在太白旗上的是卻是武王。如今您的權勢無法與文信侯抗衡，卻責備文信侯對您不敬，恕臣下不敢苟同您的觀點。」

【出處】

希寫見建信君。建信君曰：「文信侯之於僕也，甚無禮。秦使人來仕，僕官之丞相，爵五大夫。文信侯之於僕也，甚矣其無禮也。」希寫曰：「臣以為今世用事者，不如商賈。」建信君悖然曰：「足下卑用事者而高商賈乎？」曰：「不然。夫良商不與人爭買賣之賈，而謹司時。時賤而買，雖貴而賤矣；時貴而賣，雖賤已貴矣。昔者文王之拘於牖里，而武王羈於玉門，卒斷紂之頭而縣於太白者，是武王之功也。今君不能與文信侯相伉以權，而責文信侯少禮，臣竊為君不取也。」（《戰國策》〈趙策三〉）

決蹯而去

魏魀對建信君說：「有人設置繩套以捕捉野獸，結果卻套住了虎足。老虎大怒，奮力掙斷腳掌逃走了。老虎並不是不愛惜自己的腳掌，只是不想為了小小的腳爪搭進自己的生命。這是一種權衡變通。如今趙王擁有國家，就不僅僅是七尺之軀的身體。而您的性命對於大王來說，不是老虎小小的爪子，希望您認真考慮這件事。」

【出處】

魏魀謂建信君曰：「人有置繫蹄者而得虎。虎怒，決蹯而去。虎之情，非不愛其蹯也。然而不以環寸之蹯害七尺之軀者，權也。今有國，非直七尺軀也。而君之身於王，非環寸之蹯也。願公之熟圖之也。」(《戰國策》〈趙策三〉)

鼓鐸之音

秦國進攻趙國時，擊鼓搖鈴的聲音在北堂都能聽到。希卑說：「秦國攻打趙國，不應該如此緊急。這是在召喚朝中的內鬼。一定有大臣想和秦國連橫。君王想要知道此人是誰，明天召集群臣商討戰事，讓他們說出各自觀點，首先鼓吹連橫的人，就是秦國的內鬼。」建信君果然首先主張連橫。

【出處】

秦攻趙，鼓鐸之音聞於北堂。希卑曰：「夫秦之攻趙，不宜急於如此。此召兵也。必有大臣欲衡者耳。王欲知其人，旦日贊群臣而訪之，先言橫者，則其人也。」建信君果先言橫。（《戰國策》〈趙策三〉）

不如勿逐

趙國派姚賈與韓國、魏國結盟。韓、魏兩國對姚賈很友善，趙王為此心有不快。舉茅為姚賈對趙王說：「姚賈是大王的忠臣。韓國、魏國爭相友善他，目的是想讓大王驅逐他，他們好趁機接納。大王驅逐姚賈，正是韓、魏兩國期待的結果，大王還因此背負驅逐忠臣的惡名。大王千萬不可驅逐姚賈，以顯示大王的賢明，挫敗韓國、魏國的企圖。」

【出處】

趙使姚賈約韓、魏，韓、魏以友之。舉茅為姚賈謂趙王曰：「賈也，王之忠臣也。韓、魏欲得之，故友之，將使王逐之，而己因受之。今王逐之。是韓、魏之欲得，而王之忠臣有罪也。故王不如勿逐，以明王之賢，而折韓、魏招之。」（《戰國策》〈趙策四〉）

治之無名

卓襄王問龐煖說：「君主應該怎樣管理國家呢？」龐煖說：「您聽說過上古名醫俞跗嗎？他善治百病，連鬼神都躲避他。楚王即位任用御醫，就像從前堯任用賢人一樣，不用親信，有病也一定等待良醫來治。」卓襄王說：「治理國家難道跟醫生治病一樣嗎？」龐煖說：「您難道忘了嗎？從前伊尹醫治商朝，姜太公醫治周武王，百里奚醫治秦國，申麃醫治楚國，原季醫治晉國，范蠡醫治越國，管仲醫治齊國，都是因為他們高明的醫術，才成就了君主的霸業。雖然他們同屬高明的醫生，治病的方法卻是不同的。」卓襄王說：「請你說說有什麼不同。」龐煖說：「您聽說過魏文王與扁鵲的對話嗎？魏文王說：『你兄弟三人，哪一個最擅長醫術？』扁鵲說：『我大哥最擅長，二哥其次，我最不擅長。』魏文侯說：『那為什麼呢？』扁鵲說：『我大哥治病，在病害尚未形成時就消除了病因，所以他的名聲傳不出家門；我二哥治病，病因剛一萌芽就消除了，所以他的名聲傳不出街巷；我用針灸刺扎血脈，給病人吞服烈性藥丸，用藥膏塗敷肌膚，所以聲名遠颺。』魏文侯說：『好，如果管仲用扁鵲的方法治理齊國，那齊桓公就很難成為霸主了。』所以高明的醫生，能在病因尚未形成或出現萌芽時就著手治療，使疾病消除於無形。等到疾病形成時再來治療，病人就算僥倖不死，也會元氣大傷。」卓襄公點頭說：「你的比喻太好了。寡人雖然不能達到扁鵲大哥的水平，但能在疾病剛形成時就著手醫治，也算不錯了。」

【出處】

卓襄王問龐煖曰：「夫君人者亦有為其國乎？」龐煖曰：「王獨不聞俞跗之為醫乎？已成必治，鬼神避之，楚王臨朝為隨兵故，若堯之任人也，不用親戚，而必使能其治病也，不任所愛，必使舊醫，楚王聞傳暮害咸在身，必待俞跗。」卓襄王曰：「善。」龐煖曰：「王其忘乎？昔伊尹醫殷，太公醫周武王，百里醫秦，申麃醫郢，原季醫晉，范蠡醫越，管仲醫齊，而五國霸。其善一也，然道不同數。」卓襄王曰：「願聞其數。」煖曰：「王獨不聞魏文王之問扁鵲耶？曰：『子昆弟三人其孰最善為醫？』扁鵲曰：『長兄最善，中兄次之，扁鵲最為下。』魏文侯曰：『可得聞邪？』扁鵲曰：『長兄於病視神，未有形而除之，故名不出於家。中兄治病，其在毫毛，故名不出於閭。若扁鵲者，鑱血脈，投毒藥，副肌膚，閒而名出聞於諸侯。』魏文侯曰：『善。使管子行醫術以扁鵲之道，曰桓公幾能成其霸乎！』凡此者不病病，治之無名，使之無形，至功之成，其下謂之自然。故良醫化之，拙醫敗之，雖幸不死，創伸股維。」卓襄王曰：「善，寡人雖不能無創，孰能加秋毫寡人之上哉？」（《鶡冠子》〈世賢第十六〉）

倡后之亂

倡后是趙悼襄王的王后，嫁給悼襄王之前就不守倫常，毀了一個家族。成為寡婦後，悼襄王因她長得漂亮想納為王妃。李牧勸諫說：「這女人不能娶啊。女人不守正道，國家也會跟著遭殃。這女人已經毀掉了一個家族，大王不怕嗎？」趙王說：「亂和不亂，在於寡人如何執政。」執意要娶她。倡后進宮後被封為姬。當時已立王后的兒子嘉為太子，倡后生下兒子遷後備受寵幸，於是不停在趙王面前說王后和太子的壞話，又使人陷害太子。於是悼襄王廢嘉改立遷為太子，更立倡為王后。悼襄王死後，遷繼位為王，這就是幽閔王。倡后淫蕩放縱，與春平君私通，還多次接受秦國賄賂，唆使幽閔王殺死了武安君李牧。其後秦軍長驅直入，趙國竟無將軍率兵禦敵。遷被秦國俘虜，趙國滅亡。趙國的大夫們痛恨倡后陷害太子及唆使幽閔王誅殺李牧，殺死倡后並盡滅其族，擁立嘉在代地稱王。七年後，趙國終因不能勝秦被改為秦郡。

【出處】

倡后者，邯鄲之倡，趙悼襄王之後也。前日而亂一宗之族。既寡，悼襄王以其美而取之。李牧諫曰：「不可。女之不正，國家所以覆而不安也。此女亂一宗，大王不畏乎？」王曰：「亂與不亂，在寡人為政。」遂娶之。初，悼襄王后生子嘉為太子。倡后既入為姬，生子遷。倡后既嬖倖於王，陰譖后及太子於王，使人犯太子而陷之於罪，王遂廢嘉而立遷，黜后而立倡姬為后。及悼襄王薨，遷立，是為幽閔王。倡后淫佚不正，通於春平君，多受秦賂，而使王誅其良將武安君李牧。其后秦兵徑入，莫能距遷，遂見虜於秦，趙亡。大夫怨倡后之譖太子及殺李牧，乃殺倡后而滅其家，共立嘉於代，七年，不能勝秦，趙遂滅為郡。(《列女傳》〈孽嬖傳〉)

廉頗老矣

廉頗在大梁住久了，魏國並未對他予以信任重用。趙國因屢次被秦兵圍困，趙王想重新起用廉頗，廉頗也想回趙為國效力。趙王擔心廉頗年紀大了無法起用，便派使臣去打探虛實。廉頗的仇人郭開以重金賄賂使者，讓他回來後說廉頗的壞話。使臣見到廉頗之後，廉頗當著他的面一頓飯吃了一斗米、十斤肉，又披上鐵甲上馬，表示自己精力還行。趙國使者回去向趙王報告說：「廉將軍雖然老了，但飯量還不錯，不過陪我小坐時，一會兒就拉了三次屎。」趙王認為廉頗老了，便放棄了重新起用的打算。

【出處】

廉頗居梁久之，魏不能信用。趙以數困於秦兵，趙王思復得廉頗，廉頗亦思復用於趙。趙王使使者視廉頗尚可用否。廉頗之仇郭開多與使者金，令毀之。趙使者既見廉頗，廉頗為之一飯斗米，肉十斤，被甲上馬，以示尚可用。趙使還報王曰：「廉將軍雖老，尚善飯，然與臣坐，頃之三遺矢矣。」趙王以為老，遂不召。（《史記》〈廉頗藺相如列傳〉）

終身不敝

翟章從魏國來，和趙王很友善。趙王多次請他出任相國，翟章都推辭不肯。田駟對柱國韓向說：「讓我來為您刺死翟章。此人一死，大王一定會發怒並處死建信君。建信君一死，相國的位置就是您的了。建信君不死，您就結交他當終身朋友，建信君一定會心存感激的。」

【出處】

翟章從梁來，甚善趙王。趙王三延之以相，翟章辭不受。田駟謂柱國韓向曰：「臣請為卿刺之。客若死，則王必怒而誅建信君。建信君死，則卿必為相矣。建信君不死，以為交，終身不敝，卿因以德建信君矣。」（《戰國策》〈趙策四〉）

郎中之計

秦國召見春平侯，趁機扣留了他。世鈞為春平侯對文信侯說：「春平侯是趙悼襄王的寵臣，趙王身邊的人都很嫉妒他，就商量謀劃說：『春平侯到秦國去，秦國一定會扣留他。』所以設計讓他出使秦國。如今您扣留春平侯，白白斷送和趙國的交往，正好中了趙王近侍們的詭計。您不如放春平侯回去，只留下平都侯。春平侯的話在趙悼襄王那兒管用，一定會多割讓趙國的土地來事奉您，贖回平都侯。」文信侯說：「好。」於是盛情招待春平侯，禮送他回國。

【出處】

秦召春平侯，因留之。世鈞為之謂文信侯曰：「春平侯者，趙王之所甚愛也，而郎中甚妒之，故相與謀曰：『春平侯入秦，秦必留之。』故謀而入之秦。今君留之，是空絕趙，而郎中之計中也。故君不如遣春平侯而留平都侯。春平侯者言行於趙王，必厚割趙以事君，而贖平都侯。」文信侯曰：「善。」因與接意而遣之。（《戰國策》〈趙策四〉）

北邊良將

李牧是趙國守衛北部邊境的良將。長期駐守代地雁門郡，抵禦匈奴。邊境交易租稅將軍府有支配權，用作士卒費用。他對手下將士非常優待，每天殺牛宰羊犒賞士兵，讓士兵們練習射箭騎馬，小心看守烽火臺，又派出間諜四處偵察敵情。軍中約定：「遇匈奴入侵搶劫，要趕快收攏人馬退入營壘固守，有膽敢捕捉敵人的斬首。」匈奴每次入侵，烽火傳來警報，李牧就立即收攏人馬退入營壘固守，不敢出戰。像這樣過了好幾年，人馬物資也沒有什麼損失。匈奴人以為李牧膽小，就連李牧的手下也認為主將膽小怯戰。趙王責備李牧，李牧依然如故。趙王生氣，把他召回，以他人代替。此後一年多裡，每次匈奴來犯，就出兵交戰，結果屢次失利，損失傷亡很多，邊境上無法耕种放牧。趙王只好請李牧再次出山。李牧推說有病，閉門不出。趙王強請，李牧說：「大王一定要用我，就允許我像從前那樣做，才敢奉命。」趙王答應了他的要求。李牧上任後又恢復了原來的規矩。匈奴好幾年都一無所獲，但也始終認為李牧膽怯。邊防的官兵們每天受賞卻無用武之地，都願意打一仗。於是李牧精心挑選了戰車一千三百乘、戰馬一萬三千匹、敢於衝鋒陷陣的勇士五萬人、善射的士兵十萬人，日夜集中訓練。一切準備停當後，就令牧民們把全部牲畜趕出來放牧，一時牛羊滿山，牧民遍野。匈奴的小股人馬入侵，李牧假裝戰敗，故意把幾千人丟棄給匈奴。單于得知消息，便率領大隊人馬入侵。李牧布下奇兵妙陣，張開左右兩翼包抄攻擊敵軍，一舉殲滅匈奴十多萬騎兵，接著又剿滅襜襤，攻破東胡，收降林胡，逼得單于北上逃遁。此後十多年，匈奴不敢再犯趙國邊境。

【出處】

李牧者，趙之北邊良將也。常居代雁門，備匈奴。以便宜置吏，市租皆輸入莫府，為士卒費。日擊數牛饗士，習射騎，謹烽火，多間諜，厚遇戰士。為約曰：「匈奴即入盜，急入收保，有敢捕虜者斬。」匈奴每入，烽火謹，輒入收保，不敢戰。如是數歲，亦不亡失。然匈奴以李牧為怯，雖趙邊兵亦以為吾將怯。趙王讓李牧，李牧如故。趙王怒，召之，使他人代將。歲餘，匈奴每來，出戰。出戰，數不利，失亡多，邊不得田畜。復請李牧。牧杜門不出，固稱疾。趙王乃復彊起使將兵。牧曰：「王必用臣，臣如前，乃敢奉令。」王許之。李牧至，如故約。匈奴數歲無所得。終以為怯。邊士日得賞賜而不用，皆原一戰。於是乃具選車得千三百乘，選騎得萬三千匹，百金之士五萬人，彀者十萬人，悉勒習戰。大縱畜牧，人民滿野。匈奴小入，詳北不勝，以數千人委之。單于聞之，大率眾來入。李牧多為奇陳，張左右翼擊之，大破殺匈奴十餘萬騎。滅襜襤，破東胡，降林胡，單于奔走。其後十餘歲，匈奴不敢近趙邊城。（《史記》〈廉頗藺相如列傳〉）

使為反間

秦國王翦率兵進攻趙國，趙國以李牧、司馬尚為將率兵抵抗。李牧多次把秦軍打得大敗而逃，還殺死秦軍將領桓齮。王翦憎恨李牧。於是秦國以金錢開路，買動趙王寵臣郭開等人，使其在趙王面前挑撥離間說：「李牧、司馬尚想投降秦國，以便從秦國得到封地。」趙王懷疑李牧、司馬尚，派趙蔥和顏最取代二人，李牧被殺，司馬尚被廢。三個月以後，王翦攻入邯鄲，殺死趙蔥，俘虜顏最及趙王遷，趙國終於滅亡。

【出處】

秦使王翦攻趙，趙使李牧、司馬尚御之。李牧數破走秦軍，殺秦將桓齮。王翦惡之，乃多與趙王寵臣郭開等金，使為反間，曰：「李牧、司馬尚欲與秦反趙，以多取封於秦。」趙王疑之，使趙蔥及顏最代將，斬李牧，廢司馬尚。後三月，王翦因急擊，大破趙，殺趙軍，虜趙王遷及其將顏最，遂滅趙。(《戰國策》〈趙策四〉)

龜筴鬼神，不足舉勝

鑽燒龜甲、計算蓍草進行卜筮，兆象「大吉」，因此攻打燕國的是趙國。鑽燒龜甲、計算蓍草進行卜筮，兆象「大吉」，因此攻打趙國的是燕國。劇辛效力燕國，無功可言，卻導致國家危險；鄒衍效力燕國，無功可言，卻導致國家命脈斷絕。趙國先戰勝燕國，後戰勝齊國，國內混亂還趾高氣揚，自以為和秦國勢均力敵了，並不是趙國的占卜靈驗而燕國的占卜騙人。趙國又曾通過卜築向北討伐燕國，打算挾持燕國去抗拒秦國，兆象仍是「大吉」。才開始進攻燕國的大梁，秦國就從上黨出兵了；趙軍進至釐地，自己的六座城池已被秦國攻克；趙軍進至陽城，秦軍攻佔趙國的鄴地；等到龐煖引兵往南救援時，鄗一帶又被秦軍佔領。所以我說：趙國的占卜即使對攻打燕國缺乏遠見，也應對秦攻趙有所預見。秦國根據自己的「大吉」，開闢疆土既得實惠，救援燕國又得美名，趙國根據自己的「大吉」，領土削減士兵受辱，趙王不能如願以償而死亡，這也並不是秦國的占卜靈驗而趙國的占卜騙人。開始的時候，魏國幾年間向東全部攻下了陶、衛，又有幾年向西攻秦卻致亡國，這不是吉星有幾年都處在西方，也不是凶星幾年都處在東方。所以說：卜筮鬼神不足以推斷戰爭勝負，星體的方位變化不足以決定戰爭結果。不明白這個道理，卻還要依仗它們，沒有比這更為愚蠢的了。

【出處】

鑿龜數筴，兆曰大吉，而以攻燕者趙也。鑿龜數筴，兆曰大吉，而以攻趙者燕也。劇辛之事燕，無功而社稷危。鄒衍之事燕，無功而國道絕。趙代先得意於燕，後得意於齊，國亂節高，自以為與秦提衡，非趙龜神而燕龜欺也。趙又嘗鑿龜數筴而北伐燕，將劫燕以逆秦，兆曰大吉，始攻大梁而秦出上黨矣，兵至釐而六城拔矣，至陽城，秦拔鄴矣，龐煖揄兵而南則鄣盡矣。臣故曰：趙龜雖無遠見於燕，且宜近見於秦。秦以其大吉，闢地有實，救燕有名。趙以其大吉，地削兵辱，主不得意而死。又非秦龜神而趙龜欺也。初時者魏數年東鄉攻盡陶、衛，數年西鄉以失其國，此非豐隆、五行、太一、王相、攝提、六神、五括、天河、殷搶、歲星非數年在西也，又非天缺、弧逆、刑星、熒惑、奎臺非數年在東也。故曰：龜筴鬼神，不足舉勝，左右背鄉，不足以專戰。然而恃之，愚莫大焉。（《韓非子》〈飾邪第十九〉）

魏國卷

魏國，也稱梁國，由魏、趙、韓三家分晉而來，為戰國七雄之一，侯爵。先祖畢公高為周文王第十五子，武王伐紂後封於畢（今陝西咸陽）。畢國在西周末期被西戎所滅，後裔畢萬投奔晉國，獻公拜為大夫。畢萬屢次隨獻公出征，因軍功卓著被封於魏，其後代遂以魏為氏。其疆域包括今山西省西南部的河東、河南省北部的河內、山西省東南部的上黨等地。國都原在安邑（今山西省夏縣），魏惠王時遷大梁（今河南開封）。畢萬的十一世孫魏斯於西元前四〇三年被周天子封為諸侯。文侯在位時禮賢下士，以子夏、田子方、段干木等為師，任用李悝、翟璜為相，以樂羊、吳起等為將，一度稱霸諸侯。文侯之後，魏國「東敗於齊，西喪秦地七百里，南辱於楚」，迅速衰落，於西元前二二五年為秦國所滅，共傳九世、一百七十八年。西門豹治鄴、信陵君魏無忌竊符救趙令人印象深刻。

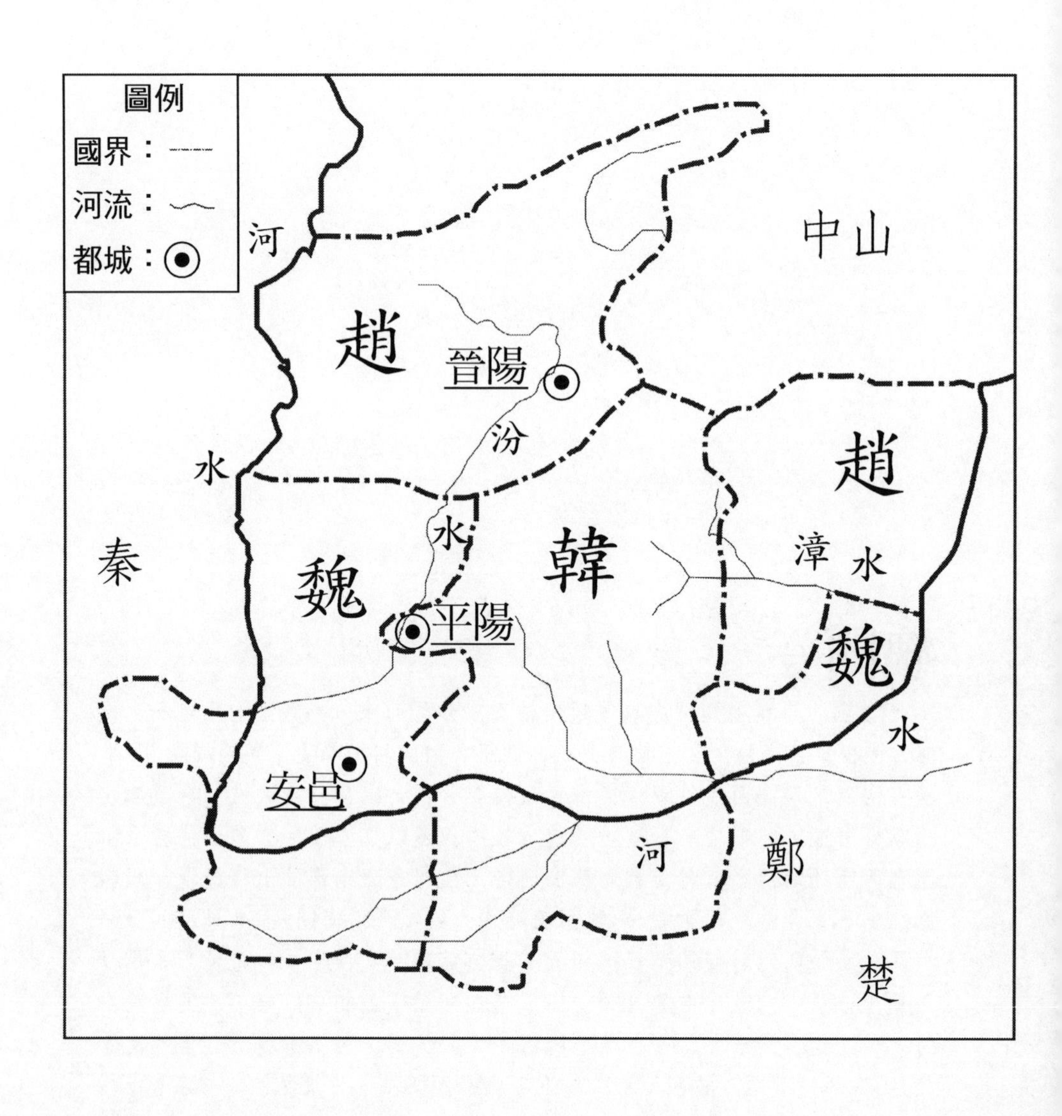
圖例
國界：
河流：
都城：
河
水
中山
趙
晉陽
汾
水
趙
漳
水
秦
魏
韓
平陽
魏
水
安邑
河
鄭
楚

畢公之徒

畢公高是周文王的第十五子，周武王姬發的異母弟，武王即位後，畢公高與太公望、周公旦、召公一起輔佐武王，興師伐紂立下赫赫戰功。周成王臨終時，擔心太子釗不能勝任，遺命畢公與召公輔佐周康王繼位。周康王命畢公治理東郊。由於畢公等人的輔佐，使成王與康王時期天下安定，四十多年沒有使用刑罰，史稱「成康之治」。康王命令畢公寫作策書，讓民眾分別村落居住，劃定周都郊外的境界，作為周都的屏衛，為此寫下《畢命》，記錄了畢公受命這件事。

【出處】

武王即位，太公望為師，周公旦為輔，召公、畢公之徒左右王，師脩文王緒業。成王將崩，懼太子釗之不任，乃命召公、畢公率諸侯以相太子而立之。成王既崩，二公率諸侯，以太子釗見於先王廟，申告以文王、武王之所以為王業之不易，務在節儉，毋多欲，以篤信臨之，作顧命。太子釗遂立，是為康王。康王即位，遍告諸侯，宣告以文武之業以申之，作康誥。故成康之際，天下安寧，刑錯四十餘年不用。康王命作策，畢公分居里，成周郊，作畢命。（《史記》〈周本紀〉）

畢萬之後必大

晉獻公十六年，獻公率兵出征霍、耿、魏，以趙夙為車駕，畢萬為車右護衛，滅亡三國。獻公把耿地封給趙夙，把魏封給畢萬，二人都晉陞大夫。主管占卜的偃說：「畢萬的家族一定會興旺。『萬』是滿數；『魏』是高大的意思。以這樣的名稱行賞，這是上天對他的嘉獎。天子的統治稱之兆民，諸侯的統治稱之萬民。如今他的封地巍巍高大，後邊又跟著滿數萬，他一定會擁有民眾。」當初，畢萬占卜問侍奉晉君的吉凶，得到屯卦變為比卦。辛廖推斷說：「吉利。屯卦象徵堅固，比卦象徵進入，還有什麼比這個更吉利的呢？將來一定人丁興旺。」

【出處】

獻公之十六年，趙夙為御，畢萬為右，以伐霍、耿、魏，滅之。以耿封趙夙，以魏封畢萬，為大夫。卜偃曰：「畢萬之後必大矣，萬，滿數也。魏，大名也。以是始賞，天開之矣，天子曰兆民，諸侯曰萬民。今命之大，以從滿數，其必有眾。」初，畢萬卜事晉，遇屯之比。辛廖占之，曰：「吉。屯固比入，吉孰大焉，其必蕃昌」。（《史記》〈魏世家〉）

反晉降秦

晉國為了招回已投降秦國的本國謀臣士會，就讓魏壽餘佯裝抗命，晉人抓捕壽餘的時候，捉拿了他的妻子兒女，故意讓壽餘逃走。壽餘連夜逃往秦國，向秦康公哭訴請降。壽餘踩了一下士會的腳，示意士會與他一起回晉國。魏壽餘請求秦國收留自己及家人，秦王同意。魏壽餘還得到秦康公的信任。秦康公駐軍河西，魏地人在東。魏壽餘說：「請派一位能夠跟魏地官員說話的東邊人，跟我一起先過去。」秦康公指派士會隨行。士會推辭說：「晉國人如狼似虎。如果違背諾言不讓下臣回來，不僅下臣當死，妻子兒女也活不了。這對君主沒好處，到時候後悔莫及。」秦康公說：「如果晉國違背諾言不讓你回來，我該送還你的妻子兒女，有河神作證！」於是士會隨魏壽餘歸晉。繞朝把馬鞭送給士會說：「不要以為秦國沒有人才，我的計謀不被採用罷了。」士會渡過黃河後，魏地人因得到士會而歡呼。秦康公大氣地送還了士會的妻子兒女。士會留在秦國的家人改姓劉氏。

【出處】

晉人患秦之用士會也，夏，六卿相見於諸浮，趙宣子曰：「隨會在秦，賈季在狄，難日至矣，若之何？」中行桓子曰：「請復賈季，能外事，且由舊勳。」郤成子曰：「賈季亂，且罪大，不如隨會，能賤而有恥，柔而不犯，其知足使也，且無罪。」乃使魏壽餘偽以魏叛者以誘士會，執其帑於晉，使夜逸。請自歸於秦，秦伯許之。履士會之足於朝。秦伯師於河西，魏人在東。壽餘曰：「請東人之能與夫二三有司言者，吾與之先。」使士會。士會辭曰：「晉人，虎狼也，若背其言，臣死，妻子為戮，無益於君，不可悔也。」秦伯曰：「若背其言，所不歸爾帑者，有如河。」乃行。繞朝贈之以策，曰：「子無謂秦無人，吾謀適不用也。」既濟，魏人噪而還。秦人歸其帑。其處者為劉氏。（《左傳》〈文公十三年〉）

結草以亢

魏武子有愛妾祖姬，沒有生兒子。魏武子生病的時候，吩咐兒子魏顆說：「等我死了，你一定要選良配讓她出嫁。」後來病重，又改變主意說：「一定要讓她為我殉葬，使我在九泉下有伴。」魏武子死後，魏顆為祖姬精心挑選婆家，將她改嫁。魏顆的弟弟責怪他不遵從父親的臨終遺願。魏顆說：「人病重的時候神志不清，我聽從父親清醒時候的話。」輔氏之役的時候，魏顆隱約看到一位老人把草打成結以遮攔杜回。杜回被絆倒在地，做了俘虜。當天夜裡，魏顆夢見老人對他說：「我是你父親那位愛妾的父親。你選擇遵從父親清醒時候的話，我以此作為報答。」

【出處】

初，魏武子有嬖妾，無子。武子疾，命顆曰：「必嫁是。」疾病，則曰：「必以為殉。」及卒，顆嫁之，曰：「疾病則亂，吾從其治也。」及輔氏之役，顆見老人結草以亢杜回，杜回躓而顛，故獲之。夜夢之曰：「余，而所嫁婦人之父也。爾用先人之治命，余是以報。」（《左傳》〈宣公十五年〉）

師眾以順為武

晉悼公四年，悼公在雞丘會盟諸侯，當時魏絳任中軍司馬，公子揚干在曲梁擾亂軍隊的行列，魏絳斬殺了他的僕人。悼公對羊舌赤說：「寡人會合諸侯，魏絳卻羞辱寡人的弟弟，馬上派人把他抓起來，不要讓他跑了。」羊舌赤回答說：「我知道魏絳的志向，他遇事不避危難，有罪過不避刑罰，估計他自己會來說明情況的。」話剛說完，魏絳就到了，他把寫好的信交給僕人，就準備拔劍自刎。士魴和張老急忙上前勸阻。僕人把信交給悼公，信中說：「我懲罰揚干，知道犯了死罪。日前國君缺乏使喚的人，讓我擔任中軍司馬。我聽說軍隊以服從命令為力量，以寧死不犯軍法為敬畏。君主會合諸侯，我怎敢不敬奉職守？君主為此不高興，我但求一死。」悼公光著腳丫子跑出來，對魏絳說：「寡人所說的話，是出於兄弟之禮；你對揚干的處罰，是按軍法行事，請您不要加重寡人的過錯。」從盟會回國後，悼公在太廟設宴招待魏絳，任命他為新軍副帥。

【出處】

四年，會諸侯於雞丘，魏絳為中軍司馬，公子揚干亂行於曲梁，魏絳斬其僕。公謂羊舌赤曰：「寡人屬諸侯，魏絳戮寡人之弟，為我勿失。」赤對曰：「臣聞絳之志，有事不避難，有罪不避刑，其將來辭。」言終，魏絳至，授僕人書而伏劍。士魴、張老交止之。僕人授公，公讀書曰：「臣誅於揚干，不忘其死。日君乏使，使臣狃中軍之司馬。臣聞師眾以順為武，軍事有死無犯為敬，君合諸侯，臣敢不敬，君不說，請死之。」公跣而出，曰：「寡人之言，兄弟之禮也。子之誅，軍旅之事也，請無重寡人之過。」反役，與之禮食，令之佐新軍。（《國語》〈晉語七〉）

魏絳撫諸戎

晉悼公五年，無終國國君嘉父派孟樂通過魏絳的關係向悼公獻虎豹示好，請求晉國與諸戎媾和。悼公說：「戎人、狄人與我們缺乏親情又貪得無厭，不如討伐他們。」魏絳說：「對戎人用兵而失掉中原一些諸侯國，即使成功，也像獲得禽獸而損失獵手一樣，得不償失。而且戎人、狄人聚族而居，重財貨而輕土地。給他們財貨而獲得他們的土地，這是第一個好處；邊境一帶的農民可以安心耕種，這是第二個好處；戎人、狄人奉侍晉國，四方鄰國為之震懾，這是第三個好處。請君王好好考慮一下。」悼公聽了很高興，便派魏絳安撫諸戎，於是成就霸業。

【出處】

五年，無終子嘉父使孟樂因魏莊子納虎豹之皮以和諸戎。公曰：「戎、狄無親而好得，不若伐之。」魏絳曰：「勞師於戎，而失諸華，雖有功，猶得獸而失人也，安用之？且夫戎、狄薦處，貴貨而易土。予之貨而獲其土，其利一也；邊鄙耕農不儆，其利二也；戎、狄事晉，四鄰莫不震動，其利三也。君其圖之！」公說，故使魏絳撫諸戎，於是乎遂伯。（《國語》〈晉語七〉）

無以濟河

晉悼公十二年，悼公討伐鄭國，軍隊駐紮在蕭魚。鄭簡公獻上美女、樂師、侍妾三十人，女樂十六人，歌鐘兩肆，以及珍貴的鎛和輅車十五輛。悼公轉賜魏絳女樂八人，歌鐘一肆，對他說：「你幫助寡人與戎、狄各部落媾和，整治中原各國，八年內七次與諸侯約盟，寡人無不得志，就與你共同分享這些禮物吧。」魏絳辭謝說：「與戎、狄部落媾和，是君王的幸運。八年間七合諸侯，是君王的威望和各位大夫的功勞，我怎麼敢接受這些禮物呢？」悼公說：「要是沒有你，寡人是無法懷柔戎狄的，也不能渡過黃河征服鄭國，其他的大夫怎麼能跟你相比呢？你還是笑納吧。」君子評論說：「悼公能記住別人的功勞。」

【出處】

十二年，公伐鄭，軍於蕭魚。鄭伯嘉來納女、工、妾三十人，女樂二八，歌鐘二肆，及寶鎛，輅車十五乘。公錫魏絳女樂一八、歌鐘一肆，曰：「子教寡人和諸戎、狄而正諸華，於今八年，七合諸侯，寡人無不得志，請與子共樂之。」魏絳辭曰：「夫和戎、狄，君之幸也。八年之中，七合諸侯，君之靈也。二三子之勞也，臣焉得之？」公曰：「微子，寡人無以待戎，無以濟河，二三子何勞焉！子其受之。」君子曰：「能志善也。」（《國語》〈晉語七〉）

魏舒方陣

晉國的中行穆子能在大原打敗無終和各部狄人，是重用步兵的緣故。即將作戰時，魏舒說：「他們是步兵我們是車兵，兩軍相遇的地方形勢險要，用十個步兵對付一輛戰車，必然得勝。把他們圍困在險地，我們就能戰勝他們。以我為始，請全部改為步兵。」於是晉軍不用戰車，改為步兵的行列，五乘戰車改成三個伍。荀吳的寵臣不肯編入步兵，就殺了荀吳寵臣示眾。晉軍擺成五種陣勢以互相呼應，兩在前面，隊伍在後面，專作為右翼，參作為左翼，偏作為前鋒方陣，用這個來誘敵。狄人譏笑他們。沒有等狄人擺開陣勢，晉兵就迫近進攻，大勝狄人。

【出處】

晉中行穆子敗無終及群狄於大原，崇卒也。將戰，魏舒曰：「彼徒我車，所遇又厄，以什共車必克。困諸厄，又克。請皆卒，自我始。」乃毀車以為行，五乘為三伍。荀吳之嬖人不肯即卒，斬以徇。為五陳以相離，兩於前，伍於後，專為右角，參為左角，偏為前拒，以誘之。翟人笑之。未陳而薄之，大敗之。（《左傳》〈昭公元年〉）

一食三歎

有個梗陽人與別人打官司，眼看就要敗訟，於是向魏獻子行賄托情。魏獻子打算幫他。下屬閻沒聽說此事後，對叔寬說：「主人一向以清廉聞名諸侯，怎麼能因梗陽人行賄而損害名聲呢？我倆一起去勸諫吧。」兩人拜見魏獻子之後，遲遲沒有離開。魏獻子讓二人陪自己吃飯。兩人在吃飯期間三次嘆息。吃完飯後，魏獻子說：「有人說『唯食可以忘憂。』你倆吃一頓飯就嘆息三次，什麼原因呢？」兩人異口同聲回答道：「我們都是小人，貪心不足。食物剛送上來的時候，擔心不夠吃，因此嘆息。吃到一半，私下責備自己說：主人賜給的食物，哪有不夠吃的道理，因而再次嘆息。等到您吃完飯，心想但願小人的胃口，也像君子您的心思一樣，只要吃飽就知足了。因此第三次嘆息。」魏獻子點頭說：「講得好。」隨後拒絕了梗陽人的賄賂。

【出處】

梗陽人有獄，將不勝，請納賂於魏獻之，獻子將許之。閻沒謂叔寬曰：「與子諫乎！吾主以不賄聞於諸侯，今以梗陽之賄殃之，不可。」二人朝，而不退。獻子將食，問誰於庭，曰：「閻明、叔褒在。」召之，使佐食。比已食，三歎。既飽，獻子問焉，曰：「人有言曰：『唯食可以忘憂。』吾子一食之間而三歎，何也？」同辭對曰：「吾小人也，貪。饋之始至，懼其不足，故嘆。中食而自咎也，曰豈主之食而有不足？是以再嘆。主之既已食，願以小人之腹，為君子之心，屬饜而已，是以三歎。」獻子曰：「善。」乃辭梗陽人。（《國語》〈晉語九〉）

唯善所在

魏獻子對成鱄說：「我讓兒子魏戊去做縣大夫，別人會認為我偏袒嗎？」成鱄回答說：「哪裡會呢？魏戊的為人，遠不忘國君，近不壓同僚，處在有利的地位上就心存道義，處在窮困中就保持純潔清廉，有保持禮義之心而沒有過度的行動，即使給他一個縣，不也是可以的嗎？從前武王推翻商王，廣有天下，他的兄弟中領有封國的有十五人，姬姓領有封國的有四十人，都是舉拔自己的親屬。舉拔沒有別的條件，只要是善的所在，親密、疏遠都是一樣的。」

【出處】

魏子謂成鱄：「吾與戊也縣，人其以我為黨乎？」對曰：「何也？戊之為人也，遠不忘君，近不逼同，居利思義，在約思純，有守心而無淫行。雖與之縣，不亦可乎？昔武王克商，光有天下。其兄弟之國者十有五人，姬姓之國者四十人，皆舉親也。夫舉無他，唯善所在，親疏一也。」（《左傳》〈昭公二十八年〉）

毋墮乃力

賈辛就任縣官之前去拜見魏獻子。魏獻子說：「賈辛過來，我給你講個故事。從前叔向出訪鄭國，鬷蔑人長得醜，想要觀察叔向，就跟著收拾器皿的人前去，站在堂下，只說了一句話。叔向正要喝酒，聽了他的話，放下酒杯說：『一定是鬷蔑。』於是下堂來拉著他的手上堂，對他說：『從前賈大夫長得醜，娶了個漂亮的妻子，妻子三年不說不笑。賈大夫後來駕車帶她到達如皋，一箭射中了野雞，她才笑著開口說話。賈大夫說：「男人不能沒才啊。我要是不能射箭，你就不會開口說笑了。」現在您其貌不揚，如果不開口說話，我就錯失了與您見面的機會。您不開口說話，就像當年賈大夫不張弓搭箭一樣。』接下來兩人就像知己一樣。現在你為王室出力，我因此舉薦你。趕緊動身吧！保持恭敬，珍惜來之不易的榮耀。」

【出處】

賈辛將適其縣，見於魏子。魏子曰：「辛來！昔叔向適鄭，鬷蔑惡，欲觀叔向，從使之收器者而往，立於堂下。一言而善。叔向將飲酒，聞之，曰：『必鬷明也。』下，執其手以上，曰：『昔賈大夫惡，娶妻而美，三年不言不笑，御以如皋，射雉，獲之。其妻始笑而言。賈大夫曰：「才之不可以已，我不能射，女遂不言不笑夫！」今子少不揚，子若無言，吾幾失子矣。言不可以已也如是。』遂知故在。今女有力於王室，吾是以舉女。行乎！敬之哉！毋墮乃力！」（《左傳》〈昭公二十八年〉）

知伯索地

知伯向魏桓子索要土地，魏桓子不給。任章問他道：「為什麼不給他呢？」桓子說：「無緣無故來索要土地，所以不給。」任章說：「沒有緣由就索取土地，鄰國一定害怕；胃口太大又不知滿足，諸侯一定都害怕。假使把土地給他，知伯一定越發驕橫。驕橫就會輕敵，鄰國害怕自然會相互團結。用相互團結的軍隊來防禦輕敵的國家。知伯肯定活不長了！《周書》上說：『想要打敗他，一定先要幫他；想要奪取他，一定先要給予他。』您不如把土地給他，以便使知伯越來越驕橫。您怎麼能放棄和天下諸侯共同圖謀知伯的機會，而讓我國成為知伯的攻擊對象呢？」魏桓子說：「有道理。」於是就把一個有萬戶人家的城邑給了知伯。知伯很高興，隨後又向趙國索取蔡、皋梁等地，趙國不答應，知伯就圍攻晉陽。這時韓魏從國外反擊，趙氏從國內接應，知伯很快就滅亡了。

【出處】

知伯索地於魏桓子，魏桓子弗予。任章曰：「何故弗予？」桓子曰：「無故索地，故弗予。」任章曰：「無故索地，鄰國必恐；重欲無厭，天下必懼。君予之地，知伯必驕。驕而輕敵，鄰國懼而相親。以相親之兵，待輕敵之國，知氏之命不長矣！《周書》曰：『將欲敗之，必姑輔之；將欲取之，必姑與之。』君不如與之，以驕知伯。君何釋以天下圖知氏，而獨以吾國為知氏質乎？」君曰：「善。」乃與之萬家之邑一。知伯大說，因索蔡、皋梁於趙，趙弗與，因圍晉陽。韓、魏反於外，趙氏應之於內，知氏遂亡。（《戰國策》〈魏策一〉）

君明則樂官

魏文侯和田子方一邊飲酒一邊欣賞音樂。魏文侯說：「鐘聲不協調，左面的聲調高。」田子方笑了，魏文侯問：「先生笑什麼？」田子方說：「臣下聽說，聖明的國君專注於為官之道，不聖明的國君沉迷於音樂歌舞。現在您對音樂如此精通，臣下恐怕您在官員管理方面有所欠缺。」魏文侯說：「對，敬聽您的教誨。」

【出處】

魏文侯與田子方飲酒而稱樂。文侯曰：「鐘聲不比乎，左高。」田子方笑。文侯曰：「奚笑？」子方曰：「臣聞之，君明則樂官，不明則樂音。今君審於聲，臣恐君之聾於官也。」文侯曰：「善，敬聞命。」（《戰國策》〈魏策一〉）

樂之與音

魏文侯問子夏說：「我身穿禮服，恭恭敬敬地聽古樂，卻忍不住打瞌睡；要是聽鄭、衛之音，反而不知疲倦。請問古樂令人昏昏欲睡的原因何在？新樂令人樂不知疲，又是為什麼呢？」子夏回答說：「現在先說古樂：舞蹈時同進同退，整齊劃一；唱歌時曲調平和中正而寬廣。各種管絃樂器都在靜候拊鼓的指揮，拊鼓一響，眾樂並作。開始表演時擊鼓，結束表演時擊鐃。用相來調節收場的歌曲，用雅來控制快速的節奏。表演完畢後，君子還要發表一通議論，借古喻今，不外乎都是修身齊家治國平天下的道理。這就是古樂的演奏情形。再來說新樂：舞蹈的動作參差不齊，唱歌的曲調邪惡放蕩，使人沉湎其中而不能自拔。再加上俳優侏儒的逗趣，男女混雜，父子不分。表演完畢，讓人無法給予評論，也談不上借古諷今。這就是新樂的演奏情形。現在您問的是樂，而您所喜歡的是音。樂這個東西，與音相近但本質不同。」

【出處】

魏文侯問於子夏曰：「吾端冕而聽古樂則唯恐臥，聽鄭衛之音則不知倦。敢問古樂之如彼，何也？新樂之如此，何也？」子夏答曰：「今夫古樂，進旅而退旅，和正以廣，弦匏笙簧合守拊鼓，始奏以文，止亂以武，治亂以相，訊疾以雅。君子於是語，於是道古，修身及家，平均天下：此古樂之發也。今夫新樂，進俯退俯，奸聲以淫，溺而不止，及優侏儒，雜子女，不知父子。樂終不可以語，不可以道古，此新樂之發也。今君之所問者樂也，所好者音也。夫樂之與音，相近而不同。」（《史記》〈樂書〉）

東郭順子

田子方陪魏文侯談話，多次稱讚溪工。文侯說：「溪工是先生的老師嗎？」子方說：「不是，只是我的同鄉。講說大道常常恰當在理，所以我稱讚他。」文侯說：「先生沒有老師嗎？」子方說：「有啊。」又問：「先生的老師是誰呢？」子方說：「是東郭順子。」文侯說：「怎麼沒聽先生稱讚他呢？」子方說：「他為人真誠，具有人的體貌和天一樣空虛的心，隨順物性而保持真性，心性高潔且能容人容物。人與事不合正道，他就端正自己的儀態，使人自悟。我哪裡配得上去稱讚他呀！」子方出去後，文侯表現出若有所失的神態，整天不言語，對身邊的侍臣說：「好久不見了，像這樣德行完備的君子！起先我認為仁義的行為，聖智的言論是至高無上的。聽到子方講述他老師的情況，我身體鬆散不願動彈，口像被鉗住一樣不能說話，相比對照，我所學的東西只是沒有生命的土塊而已！魏國真讓我給連累了啊！」

【出處】

田子方侍坐於魏文侯，數稱谿工。文侯曰：「谿工，子之師邪？」子方曰：「非也，無擇之里人也。稱道數當故無擇稱之。」文侯曰：「然則子無師邪？」子方曰：「有。」曰：「子之師誰邪？」子方曰：「東郭順子。」文侯曰：「然則夫子何故未嘗稱之？」子方曰：「其為人也真。人貌而天虛，緣而葆真，清而容物。物無道，正容以悟之，使人之意也消。無擇何足以稱之！」子方出，文侯儻然，終日不言。召前立臣而語之曰：「遠矣，全德之君子！始吾以聖知之言、仁義之行為至矣。吾聞子方之師，吾形解而不欲動，口鉗而不欲言。吾所學者，直土埂耳！夫魏真為我累耳！」（《莊子》〈田子方〉）

君之不肖

魏文侯與群臣宴飲，讓大夫們評論自己。有的人說君主很仁義，有的人說君主很有智慧。輪到任座，任座卻不客氣地說：「您是個不肖的君主。得到中山國，不封給您弟弟，卻封給兒子，因此知道君主不肖。」文侯聽了很不高興，臉色都變了。任座快步走了出去。輪到翟黃，翟黃說：「您是個賢君。我聽說君主賢明，臣子說話就直率；今天任座出語耿直，說明您的確有肚量。」文侯很高興，問說：「還能讓他回來嗎？」翟黃回答說：「怎麼不能？我聽說忠臣竭盡忠心，即使死罪也不敢躲避。任座大概還在門口。」翟黃出去一看，任座果然還沒走遠，於是以君主的命令讓他回來。任座進來，文侯走下臺階來迎接他，此後一直待為上賓。

【出處】

魏文侯燕飲，皆令諸大夫論己。或言君之智也。至於任座，任座曰：「君不肖君也。得中山不以封君之弟，而以封君之子，是以知君之不肖也。」文侯不說，知於顏色。任座趨而出。次及翟黃，翟黃曰：「君賢君也。臣聞其主賢者，其臣之言直。今者任座之言直，是以知君之賢也。」文侯喜曰：「可反歟？」翟黃對曰：「奚為不可。臣聞忠臣畢其忠，而不敢遠其死。座殆尚在於門。」翟黃往視之，任座在於門，以君令召之。任座入，文侯下階而迎之，終座以為上客。（《呂氏春秋》〈不苟論・自知〉）

好戰窮兵，未有不亡

魏文侯問李克說：「吳國為什麼會滅亡？」李克回答說：「不斷地作戰，不斷地勝利。」文侯說：「不斷作戰，不斷勝利，這應該是國家的福氣，而吳國卻因此滅亡，究竟是什麼道理？」李克說：「不斷作戰，老百姓就會疲憊不堪；不斷勝利，君主就會自以為天下第一。讓自以為天下第一的驕主去統治疲憊不堪的人民，這就是吳國滅亡的原因。」

好戰窮兵，未有不亡

【出處】

魏文侯問李克曰：「吳之所以亡者，何也？」李克對曰：「數戰數勝。」文侯曰：「數戰數勝，國之福也，其所以亡，何也？」李克曰：「數戰則民疲，數勝則主驕。以驕主治疲民，此其所以亡也。」是故好戰窮兵，未有不亡者也。（《新序》〈雜事五〉）

貧賤者驕人

魏文侯十七年，魏國攻滅中山國，派子擊駐守，以趙倉唐為輔佐。子擊在都城遇到了文侯的老師田子方，於是牽開車給田子方讓路，進而下車拜見。田子方卻不還禮。子擊因此問他說：「是富貴的人傲慢呢？還是貧賤的人傲慢？」田子方說：「也就是貧賤的人傲慢吧。諸侯如果傲慢就會失去封國，大夫如果傲慢就會失去家族的封邑，貧賤的人如果行為不相投合，意見不被採納，就離開這裡到楚、越去，就像脫掉草鞋光腳走路一樣，有多大差別呢？」子擊很不高興地離開了。

【出處】

十七年，伐中山，使子擊守之，趙倉唐傅之。子擊逢文侯之師田子方於朝歌，引車避，下謁。田子方不為禮。子擊因問曰：「富貴者驕人乎？且貧賤者驕人乎？」子方曰：「亦貧賤者驕人耳。夫諸侯而驕人則失其國，大夫而驕人則失其家。貧賤者，行不合，言不用，則去之楚、越，若脫躧然，奈何其同之哉。」子擊不懌而去。（《史記》〈魏世家〉）

顛倒衣裳

魏文侯派遣倉唐賞賜太子一套衣服，命倉唐在雞叫時送到。太子迎接來使，跪拜領受賞賜。打開箱子。看見衣服，上衣下裳完全顛倒。太子說：「趕快趁早駕車，君侯要召見我。」倉唐說：「我來的時候沒有接到這祥的命令。太子說：「父王賞賜衣服給我，並不是認為我受凍了，而是想要召見我，又沒有誰和他商量，所以命你在雞叫時趕回來。《詩》上說：『東方天還未亮，倒穿上衣下裳，穿倒了上衣，穿反了下裳，因為主人召喚忙。』於是太子便西去謁見魏文侯。魏文侯大喜，置辦酒宴並宣稱說：「疏遠賢人而親近所愛的人，不是國家長治久安的策略。」於是讓小兒子摯離開都城，封他到中山國，並恢復太子擊的地位。所以說：「想要了解兒子就要看他交的朋友，想要了解君主就要看他所派遣的使者。趙倉唐一出使，就使魏文侯變成慈父，並使擊變成孝子。

【出處】

文侯於是遣倉唐賜太子衣一襲，敕倉唐以雞鳴時至。太子起拜，受賜發篋，視衣盡顛倒。太子曰：「趣早駕，君侯召擊也。」倉唐曰：「臣來時不受命。」太子曰：「君侯賜擊衣，不以為寒也，欲召擊，無誰與謀，故敕子以雞鳴時至，詩曰：『東方未明，顛倒衣裳，顛之倒之，自公召之。』」[1]遂西至謁。文侯大喜，乃置酒而稱曰：「夫遠

1. 「東方未明，顛倒衣裳，顛之倒之，自公召之」，出自《詩經》〈齊風・東方未明〉。

賢而近所愛，非社稷之長策也。」乃出少子摯，封中山，而復太子擊。故曰：「欲知其子，視其友；欲知其君，視其所使。」趙倉唐一使而文侯為慈父，而擊為孝子。（《說苑》〈奉使〉）

臣請浮君

魏文侯在曲陽請大夫們飲酒，飲到興濃時，魏文侯長嘆一聲說：「我唯獨沒有豫讓那樣的人來作我的臣子。」蹇重舉酒上前說：「我請求罰您飲酒。」文侯問：「為什麼？」蹇重回答說：「我聽說這樣的話：長壽的父母不了解什麼是孝子；有道的君王不了解什麼是忠臣。那豫讓的君主又怎麼樣呢？」文侯說：「講得好。」接受罰酒一飲而盡並不推辭，說：「智氏沒有管仲、鮑叔牙這樣的人來做他的臣子，所以才成就豫讓這種人的功名。」

【出處】

魏文侯觴大夫於曲陽，飲酣，文侯喟然嘆曰：「吾獨無豫讓以為臣。」蹇重舉酒進曰：「臣請浮君。」文侯曰：「何以？」對曰：「臣聞之，有命之父母，不知孝子；有道之君，不知忠臣。夫豫讓之君，亦何如哉？」文侯曰：「善！」受浮而飲之，嚼而不讓。曰：「無管仲鮑叔以為臣，故有豫讓之功也。」（《說苑》〈尊賢〉）

御廩之災

魏文侯的府庫發生火災。文侯穿上白色衣服避開正殿五天。群臣都穿上白色衣服前來慰問，只有公子成父一人不來慰問。魏文侯回到正殿，公子成父快步入殿祝賀，說：「君王的府庫遭災，這是大大的好事。」魏文侯變了臉色，不高興地說：「御庫是我收藏寶物的地方。這次發生火災，眾大臣都穿上白衣前來慰問，輪到你卻不來慰問。現在我已在正殿復位，你卻來祝賀，這是為什麼？」公子成父說：「我聽說，天子的收藏在四海之內，諸侯的收藏在國境之內，大夫的收藏在自己的采邑中，士人平民的收藏在箱子匣子中。不是該他收藏的東西，即使沒有天災，也必定有人禍。現在幸好沒有人禍，只有天災，豈不是好事嗎？」魏文侯感慨地說：「講得好。」

【出處】

魏文侯御廩災，文侯素服辟正殿五日，群臣皆素服而弔，公子成父獨不弔。文侯復殿，公子成父趨而入賀，曰：「甚大善矣！夫御廩之災也。」文侯作色不悅，曰：「夫御廩者，寡人寶之所藏也，今火災，寡人素服辟正殿，群臣皆素服而弔；至於子，大夫而不弔。今已復辟矣，猶入賀何為？」公子成父曰：「臣聞之，天子藏於四海之內，諸侯藏於境內，大夫藏於其家，士庶人藏於篋櫝。非其所藏者必有天災，必有人患。今幸無人患，乃有天災，不亦善乎！」文侯喟然嘆曰：「善！」（《說苑》〈反質〉）

前車覆，後車戒

魏文侯與大夫一起飲酒，讓公乘不仁執行酒令，說：「飲酒不盡的人，用大杯罰他。」魏文侯沒有飲盡杯中的酒，公乘不仁舉杯要罰他。魏文侯看著他而不理睬。侍從說：「不仁退下，國君已醉了。」公乘不仁說：「《周書》上說：『前面的車翻了，後面的車要引起警戒。』說的是要防止類似的危險。作臣子的不容易，作國君的也不容易。現在君王已立下酒令，又不執行酒令，這樣行嗎？」魏文侯說：「講得好！」說完舉杯而飲，飲完了酒又說：「讓公乘不仁作上客。」

【出處】

魏文侯與大夫飲酒，使公乘不仁為觴政曰：「飲不釂者浮以大白。」文侯飲而不盡釂，公乘不仁舉曰浮君。君視而不應，侍者曰：「不仁退，君已醉矣。」公乘不仁曰：「周書曰：『前車覆，後車戒。』蓋言其危，為人臣者不易，為君亦不易。今君已設令，令不行，可乎？」君曰：「善。」舉白而飲，飲畢曰：「以公乘不仁為上客。」（《說苑》〈善說〉）

韓趙相難

韓、趙兩國結仇。韓國向魏國借兵，使者說：「希望能借兵討伐趙國。」魏文侯說：「我與趙國國君情同兄弟，不敢從命。」趙國也向魏國借兵進攻韓國，魏文侯說：「我與韓國國君情同手足，恕不從命。」兩個國家都沒有借到軍隊，於是生氣返回。事情過後，兩國才知道魏文侯是在替他們講和，於是都來朝見魏國。

【出處】

韓、趙相難。韓索兵於魏曰：「願得借師以伐趙。」魏文侯曰：「寡人與趙兄弟，不敢從。」趙又索兵以攻韓，文侯曰：「寡人與韓兄弟，不敢從。」二國不得兵，怒而反。已乃知文侯以構與己也，皆朝魏。（《戰國策》〈魏策一〉）

與虞人期獵

魏文侯和管理山澤的虞人約好時間一同打獵。到了那天，魏文侯在宮廷裡喝酒喝得很開心，天又下著大雨。文侯看時間不早了，剛要出去，左右的侍臣說：「君王喝得正高興，天又下雨，要到哪裡去呢？」文侯說：「我跟虞人約好打獵，雖然此刻很開心，怎麼可以不去赴約呢？」於是到了虞人那裡，親自取消了打獵的事。因為文侯信守承諾，魏國從此強盛起來。

【出處】

文侯與虞人期獵。是日，飲酒樂，天雨。文侯將出，左右曰：「今日飲酒樂，天又雨，公將焉之？」文侯曰：「吾與虞人期獵，雖樂，豈可不一會期哉！」乃往，身自罷之。魏於是乎始強。（《戰國策》〈魏策一〉）

反裘而負芻

魏文侯外出遊覽，看見路上有個人反穿著皮裘背柴草，魏文侯說：「為什麼反穿著皮裘背柴草呢？」路人回答說：「我愛惜皮裘上的毛。」魏文侯說：「你不知道如果皮被磨光的話，毛也就無所依附了嗎？」第二年，東陽官府送來上貢的禮單，上交的錢兩增加了十倍。群臣都表示祝賀。魏文侯說：「沒什麼好祝賀的。這同那個反穿皮衣背柴禾的路人有什麼區別呢？沒有皮子，毛就無所依附。現在我的田地沒有擴大，士民沒有增加，而錢兩卻增加了十倍，這一定是從老百姓身上搜刮來的。我聽說如果百姓生活不安定，君王的位置也不會安穩。這不是你們應該祝賀的。」

【出處】

魏文侯出游，見路人反裘而負芻。文侯曰：「胡為反裘而負芻。」對曰：「臣愛其毛。」文侯曰：「若不知其裡盡，而毛無所恃耶？」明年，東陽上計錢布十倍，大夫畢賀。文侯曰：「此非所以賀我也。譬無異夫路人反裘而負芻也，將愛其毛，不知其裡盡，毛無所恃也。今吾田不加廣，士民不加眾，而錢十倍，必取之士大夫也。吾聞之下不安者，上不可居也，此非所以賀我也。」（《新序》〈雜事第二〉）

見季而得四

魏文侯去箕季家，看到他家的院牆壞掉了卻沒有修補，問他說：

「為什麼不修補一下呢？」箕季回答說：「現在不是時候。況且這牆歪斜不正。」魏文侯又問：「怎麼會不正呢？」箕季回答：「原本就是這樣。」隨從想摘他果園裡的桃子，箕季不許。天色將晚，箕季給魏文侯奉上粗茶淡飯。魏文侯從箕季家出來，侍從說：「您從箕季這兒什麼也沒有得到。剛才我看見招待您的都是粗茶淡飯。」魏文侯說：「怎麼會沒有收穫呢？我來他家拜訪一次，就有四點收穫。牆壞了不急著修補，說要等待時機，是告訴我不要侵奪農時；牆歪斜不端正，回答說本來就是這樣，是教我不要隨意改變劃定的封地；不讓隨從摘桃子吃，難道是捨不得嗎？是教我不要以下犯上；以粗茶淡飯招待，難道是寒酸到準備不起豐盛的酒席嗎？他是教我不要過多地苛剝百姓、戒奢從簡啊。」

【出處】

魏文侯見箕季其牆壞而不築，文侯曰：「何為不築？」對曰：「不時，其牆枉而不端。」問曰：「何不端？」曰：「固然。」從者食其園之桃，箕季禁之。少焉日晏，進糲餐之食，瓜瓠之羹。文侯出，其僕曰：「君亦無得於箕季矣。曩者進食，臣竊窺之，糲餐之食，瓜瓠之羹。」文侯曰：「吾何無得於季也？吾一見季而得四焉。其牆壞不築，云待時者，教我無奪農時也。牆枉而不端，對曰固然者，是教我無侵封疆也。從者食園桃，箕季禁之，豈愛桃哉！是教我下無侵上也。食我以糲餐者，季豈不能具五味哉！教我無多斂於百姓，以省飲食之養也。」（《新序》〈刺奢第六〉）

不信之患

李悝警告左右壁壘的軍隊說：「千萬要保持警惕，敵人早晚會來襲擊你們的。」像這樣警告了好多次，敵人卻沒有來。左右壁壘的軍隊都鬆懈下來，不再相信李悝。幾個月之後，遭到秦人來襲擊，幾乎全軍覆沒。這是不講信用的禍害。另一種說法是：李悝和秦人交戰。他對左邊壁壘的軍隊說：「快上！右邊壁壘的軍隊已經上陣了。」又騎馬到右邊壁壘說：「左邊壁壘的軍隊已經上陣了。」兩翼軍隊都說：「上陣吧。」於是爭先恐後地上陣。第二年，又與秦作戰，秦人再來偷襲，一交手，差點兒消滅魏軍。這是不講信用的禍害。

【出處】

李悝警其兩和，曰：「謹警敵人，旦暮且至擊汝。」如是者再三而敵不至，兩和懈怠，不信李悝。居數月，秦人來襲之，至幾奪其軍。此不信患也。一曰：李悝與秦人戰，謂左和曰：「速上！右和已上矣。」又馳而至右和曰：「左和已上矣。」左右和曰：「上矣。」於是皆爭上。其明年，與秦人戰。秦人襲之，至幾奪其軍。此不信之患。（《韓非子》〈外儲說左上〉）

皆疾習射

魏文侯時，李悝擔任上地的郡守。他想要人人學會射箭，就下令說：「以後遇有難斷的是非訴訟，就以射箭來定勝敗。射中的勝訴，射不中的敗訴。」命令下達後，人們都爭先恐後去練習射擊，日夜不停。等到和秦軍打起仗來，遍地都是射手，因而大勝敵人。

【出處】

李悝為魏文侯上地之守，而欲人之善射也，乃下令曰：「人之有狐疑之訟者，令之射的，中之者勝，不中者負。」令下而人皆疾習射，日夜不休。及與秦人戰，大敗之，以人之善戰射也。（《韓非子》〈內儲說上・七術〉）

徒獻空籠

魏文侯派遣舍人毋擇獻天鵝給齊侯。毋擇在半路上丟失了天鵝。只好獻上空籠，對齊侯說：「我的國君派我來敬獻天鵝。在路上天鵝饑渴，我放牠出來飲水餵食，天鵝卻一飛沖天，不再返回。臣並非無錢再買天鵝，但哪有為君主出使卻輕易丟失禮物的呢？臣並非不能拔劍自刎，在荒野拋屍露骨，只怕別人會以為君主看重天鵝而輕賤士人。也並非不敢逃跑到陳、蔡兩國去，又擔心斷絕了兩國往來。所以我不敢愛惜性命逃避死罪，只好來獻上空籠，任憑君主刀砍斧劈。」齊侯十分高興地說：「我今天能得到你這三句話，比得到天鵝強多了。我在都城郊外有土地百里，願意奉送給你作為生活供養的封邑。」毋擇回答說：「哪有為自己君主出使，輕易地丟失了他的禮物，又為私利而接受諸侯土地的呢？」於是走出齊宮，不再返回。

【出處】

魏文侯使舍人毋擇，獻鵠於齊侯。毋擇行道失之。徒獻空籠，見齊侯曰：「寡君使臣毋擇獻鵠，道饑渴，臣出而飲食之，而鵠飛沖天，遂不復反。念思非無錢以買鵠也，惡有為其君使，輕易其弊者乎？念思非不能拔劍刎頭，腐肉暴骨於中野也，為吾君貴鵠而賤士也。念思非敢走陳、蔡之間也，惡絕兩君之使，故不敢愛身逃死，來獻空籠，唯主君斧質之誅。」齊侯大悅曰：「寡人今者得茲言，三賢於鵠遠矣。寡人有都郊地百里，願獻於大夫以為湯沐邑。」毋擇對曰：「惡有為其君使而輕易其弊，而利諸侯之地乎？」遂出不反。（《說苑》〈奉使〉）

國亂則思良相

魏文侯對李克說：「先生曾經教導寡人說：『家貧思良妻，國亂思賢相』。如今我要挑選相國，想從成子和翟璜中選擇一人，您看哪個更為合適呢？」李克略推辭後說：「生活中看他親近的人，富有時看他結交的圈子，顯貴時看他推舉的人才，不得志時看他的操守，貧困時考察他的廉潔。憑這五條就足能決定誰當宰相了！」文侯說：「先生回家吧，我已經決定了。」翟璜向李克打聽說：「聽說君主召見先生選擇相國，有結果了嗎？」李克說：「是魏成子。」翟璜很生氣，面色激動地說：「我哪一點比魏成子差？西河的守將是我推薦的。君主鄴郡缺人治理，我推薦了西門豹。君主想攻伐中山，我推薦了樂羊。中山攻取之後，派不出人鎮守，我推薦了先生。君主的兒子沒有師傅，我推薦了屈侯鮒。我哪一點比魏成子差！」李克說：「您向君主推薦我，難道是為了結黨營私謀求大官嗎？君王問我相國人選，我說了五點，後君王有了選擇，因此知道是選魏成子。魏成子有千鍾俸祿，十分之九用以結交天下賢才，十分之一用於家庭，因此從東方聘來了卜子夏、田子方和段干木。君王把這三人都奉為老師，您所推薦的那五個人，只不過是君主的能臣而已。您又怎麼能跟魏成子相比呢？」翟璜尷尬地低下頭，拜謝李克說：「翟璜是個膚淺的人，言語欠妥，我願意終身做您的弟子。」

【出處】

魏文侯謂李克曰：「先生嘗教寡人曰：『家貧則思良妻，國亂則思良相。』今所置非成則璜，二子何如？」李克對曰：「臣聞之，卑不謀尊，疏不謀戚。臣在闕門之外，不敢當命。」文侯曰：「先生臨事勿讓。」李克曰：「君不察故也。居視其所親，富視其所與，達視其所舉，窮視其所不為，貧視其所不取，五者足以定之矣，何待克哉。」文侯曰：「先生就舍，寡人之相定矣。」李克趨而出，過翟璜之家。翟璜曰：「今者聞君召先生而卜相，果誰為之？」李克曰：「魏成子為相矣。」翟璜忿然作色曰：「以耳目之所睹記，臣何負於魏成子。西河之守，臣之所進也。君內以鄴為憂，臣進西門豹。君謀欲伐中山，臣進樂羊。中山以拔，無使守之，臣進先生。君之子無傅，臣進屈侯鮒。臣何以負於魏成子？」李克曰：「且子之言克於子之君者，豈將比周以求大官哉。君問而置相非成則璜，二子何如。克對曰：君不察故也。居視其所親，富視其所與，達視其所舉，窮視其所不為，貧視其所不取，五者足以定之矣，何待克哉。是以知魏成子之為相也。且子安得與魏成子比乎。魏成子以食祿千鍾，什九在外，什一在內，是以東得卜子夏、田子方、段干木。此三人者，君皆師之。子之所進五人者，君皆臣之。子惡得與魏成子比也。」翟璜逡巡再拜曰：「璜，鄙人也，失對，願卒為弟子。」(《史記》〈魏世家〉)

魏王之臣

翟璜是魏王的大臣，私下裡卻和韓國交好。他竟讓韓國軍隊前來攻打魏國，而後又請求替魏王去講和，以此來提高自己的地位。呂倉也是魏王的臣子，但和秦、楚兩國交好。他暗示秦、楚兩國攻魏，以便藉機請求講和來提高自己的地位。

【出處】

翟璜，魏王之臣也，而善於韓。乃召韓兵令之攻魏，因請為魏王構之以自重也。呂倉，魏王之臣也，而善於秦、荊。微諷秦、荊令之攻魏，因請行和以自重也。(《韓非子》〈內儲說下・六微〉)

君子不聽窕言

李兌治理中山，苦陘縣令年終時上報的錢糧收入很多。李兌說：「言語動聽，聽了叫人喜歡，但不符合常理，這叫作不實的言論。沒有山林川澤等自然資源而收入多的，這叫作來路不正的財貨。君子不聽信不實的言論，不接受來路不正的財貨。你暫且被免職了。」

【出處】

李兌治中山，苦陘令上計而入多。李兌曰：「語言辨，聽之說，不度於義，謂之窕言。無山林澤谷之利而入多者，謂之窕貨。君子不聽窕言，不受窕貨。之姑免矣。」（《韓非子》〈難二〉）

文侯欲相

季成是魏文侯的弟弟，翟璜是魏文侯親近的大臣。文侯想從兩人中選擇一人擔任相國，一時拿不定主意，就去請教李克。李克回答說：「君主要確定相國，考察一下樂商和王孫苟端誰更賢能就可以了。」文侯點頭說：「我明白了。」文侯認為王孫苟端不肖，王孫苟端則是翟璜推薦，文侯認為樂商比王孫苟端優秀，賢明，樂商是季成推薦的，於是立決定以季成為相國。

【出處】

魏文侯弟曰季成，友曰翟璜。文侯欲相之，而未能決，以問李克，李克對曰：「君欲置相，則問樂騰（商）與王孫苟端孰賢。」文侯曰：「善」。以王孫苟端為不肖，翟璜進之。以樂騰為賢，季成進之。故相季成。（《呂氏春秋》〈離俗覽・舉難〉）

國其有淫民

魏文侯問李克治國的方法，李克回答說：「我聽說治國的方法是：給勞苦的人飯吃，給有功的人俸祿，任用有才能的人，而且賞賜一定要兌現，處罰一定要適當。」魏文侯說：「我賞罰都適當，但百姓仍不親附，是什麼緣故呢？」李克說：「國內大概有無功受祿的多餘人吧！我聽說：應該剝奪這種人的俸祿，以招徠四方的賢士。這種人的父親因為有功勞而得到俸祿，他們的子女無功卻能享受。這種人外出就乘高車大馬，穿上華美的皮衣，來顯示榮華；回到家中就排練各種樂舞，使他們的子女也安享佚樂，來擾亂鄉里的教化。剝奪這些人的俸祿來招致四方的賢士，這就叫作剝奪無功受祿的多餘人。」

【出處】

魏文侯問李克曰：「為國如何？」對曰：「臣聞為國之道，食有勞而祿有功，使有能而賞必行，罰必當。」文侯曰：「吾賞罰皆當而民不與，何也？」對曰：「國其有淫民乎？臣聞之曰：奪淫民之祿以來四方之士；其父有功而祿，其子無功而食之，出則乘車馬衣美裘以為榮華，入則修竽琴、鐘石之聲而安其子女之樂，以亂鄉曲之教，如此者奪其祿以來四方之士，此之謂奪淫民也。」（《說苑》〈政理〉）

刑罰之源

魏文侯問李克說：「刑罰產生的根源在哪裡？」李克說：「產生於奸邪放縱的行為。大凡邪惡不正的念頭，多由饑寒引起；淫逸放縱的行為，產生於奢侈文飾。雕花鏤文會妨害農事，織錦彩繡會傷害女工；農事受妨害是饑餓的本源；女工受傷害是受凍的原因。饑寒交迫，卻能不做邪惡的事，還沒有過這種情形。男女追求華美競相誇耀卻不會淫逸放蕩，也沒有過這樣的事情。君主不禁止機巧變詐，就會導致國貧民奢。國貧民奢，窮人就會奸詐邪惡，富人就會荒淫放蕩，這等於是驅使百姓去做壞事。百姓做了壞事，於是用法令來處罰他，不赦免他的罪，就等於為百姓設下陷阱啊。刑罰的起始有本源，君主不堵塞本源卻去禁止那些枝節末葉，不正是傷害國家的做法嗎？」魏文侯說：「講得好，可以作為法則。」

【出處】

魏文侯問李克曰：「刑罰之源安生？」李克曰：「生於奸邪淫泆之行。凡奸邪之心，饑寒而起，淫泆者，久饑之詭也；雕文刻鏤，害農事者也；錦繡纂組，傷女工者也。農事害，則饑之本也；女工傷，則寒之源也。饑寒並至而能不為奸邪者，未之有也；男女飾美以相矜而能無淫泆者，未嘗有也。故上不禁技巧，則國貧民侈，國貧窮者為奸邪，而富足者為淫泆，則驅民而為邪也；民以為邪，因之法隨，誅之不赦其罪，則是為民設陷也。刑罰之起有原，人主不塞其本，而替其末，傷國之道乎？」文侯曰：「善。」以為法服也。（《說苑》〈反質〉）

寵之稱功尚薄

田子方從齊國來到魏國，遠遠看見翟璜乘坐尊貴的軒車出行，田子方以為是魏文侯，就把車子趕到一旁迴避。車到跟前，才發現是翟璜。田子方問他說：「您怎麼乘坐這麼尊貴的車子？」翟璜說：「君主計劃攻打中山，我推薦了翟角，使他的計劃得以實施；將要攻打中山，我推薦樂羊，結果中山被攻取；得到中山後，魏君憂慮如何治理，我推薦了李克，結果中山得以治理。因此君主把這輛車子賞賜給我。」田子方說：「你得到的寵愛和功勞相比，還是薄了一些。」

【出處】

田子方從齊之魏，望翟璜乘軒騎駕出，方以為文侯也，移車異路避之，則徒翟璜也。方問曰：「子奚乘是車也？」曰：「君謀欲伐中山，臣薦翟角而謀果；且伐之，臣薦樂羊而中山拔；得中山，憂欲治之，臣薦李克而中山治；是以君賜此車。」方曰：「寵之稱功尚薄。」（《韓非子》〈外儲說左下〉）

寡人受令

魏文侯與田子方交談，有兩個少年侍立在魏文侯身邊。田子方問說：「這是君王寵愛的兒子嗎？」魏文侯說：「不是，他們的父親在戰鬥中死亡，這是戰將的孤兒，我收養了他們。」田子方說：「我以為君王害人之心已經滿足，現在卻滋長得更厲害了。君王寵愛這兩個孤兒，又想讓他們去把誰的父親殺死呢？」魏文侯憂傷地說：「我接受你的教誨了。」從這以後，就不再發起戰爭。

【出處】

魏文侯與田子方語，有兩僮子衣青白衣，而侍於君前，子方曰：「此君之寵子乎！」文侯曰：「非也，其父死於戰，此其幼孤也，寡人收之。」子方曰：「臣以君之賊心為足矣，今滋甚，君之寵此子也，又且以誰之父殺之乎？」文侯愍然曰：「寡人受令矣。」自是以後，兵革不用。(《說苑》〈復恩〉)

田子方獨不起

田子方在魏文侯身傍陪坐，太子擊入殿拜見魏文侯。賓客和群臣除了田子方都趕忙起身。魏文侯露出不高興的神色，太子擊也一樣。田子方大聲說：「想為太子起身，無奈不合禮節；不為太子起身，無奈又將得罪。請讓我為您述說一件事：楚恭王做太子時，準備外出到雲夢去，在路上遇見大夫工尹，工尹急忙迴避到一戶人家的門內。楚太子下了車，跟他進入這戶人家的門中，說：『您是大夫，為什麼要像這樣呢？我聽說，尊敬某人的父親不用同時尊敬他的兒子。同時尊敬他的兒子，沒有什麼比這更不吉祥。您是大夫，為什麼要這樣做呢？』工尹說：『過去我只望見您的外表，從今天起我才了解您的胸懷，事情確實如此。』」魏文侯說：「講得好！」太子擊上前複述了楚恭王說過的話，接連朗誦三遍後請求跟從田子方學習。

【出處】

田子方侍魏文侯坐，太子擊趨而入見，賓客群臣皆起，田子方獨不起，文侯有不說之色，太子亦然，田子方稱曰：「為子起歟？無如禮何！不為子起歟？無如罪何！請為子誦楚恭王之為太子也，將出之雲夢，遇大夫工尹，工尹遂趨避家人之門中，太子下車從之家人之門中曰：『子大夫何為其若是？吾聞之，敬其父者不兼其子，兼其子者不祥莫大焉，子大夫何為其若是？』工尹曰：『向吾望見子之面，今而後記子之心，審如此，汝將何之？』」文侯曰：「善。」太子擊前誦恭王之言，誦三遍而請習之。(《說苑》〈敬慎〉)

弋者何慎

田子方問唐易鞠說：「射飛禽的人要注意什麼？」唐易鞠回答說；「鳥用幾百隻眼睛看著你，你只用兩隻眼睛提防它們，你要謹慎地藏好你的穀倉。」田子方說：「好。你把這個道理用在射鳥上，我把這個道理用在治國上。」鄭長者聽到這件事後說：「田子方知道要隱蔽穀倉，卻不知道營造穀倉的辦法。那虛靜無為、不顯露自己的辦法，才是隱蔽穀倉最好的掩體啊。」

【出處】

田子方問唐易鞠曰：「弋者何慎？」對曰：「鳥以數百目視子，子以二目御之，子謹周子廩。」田子方曰：「善。子加之弋，我加之國。」鄭長者聞之曰：「田子方知欲為廩，而未得所以為廩。夫虛無無見者，廩也。」(《韓非子》〈外儲說右上〉)

行於內，然後施於外

田子顏從大術來到平陵城下，看見年輕人就問候他們的父母，看見年長者就問候他們的兒女。田子方說：「他也許要憑藉平陵造反吧？我聽說內心有了想法，然後才會表現出來，田子顏想役使當地民眾的企圖太明顯了。」不久田子顏果然憑藉平陵反叛齊國。

【出處】

田子顏自大術至乎平陵城下，見人子問其父，見人父問其子。田子方曰：「其以平陵反乎？吾聞行於內，然後施於外。外顏欲使其眾甚矣。」後果以平陵叛。（《說苑》〈權謀〉）

國有仁人

公季成對魏文侯說：「田子方固然享有賢名，但也並非什麼封土之君，主公卻總是跟他平起平坐。如果有比田子方更有賢名的人，主公又用什麼禮數來敬奉呢？」文侯說：「像田子方這種人，不是你有資格議論的。子方是仁者，仁者是國家的寶器；智士是國家的棟梁；博古通今的人是國家的尊長。因此，一國有仁者，大臣們就不會明爭暗鬥；國內有智士，四周的諸侯就不敢擅挑事端；朝中有博古通今的長者，國君就會受到尊崇。這不是你有資格議論的事啊。」公季成自慚地退下，離開都城到郊外住了三天，然後向文侯請求處分。

【出處】

公季成謂魏文侯曰：「田子方雖賢人，然而非有土之君也，君常與之齊禮，假有賢於子方者，君又何以加之？」文侯曰：「如子方者，非成所得議也。子方，仁人也。仁人也者，國之寶也；智士也者，國之器也；博通士也者，國之尊也，故國有仁人，則群臣不爭，國有智士，則無四鄰諸侯之患，國有博通之士，則人主尊固，非成之所議也。」公季成自退於郊三日請罪。（《新序》〈雜事第四〉）

貴功之色

魏國攻打中山國，以樂羊為將。樂羊攻下中山國以後，回國向魏文侯報告，頗有居功自傲的神色。文侯察覺到這一點，於是命令主管文書的官吏說：「去把群臣和賓客獻上的書信都拿過來吧。」主管文書的官吏搬著兩箱書信進來給樂羊看。書信都是責難攻打中山國的。樂將軍轉身退後幾步，向北跪拜說：「攻下中山國，不是臣子的力量，是君主您的功勞啊。」樂羊攻打中山國的時候，非議的人很多。假使文侯相信群臣賓客之言，認為攻打中山國不可取，哪裡用得著兩箱書信呢？只需一寸長的信箋就足以讓樂羊前功盡棄。

【出處】

魏攻中山，樂羊將。已得中山，還反報文侯，有貴功之色。文侯知之，命主書曰：「群臣賓客所獻書者，操以進之。」主書舉兩篋以進。令將軍視之，書盡難攻中山之事也。將軍還走，北面再拜曰：

「中山之舉，非臣之力，君之功也。」當此時也，論士殆之日幾矣，中山之不取也，奚宜二篋哉。一寸而亡矣。(《呂氏春秋》〈先識覽・樂成〉)

其誰不食

樂羊率魏國的軍隊攻打中山國。當時他的兒子就在中山國內，中山國國君把他的兒子煮成人肉羹送給他。樂羊坐在軍帳內端著肉羹吃得一乾二淨。魏文侯對睹師贊說：「樂羊為了我的國家，竟吃了自己兒子的肉。」睹師贊回應說：「連自己兒子的肉都能吃，還有誰的肉不敢吃呢？」樂羊攻佔中山國回來後，魏文侯雖然獎賞了他的戰功，卻對他心有疑慮。

【出處】

樂羊為魏將而攻中山。其子在中山，中山之君烹其子而遺之羹，樂羊坐於幕下而啜之，盡一盃。文侯謂睹師贊曰：「樂羊以我之故，食其子之肉。」贊對曰：「其子（之肉尚）食之，其誰不食！」樂羊既罷中山，文侯賞其功而疑其心。(《戰國策》〈魏策一〉)

借道於趙

魏文侯向趙國借路去攻打中山國，趙肅侯打算拒絕。趙刻說：「您錯了。魏攻打中山如果不成功，魏就一定會疲憊。魏國疲憊了，地位就會變低，魏國地位變低了，趙國地位就抬高了。如果魏國攻克中山，也必然不能越過趙國來佔有中山。這樣，用兵的是魏國，而得地的是趙國。您一定得答應借給他道路。答應時顯得很高興，他就會知道您能從中得到好處，結果必將停止軍事行動。您不如借路給他，並表現出借路是出於不得已。」

【出處】

魏文侯借道於趙而攻中山，趙肅侯將不許。趙刻曰：「君過矣。魏攻中山而弗能取，則魏必罷。罷則魏輕，魏輕則趙重。魏拔中山，必不能越趙而有中山也。是用兵者魏也，而得地者趙也。君必許之。許之而大歡，彼將知君利之也，必將輟行。君不如借之道，示以不得已也。」（《韓非子》〈說林上〉）

干木富義

魏文侯路過段干木居住的里巷，手扶車軾表示敬意。駕車的車伕說：「您為什麼要憑軾致敬呢？」文侯說：「這不是段干木住的里巷嗎？段干木是個賢士，我怎麼敢不表示敬意？我聽說，即使拿我的君位與他的身分交換，他也未必同意，我怎麼敢對他驕慢無禮呢？段干木以德行顯耀，我只是地位顯赫；段干木在道義上富有，我只是錢財上富有。」車伕說：「既然如此，您何不聘請他做國相？」於是魏文侯請段干木出任國相，段干木推託不受。於是文侯就賜給他豐厚的俸祿，時常到他家裡請教。國人見了都很高興，相互傳誦說：「我們的國君喜歡正道，因此敬重段干木；我們國君喜歡忠義，因此推崇段干木。」過了沒多久，秦國想出兵攻魏，司馬唐勸諫秦君說：「魏國敬重段干木，天下沒人不知道，恐怕不能對魏國動兵吧？」秦君認為司馬唐說得對，於是放棄攻魏。魏文侯可以說是擅長用兵了。聽說君子用兵，沒看見軍隊出動就已大功告成，說的就是魏文侯這種情況吧。粗人用兵，鼓聲如雷，喊聲動地，塵土衝天，飛箭如雨，戰場上血肉橫飛，無辜百姓屍橫遍野。儘管如此，國家的存亡、君主的生死也依然無法預料。這種用兵顯然與仁義背道而馳。

【出處】

魏文侯過段干木之閭而軾之，其僕曰：「君胡為軾。」曰：「此非段干木之閭歟。段干木蓋賢者也，吾安敢不軾。且吾聞段干木未嘗肯以己易寡人也，吾安敢驕之。段干木光乎德，寡人光乎地。段干木富乎義，寡人富乎財。」其僕曰：「然則君何不相之。」於是君請相之，段干木不肯受。則君乃致祿百萬，而時往館之。於是國人皆喜，相與誦之曰：「吾君好正，段干木之敬。吾君好忠，段干木之隆。」居無幾何，秦興兵欲攻魏，司馬唐諫秦君曰：「段干木賢者也，而魏禮之，天下莫不聞，無乃不可加兵乎。」秦君以為然，乃按兵，輟不敢攻之。魏文侯可謂善用兵矣。嘗聞君子之用兵，莫見其形，其功已成，其此之謂也。野人之用兵也，鼓聲則似雷，號呼則動地，塵氣充天，流矢如雨，扶傷輿死，履腸涉血，無罪之民，其死者量於澤矣，而國之存亡、主之死生猶不可知也。其離仁義亦遠矣。（《呂氏春秋》〈開春論・期賢〉）

賢主之畜人

魏文侯去見段干木，站得累了也不敢休息。回來後接見翟黃，蹲在堂上跟他談話。翟黃頗不高興。文侯說：「段干木，讓他做官他不肯，給他俸祿也不接受；現在你想當官就身居相位，想得俸祿就給你上卿的待遇。你既然接受了我的實惠，又責備我對你不太客氣，這也太苛求了吧。」所以，賢君對待士人，不肯接受官爵俸祿的就加以禮遇。尊敬、禮待士人，重要的是節制欲望。節制欲望，政令就會暢通。文侯可以稱得上禮賢下士了，所以能在南面連堤戰勝楚國，東面長城戰勝齊國並俘虜齊侯，獻給周天子。周天子賞賜了文侯。

【出處】

魏文侯見段干木，立倦而不敢息。反見翟黃，踞於堂而與之言。翟黃不說，文侯曰：「段干木官之則不肯，祿之則不受。今女欲官則相位，欲祿則上卿。即受吾實，又責吾禮，無乃難乎。」故賢主之畜人也，不肯受實者其禮之。禮士莫高乎節欲，欲節則令行矣。文侯可謂好禮士矣。好禮士，故南勝荊於連堤，東勝齊於長城，虜齊侯，獻諸天子，天子賞文侯以上聞。（《呂氏春秋》〈慎大覽・下賢〉）

似之而非

西門豹被任命為鄴縣令，來向魏文侯辭行。魏文侯說：「您去吧，一定能成就您的功業和美名。」西門豹說：「冒昧地問一句，成就功名也有方法嗎？」魏文侯說：「有啊。您到鄴縣先要尋訪城鄉一些老者，從士人中挑選賢良的人拜他們為師，再找一些喜歡挑撥是非、家長里短的人來對比檢驗。事物多似是而非，稗子小的時候像禾苗，黑黃色的牛像老虎，白骨被當作象牙，碔砆與美玉類似，這些都是似是而非，要慎加辨別啊。」

【出處】

西門豹為鄴令，而辭乎魏文侯。文侯曰：「子往矣，必就子之功，而成子之名。」西門豹曰：「敢問就功成名，亦有術乎？」文侯曰：「有之。夫鄉邑老者而先受坐之，士子入，而問其賢良之士而師事之，求其好掩人之美而揚人之丑者而參驗之。夫物多相類而非也，幽莠之幼也似禾，驪牛之黃也似虎，白骨疑象，武夫類玉，此皆似之而非者也。」（《戰國策》〈魏策一〉）

河伯娶婦

魏文侯任命西門豹為鄴縣令。西門豹到了鄴縣，拜會當地有名望的長者，詢問民間的疾苦。長者告訴他說：「鄴縣因為河神娶婦，老百姓被折磨得苦不堪言。」西門豹詳問原因，大夫回答說：「鄴地的三老、廷掾常年向老百姓徵收賦稅，高達數百萬錢，用其中的二三十萬為河神娶婦，剩餘的錢與廟祝、巫婆等瓜分。巫婆四處巡視，見到貧苦人家女兒中長得漂亮的，就說這女孩應該嫁給河神，當即下聘禮帶走。而後為她洗澡沐浴，穿上漂亮的新衣服，讓她獨住一室，齋戒靜養。再替她在河邊蓋起齋居的宮室，掛上大紅的彩帳，讓女孩住進裡面。每天供給豐盛的飯菜。大約十幾天後，大家都來裝點打扮送嫁的床蓆，像真正嫁女一樣。爾後讓女孩坐在床上，放到河中漂行。開始還漂在水面上，漂流幾十里後就沉沒了。那些有漂亮女孩的家庭，因為害怕被巫婆挑中，大多帶著女兒遠遠逃離了。因此城裡住戶越來越少，民眾生活更加貧困。這種情況已經很久了。民間俗話說：『假如不給河神娶婦，河水將淹沒田產，淹死百姓。』」西門豹說：「我明白了。這次為河神娶婦，請三老、巫婆、父老鄉親們都到河邊來送新娘，我也會去送新娘。」大家說：「好吧。」到了那天，西門豹到河邊同大家相會。三老、官吏、豪紳以及鄉間的父老都到了，到現場觀看的百姓也有二三千人。大巫是個老太婆，已經有七十歲了。隨從的女弟子有十幾個，都穿著綢子單衣，站在大巫婆後面。西門豹說：「叫河神的媳婦過來，看看她漂不漂亮。」於是將新娘子從帳子裡扶出來，走到西門豹跟前。西門豹看了看，回頭對三老、廟祝、巫婆及父老們說：「這個女孩不太漂亮，煩勞大巫到河裡報告河神，需要換一個漂亮點的女孩，後天送來。」於是官兵抱起大巫婆投入河裡。過了一會兒，西門豹說：「老巫婆怎麼去了這麼久還不回來？徒弟去催促一下。」又把一個徒弟投進河中。過了一會兒，又說：「這個徒弟去了這麼久也不回來，再派一個人去催促一下！」又把一個徒弟扔進河裡。總共扔了三個徒弟。西門豹說：「巫婆師徒都是女人，辦事不力，煩請三老替我去稟告河神。」又把三老投進河裡。西門豹面對河水恭敬地站著，等了很長時間。長者、官吏和旁觀者都非常害怕。西門豹回頭說：「巫婆、三老都不回來，怎麼辦呢？想再派廷掾和豪紳一人下河催促。」廷掾和豪紳嚇得雙膝跪地，面如死灰，頭磕得鮮血直流。西門豹說：「好吧，那就再等片刻。」過了一小會兒，西門豹說：「廷掾起來吧。看情景河神留客太久了，大家都離開回家吧。」鄴縣的官吏、百姓都很害怕，從此以後，誰也不敢再說為河神娶婦。

【出處】

魏文侯時，西門豹為鄴令。豹往到鄴，會長老，問之民所疾苦。長老曰：「苦為河伯娶婦，以故貧。」豹問其故，對曰：「鄴三老、廷掾常歲賦斂百姓，收取其錢得數百萬，用其二三十萬為河伯娶婦，與祝巫共分其餘錢持歸。當其時，巫行視小家女好者，云是當為河伯婦，即娉取。洗沐之，為治新繒綺縠衣，閒居齋戒；為治齋宮河上，張緹絳帷，女居其中。為具牛酒飯食，十餘日。共粉飾之，如嫁女床蓆，令女居其上，浮之河中。始浮，行數十里乃沒。其人家有好女者，恐大巫祝為河伯取之，以故多持女遠逃亡。以故城中益空無人，又困貧，所從來久遠矣。民人俗語曰『即不為河伯娶婦，水來漂沒，溺其人民』云。」西門豹曰：「至為河伯娶婦時，願三老、巫祝、父老送女河上，幸來告語之，吾亦往送女。」皆曰：「諾。」至其時，西門豹往會之河上。三老、官屬、豪長者、里父老皆會，以人民往觀之者三二千人。其巫，老女子也，已年七十。從弟子女十人所，皆衣繒單衣，立大巫後。西門豹曰：「呼河伯婦來，視其好醜。」即將女出帷中，來至前。豹視之，顧謂三老、巫祝、父老曰：「是女子不好，煩大巫嫗為入報河伯，得更求好女，後日送之。」即使吏卒共抱大巫嫗投之河中。有頃，曰：「巫嫗何久也？弟子趣之！」復以弟子一人投河中。有頃，曰：「弟子何久也？復使一人趣之！」復投一弟子河中。凡投三弟子。西門豹曰：「巫嫗弟子是女子也，不能白事，煩三老為入白之。」復投三老河中。西門豹簪筆磬折，鄉河立待良久。長老、吏傍觀者皆驚恐。西門豹顧曰：「巫嫗、三老不來還，奈之何？」欲復使廷掾與豪長者一人入趣之。皆叩頭，叩頭且破，額血流地，色如死灰。西門豹曰：「諾，且留待之須臾。」須臾，豹曰：「廷掾起矣。狀河伯留客之久，若皆罷去歸矣。」鄴吏民大驚恐，從是以後，不敢復言為河伯娶婦。（《史記》〈滑稽列傳〉）

佯亡其車轄

西門豹做鄴縣令的時候，假裝丟失了車軸頭上的鐵銷，命令官吏們去尋找，結果沒能找到。再派專人去尋找，結果在居民的房間裡找到了。

【出處】

西門豹為鄴令，佯亡其車轄，令吏求之不能得，使人求之而得之家人屋間。（《韓非子》〈內儲說上・七術〉）

澤流後世

懲治河伯娶婦的陋習之後，西門豹就徵發百姓開鑿了十二條渠道，引漳河水澆灌農田。剛開鑿河渠時，老百姓認為開渠辛苦，頗有怨言。西門豹說：「老百姓都樂於坐享其成，不會去考慮長遠。百年以後，鄴縣的子孫們將會贊同今天的選擇。」直到今天，當地的百姓一直得益於河渠的灌溉。漢朝時，當地官吏認為十二條河渠上的橋梁截斷了御道，彼此相距又近，想要合併渠水，把流經御道的三條渠水合為一條，這樣就只要架設一座橋。鄴地的百姓都表示反對，認為渠道是經西門先生規劃開鑿的，賢良長官的法度規範不能更改。地方長官最終放棄了並渠計劃。西門豹把鄴縣縣令做到名聞天下，千古流芳，也算是前無古人了。

【出處】

西門豹即發民鑿十二渠，引河水灌民田，田皆溉。當其時，民治渠少煩苦，不欲也。豹曰：「民可以樂成，不可與慮始。今父老子弟雖患苦我，然百歲後期令父老子孫思我言。」至今皆得水利，民人以給足富。十二渠經絕馳道，到漢之立，而長吏以為十二渠橋絕馳道，相比近，不可。欲合渠水，且至馳道合三渠為一橋。鄴民人父老不肯聽長吏，以為西門君所為也，賢君之法式不可更也。長吏終聽置之。故西門豹為鄴令，名聞天下，澤流後世，無絕已時，幾可謂非賢大夫哉！（《史記》〈滑稽列傳〉）

為左右治鄴

西門豹做鄴地的縣令，克己奉公，清廉正直，絲毫不謀私利，但卻很怠慢君主身邊的侍臣。近侍們因此勾結起來中傷他。過了一年，西門豹去上繳賦稅，匯報政績，魏文侯收回了他的官印。西門豹請求說：「我過去不知道治理鄴地的方法，現在我懂了，希望發還官印。

如果仍然治理不好，願受重刑處死。」文侯不忍拒絕，又把官印交給他。西門豹於是加重搜刮民財，極力侍奉君主近侍。過了一年，西門豹再去上繳賦稅，匯報政績，文侯親自迎接，十分禮待。西門豹回答說：「往年我為您治理鄴地，而您要收回我的官印；現在我為您的近侍治理鄴地，您反而要禮拜我。我無法治理鄴地了。」於是交還官印離去。文侯沒有接受官印，說：「我過去不了解您，現在了解了。希望您盡力為我治理鄴地。」文侯終於沒有接受西門豹的辭呈。應當禁止的，反而使其得利，對於有利的，反而加以禁止，即便是神，也不能辦好事情；該懲罰的，反而加以稱讚，該獎賞的，反而加以詆毀，即便是堯也不能治理好國家。從西門豹請求治理鄴地這件事，就足以明白這個道理。

【出處】

西門豹為鄴令，清克潔欲，秋毫之端無私利也，而甚簡左右。左右因相與比周而惡之。居期年，上計，君收其璽。豹自請曰：「臣昔者不知所以治鄴，今臣得矣，願請璽復以治鄴。不當，請伏斧鑕之罪。」文侯不忍而復與之。豹因重斂百姓，急事左右。期年，上計，文侯迎而拜之。豹對曰：「往年臣為君治鄴，而君奪臣璽；今臣為左右治鄴，而君拜臣。臣不能治矣。」遂納璽而去。文侯不受，曰：「寡人曩不知子，今知矣。願子勉為寡人治之。」遂不受。利所禁，禁所利，雖神不行。譽所罪，毀所賞，雖堯不治。夫為門而不使入委利而不使進，亂之所以產也。齊侯不聽左右，魏主不聽譽者，而明察群臣，則鉅不費金錢，孱不用璧。西門豹請復治鄴，足以知之。（《韓非子》〈外儲說左下〉）

在德不在險

魏文侯死後，吳起侍奉他的兒子魏武侯。武侯乘船沿黃河順流而下，船在中間航行，武侯眺望遠山，對吳起感嘆說：「山川如此壯美險要，真是魏國的瑰寶啊！」吳起回答說：「國家的安穩，在於施行德政，而不在於地理山川的險要。從前三苗氏左臨洞庭湖，右瀕彭蠡澤，因為不行德政，不講信義，所以為夏禹所滅。夏桀的領土，左臨黃河、濟水，右靠泰山、華山，伊闕山在南，羊腸阪在北，因為他不施行德政，結果為商湯放逐。殷紂的領土，左有孟門山，右有太行山，常山在北，黃河在南，同樣是因為不行德政，最終為武王所殺。由此看來，國家安穩的根本就在於施行德政，而不在地理形勢的險要。如果您不注重品德修行，這船上的人都可能成為您的仇敵啊！」武侯回答說：「講得好。」

【出處】

魏文侯既卒，起事其子武侯。武侯浮西河而下，中流，顧而謂吳起曰：「美哉乎山河之固，此魏國之寶也！」起對曰：「在德不在險。昔三苗氏左洞庭，右彭蠡，德義不修，禹滅之。夏桀之居，左河濟，右泰華，伊闕在其南，羊腸在其北，修政不仁，湯放之。殷紂之國，左孟門，右太行，常山在其北，大河經其南，修政不德，武王殺之。由此觀之，在德不在險。若君不修德，舟中之人盡為敵國也。」武侯曰：「善。」（《史記》〈孫子吳起列傳〉）

國君必慎始

魏武侯問吳起國君即位第一年稱作「元年」是什麼意思，吳起說：「元年，講的就是國君一開始就必須行事謹慎。」魏武侯問：「如何行事謹慎呢？」吳起說：「君主必須端正自身。」魏武侯又問：「君主應當怎樣端正自身？」吳起說：「要明智。也就是說要廣採博聞並從中選擇，從而使自己心智聰明。古時候的國君一開始處理政務，大夫如有進言，士人如有請見，百姓如有請求，都一定滿足他們。公族有人來請安問候，也一定接見；四方來投奔的人都不拒絕，這可以就不會壅塞言路，受人矇蔽。分賞爵祿必須周到，施用刑罰一定要恰當，君王的心地一定要仁慈，常想著百姓的利益，解除百姓的禍害，這樣就不會失去民眾。君王自身必須正派，親近的大臣一定要經過挑選。大夫不能兼任其他官職，掌管理百姓的權利不能集中在一家一姓，這樣就不會失去權勢。這些都是《春秋》的旨意，也是國君即位第一年的根本大事。」

【出處】

魏武侯問元年於吳子，吳子對曰：「言國君必慎始也。」「慎始奈何？」曰：「正之。」「正之奈何？」曰：「明智，智不明，何以見正，多聞而擇焉，所以明智也。是故古者君始聽治，大夫而一言，士而一見，庶人有謁必達，公族請問必語，四方至者勿距，可謂不壅蔽矣；分祿必及，用刑必中，君心必仁，思君之利，除民之害，可謂不失民眾矣；君身必正，近臣必選，大夫不兼官，執民柄者不在一族，可謂不權勢矣。此皆春秋之意，而元年之本也。」（《說苑》〈建本〉）

與子論功

吳起擔任西河郡守，因政績斐然，聲望日顯。魏國設置相位，任命田文為國相。吳起頗為不服，對田文說：「讓我跟您比比功勞，可以嗎？」田文說：「好啊。」吳起說：「統率三軍，讓士兵樂意為國死戰，敵國不敢圖謀魏國，我倆誰強？」田文說：「我不如您。」吳起又說：「管理文武百官，讓百姓親附，府庫充實，我倆誰強？」田文說：「我不如您。」吳起再說：「拒守西河而使秦軍不敢東進，韓國、趙國歸服，我倆誰強？」田文說：「我不如您。」吳起說：「這三個方面我都比您強，您的職位卻在我之上，這是為什麼？」田文說：「國君年紀尚幼，國人疑慮不安，大臣人心未附，百姓缺乏信任。當此之時，是該把政事託付給您呢？還是該託付給我？」吳起沉默了好一會兒，然後點頭說：「應該託付給您。」田文笑著說：「這就是我的職位比您高的原因啊。」吳起這才明白自己不如田文。

【出處】

吳起為西河守，甚有聲名。魏置相，相田文。吳起不悅，謂田文曰：「請與子論功，可乎？」田文曰：「可。」起曰：「將三軍，使士卒樂死，敵國不敢謀，子孰與起？」文曰：「不如子。」起曰：「治百官，親萬民，實府庫，子孰與起？」文曰：「不如子。」起曰：「守西河而秦兵不敢東鄉，韓趙賓從，子孰與起？」文曰：「不如子。」起曰：「此三者，子皆出吾下，而位加吾上，何也？」文曰：「主少國疑，大臣未附，百姓不信，方是之時，屬之於子乎？屬之於我

乎？」起默然良久，曰：「屬之子矣。」文曰：「此乃吾所以居子之上也。」吳起乃自知弗如田文。（《史記》〈孫子吳起列傳〉）

先和而造大事

吳起對魏武侯說：「謀求治理國家的君主，必須先教育百姓，親近萬民。在四種不協調的情況下，不宜行動：國內意志不統一，不可以出兵；軍隊內部不團結，不可以上陣；臨戰陣勢不整齊，不可以開戰，戰士行動不協調，不可能取得勝利。因此，英明的君主發動戰爭之前，必須先得到民眾的支持。雖然如此，他還不敢自信謀劃的正確，必須祭告祖廟，占卜凶吉，參看天時，得到吉兆後再行動。讓民眾知道國君愛護他們的生命，憐惜他們的死亡。然後再率領他們去打仗，他們就會以盡力效死為榮，以後退偷生為恥。」

【出處】

昔之圖國家者，必先教百姓而親萬民。有四不和：不和於國，不可以出軍；不和於軍，不可以出陣；不和於陣，不可以進戰；不和於戰，不可以決勝。是以有道之主，將用其民，先和而造大事。不敢信其私謀，必告於祖廟，啟於元龜，參之天時，吉乃後舉。民知君之愛其命，惜其死，若此之至，而與之臨難，則士以盡死為榮，退生為辱矣。（《吳子》〈圖國〉）

立見且可

武侯對吳起說：「我很想知道能使陣必定、守必固、戰必勝的方法。」吳起回答說：「立即看到成效都可以，豈只是知道而已！您能將有才德的人加以重用，沒有才德的人不予重用，陣地就穩定了。民眾安居樂業，親敬官吏，守備就鞏固了。百姓都擁護自己的國君，反對敵國，開戰一定獲勝。」

【出處】

武侯問曰：「願聞陣必定、守必固、戰必勝之道。」起對曰：「立見且可，豈直聞乎！君能使賢者居上，不肖者處下，則陣已定矣；民安其田宅，親其有司，則守已固矣。百姓皆是吾君而非鄰國，則戰已勝矣。」（《吳子》〈圖國〉）

舉有功而進饗

武侯問道：「賞罰嚴明就一定能打勝仗嗎？」吳起說：「賞罰嚴明雖然很重要，但不能完全依靠它。發號施令，人們樂於聽從；出兵打仗，人們樂於參戰；衝鋒陷陣，人們樂於效死。這三點，才是君主應該依賴的。」又問：「怎樣才能做到呢？」吳起回答說：「您選拔有功人員，舉行盛大的宴會款待他們，這對無功的人也是一種勉勵。」於是武侯在祖廟設席，分三排座位宴請士大夫。立上等功的坐前排，用上等酒席和珍貴餐具，豬、牛、羊三牲俱全。二等功的坐中排，酒席、餐具較為差些。沒有功的坐後排，只有酒席，沒有貴重餐具。宴後，又在廟門外賞賜有功人員的父母妻子，也按功勞大小分差排列。對於死難將士的家屬，則每年派人慰問、賞賜他們的父母，表示心裡沒有忘記他們。這個辦法實行了三年之後，秦國出兵到達魏國的西河邊境，魏國的士卒聽到消息，不待官吏命令，自動穿戴盔甲奮勇抗敵的數以萬計。於是武侯召見吳起說：「您以前教我的辦法，現在見到成效了。」

【出處】

武侯問曰：「嚴刑明賞，足以勝乎？」起對曰：「嚴明之事，臣不能悉。雖然，非所恃也。夫發號布令而人樂聞，興師動眾而人樂戰，交兵接刃而人樂死。此三者，人主之所恃也。」武侯曰：「致之奈何？」對曰：「君舉有功而進饗之，無功而勵之。」於是武侯設坐廟廷，為三行，饗士大夫。上功坐前行，肴席兼重器、上牢；次功坐中行，肴席器差減；無功坐後行，肴席無重器。饗畢而出，又頒賜有功者父母妻子於廟門外，亦以功為差。有死事之家，歲遣使者勞賜其父母，著不忘於心。行之三年，秦人興師，臨於西河。魏士聞之，不待吏令，介胄而奮擊之者以萬數。武侯召吳起而謂曰：「子前日之教行矣。」（《吳子》〈勵士〉）

群臣莫能逮

一次，魏武侯與群臣議事，想出一個好主意，群臣無人能及。退朝時，魏武侯面有喜色。吳起進言說：「今天有人跟您提楚莊王說過的話嗎？」魏武侯問：「沒有，莊王說什麼話？」吳起說：「楚莊王謀事得當，群臣無人能及，退朝時卻面有憂色。大臣申公巫臣問他說：『王上為何面帶憂色？』楚王答說：『我聽人說，諸侯能以大臣為師的可以稱王；能以大臣為友的可以稱霸；如果大臣的才能不如諸侯，國家就會滅亡。現在憑我這點能耐，在朝上議事，群臣竟然比不上我了，我們國家大概要滅亡了吧，所以我深表憂慮。』同一件事，楚莊王深以為憂，大王卻喜形於色，為什麼呢？」魏武侯尷尬地笑笑，一連兩遍向吳起道歉說：「是上天讓先生指出寡人的過錯，是上天讓先生指出寡人的過錯啊！」

【出處】

昔者，魏武侯謀事而當，群臣莫能逮，朝退而有喜色。吳起進曰：「今者有以楚莊王之語聞者乎？」武侯曰：「未也，莊王之語奈何？」吳起曰：「楚莊王謀事而當，群臣莫能逮，朝退而有憂色。申公巫臣進曰：『君朝有憂色，何也？』楚王曰：『吾聞之，諸侯自擇師者王，自擇友者霸，足己而群臣莫之若者亡。今以不穀之不肖而議於朝，且群臣莫能逮，吾國其幾於亡矣，是以有憂色也。』莊王之所以憂，而君獨有喜色，何也？」武侯逡巡而謝曰：「天使夫子振寡人之過也，天使夫子振寡人之過也。」（《新序》〈雜事第一〉）

自吮其膿

吳起擔任魏軍將領攻打中山國。有個士兵患了毒瘡，吳起跪著親自為他吸出膿血。這個士兵的母親知道後哭了起來，有人問說：「將軍如此對待你的兒子，有什麼好哭的呢？」母親回答說：「吳起吸他父親的傷口，他父親奮戰而死；現在這孩子又會奮戰而死了，我是為此哭泣啊！」

【出處】

吳起為魏將而攻中山，軍人有病疽者，吳起跪而自吮其膿，傷者之母立泣，人問曰：「將軍於若子如是，尚何為而泣？」對曰：「吳起吮其父之創而父死，今是子又將死也，今吾是以泣。」（《韓非子》〈外儲說左上〉）

待公而食

一次吳起出門，碰到老朋友，就留人家一起吃飯。老朋友說：「好吧。馬上回來跟你一起吃飯。」吳起說：「那我等您。」結果老朋友到晚上還沒來，吳起不吃飯一直等他。第二天早上，派人去請老朋友。等老朋友來了，吳起才和他一起吃飯。

【出處】

吳起出，遇故人而止之食，故人曰：「諾，今返而御。」吳子曰：

「待公而食。」故人至暮不來，起不食待之，明日早，令人求故人，故人來方與之食。(《韓非子》〈外儲說左上〉)

賞罰信乎民

吳起治理西河的時候，為了取信於民，天黑前在南門外豎起一根木柱，然後對全城的百姓說：「明天有誰能扳倒南門外的那根木柱，我就任命他為長大夫。」第二天一整天都沒人響應。老百姓紛紛議論說：「這事不可能是真的。」有個人說：「我去試試，最多得不到獎賞罷了，有什麼妨礙呢？」於是去扳倒了木柱，而後往見吳起。吳起親自出門迎接，任命他為長大夫。當晚，吳起讓人在南門外又豎起一根木柱。並對全城百姓傳達了同樣的指令。全城的百姓都爭著去扳這根木柱。木柱埋得比前一次深很多，沒有人得到賞賜。但從此老百姓相信了吳起的賞罰。一旦取信於民，成功也就指日可待了。

【出處】

吳起治西河，欲諭其信於民，夜日置表於南門之外，令於邑中曰：「明日有人僨南門之外表者，仕長大夫。」明日日晏矣，莫有僨表者。民相謂曰：「此必不信。」有一人曰：「試往僨表，不得賞而已，何傷。」往僨表，來謁吳起。吳起自見而出，仕之長大夫。夜日又復立表，又令於邑中如前。邑人守門爭表，表加植，不得所賞。自是之後，民信吳起之賞罰。賞罰信乎民，何事而不成，豈獨兵乎。(《呂氏春秋》〈似順論・慎小〉)

先見而泣

吳起治理西河，王錯在魏武侯面前詆毀他，武侯派人把吳起召回。吳起到了岸門，停車回望西河，淚水潸然而下。車伕問他說：「我私下觀察您的心志，把拋棄天下看得就像扔破鞋子一樣。如今離開西河，您卻流淚哭了，這是為什麼呢？」吳起揩淚回答說：「你不知道。如果君主真正信任我，使我盡自己所能，那麼我憑著西河就可以幫助君主成就王業。如今君主聽信讒言，不信任我，離西河被秦國攻取的日子不會太久，魏國將從此走向削弱。」吳起離開魏國去了楚國。不久，西河被秦國吞併。魏國一天天削弱，秦國一天比一天強大。這就是吳起之前哭泣的原因。

【出處】

吳起治西河之外，王錯譖之於魏武侯，武侯使人召之。吳起至於岸門，止車而休，望西河，泣數行而下。其僕謂之曰：「竊觀公之志，視舍天下若舍屣。今去西河而泣，何也？」吳起雪泣而應之曰：「子弗識也。君誠知我，而使我畢能，秦必可亡，而西河可以王。今君聽讒人之議，而不知我，西河之為秦也不久矣，魏國從此削矣。」吳起果去魏入荊，而西河畢入秦。魏日以削，秦日益大。此吳起之所以先見而泣也。（《呂氏春秋》〈恃君覽・觀表〉）

公主賤君

田文死後，公叔痤出任國相，娶了魏國君主的女兒。公叔痤心忌吳起，他的僕人說：「趕走吳起不難。」公叔問說：「有什麼辦法？」僕人回答說：「吳起為人廉潔有操守而好名譽。您先找機會對武侯說：『吳起很有才能，而您的國土太小了，又和強大的秦國接壤，我私下擔心吳起沒有長期留魏的打算。』武侯會問：『那怎麼辦呢？』您就趁機對武侯說：『不如用下嫁公主的辦法試探他，如果吳起有長期留魏之意，一定會答應迎娶公主，如果沒有長留之意，一定會推辭。』您再找個機會請吳起一塊兒回家，故意讓公主發怒當面鄙視您，吳起見公主蔑視您，一定不會娶君主女兒的。」吳起在公叔家裡見到公主蔑視國相，婉言回絕了魏武侯。武侯起了疑心，果然不再信任吳起，吳起怕招來禍患，於是離開魏國到楚國去了。

【出處】

田文既死，公叔為相，尚魏公主，而害吳起。公叔之僕曰：「起易去也。」公叔曰：「奈何？」其僕曰：「吳起為人節廉而自喜名也。君因先與武侯言曰：『夫吳起賢人也，而侯之國小，又與強秦壤界，臣竊恐起之無留心也。』武侯即曰：『奈何？』君因謂武侯曰：『試延以公主，起有留心則必受之。無留心則必辭矣。以此卜之。』君因召吳起而與歸，即令公主怒而輕君。吳起見公主之賤君也，則必辭。」於是吳起見公主之賤魏相，果辭魏武侯。武侯疑之而弗信也。吳起懼得罪，遂去，即之楚。（《史記》〈孫子吳起列傳〉）

二家謀不和

魏惠王元年，子罃和公中緩爭做太子。公孫頎從宋國到趙國，又從趙國到韓國，對韓懿侯說：「魏罃與公中緩爭做太子，您也聽說了這件事吧？如今魏罃得到王錯的支持，擁有上黨，就算半個國家了。趁這個機會除掉他，一定可以打敗魏國，機不可失啊。」懿侯很高興，於是聯手趙成侯一起進攻魏國。雙方在濁澤交戰，魏國大敗，魏君被圍。趙侯對韓侯說：「除掉魏君，讓公中緩即位，割地後我們退兵，對我們有利。」韓侯說：「不能這樣。殺死魏君，人們會指責我們殘暴，割地退兵，人們會指責我們貪婪。不如把魏國分成兩半，魏國一分為二，國力不會強於宋國和衛國，也就永遠不會成為我們的禍患了。」趙侯不聽。韓侯不高興，帶領部分軍隊連夜離去。魏惠王之所以大難不死，國家沒有分裂，就在於韓、趙兩家意見不一，如果意見一致，魏國早就被分裂了。

【出處】

惠王元年，初，武侯卒也，子罃與公中緩爭為太子。公孫頎自宋入趙，自趙入韓，謂韓懿侯曰：「魏罃與公中緩爭為太子，君亦聞之乎。今魏罃得王錯，挾上黨，固半國也。因而除之，破魏必矣，不可失也」懿侯說，乃與趙成侯合軍並兵以伐魏，戰於濁澤，魏氏大敗，魏君圍。趙謂韓曰：「除魏君，立公中緩，割地而退，我且利。」韓曰：「不可。殺魏君，人必曰暴。割地而退，人必曰貪。不如兩分之。魏分為兩，不彊於宋、衛，則我終無魏之患矣。」趙不聽。韓不

說，以其少卒夜去。惠王之所以身不死，國不分者，二家謀不和也。若從一家之謀，則魏必分矣。（《史記》〈魏世家〉）

何可無益

公叔痤率兵出征，同韓國、趙國在澮水北岸交戰，擒獲趙將樂祚。魏惠王很開心，到都城郊外迎接，給予他食祿百萬畝的賞賜。公叔痤拜謝說：「能使士兵抱成一團，勇往直前而不畏懼的，是從前吳起的教化。認真勘察地形地貌，判斷利害早作防備，使三軍士卒進退從容而不迷惑的，是巴寧、爨襄的功勞。在戰前嚴明賞罰，戰後取信於民的，是大王聖明的法度。捕捉戰機進攻敵人，擊鼓進軍不敢懈怠的，那才是臣下。大王不能只是因為臣下擊鼓不懈而賞賜臣下一人啊。」魏惠王說：「好。」於是尋找吳起的後人，賞賜土地二十萬畝，賞賜巴寧、爨襄土地各十萬畝。魏惠王說：「公叔痤真是一個德行高尚的人！替我戰勝了強大的敵人，卻不遺忘賢者的後代，不掩蓋能士的功勞，這樣的人怎能不得到獎賞呢？」於是追加賞賜土地四十萬畝，共計一百四十萬畝。

【出處】

魏公叔痤為魏將，而與韓、趙戰澮北，禽樂祚。魏王說，迎郊，以賞田百萬祿之。公叔痤反走，再拜辭曰：「夫使士卒不崩，直而不倚，撓揀而不辟者，此吳起餘教也，臣不能為也。前脈形地之險阻，決利害之備，使三軍之士不迷惑者，巴寧、爨襄之力也。懸賞罰於前，使民昭然信之於後者，王之明法也。見敵之可也鼓之不敢怠倦者，臣也。王特為臣之右手不倦賞臣，何也？若以臣之有功，臣何力之有乎？」王曰：「善。」於是索吳起之後，賜之田二十萬。巴寧、爨襄田各十萬。王曰：「公叔豈非長者哉！既為寡人勝強敵矣，又不遺賢者之後，不掩能士之跡，公叔何可無益乎？」故又與田四十萬，加之百萬之上，使百四十萬。(《戰國策》〈魏策一〉)

兼此四者

魏惠王魏嬰在范臺宴請各國諸侯。酒興正濃的時候，魏惠王向魯共公敬酒。魯共公乘著酒興，起身離席說：「從前，舜的女兒令儀狄釀酒獻給禹，禹喝了之後覺得味道醇美，後來疏遠儀狄、戒絕美酒，說：『後代一定有因貪飲美酒亡國的。』齊桓公有一天半夜覺得肚子餓，善於烹飪的易牙做好美味可口的菜餚端給他，齊桓公吃飽了，一覺睡到天亮也沒醒，後來說：『後代一定有因貪食美味亡國的。』晉文公得到美女南之威，三天沒上朝理政，於是把南之威打發走了，說：『後代一定有因貪戀美色而亡國的。』楚莊王登上強臺遠望崩山，左邊是長江，右邊是大湖，登臨徘徊，欲仙欲死，於是發誓不再遊山玩水說：『後代一定有因貪戀美景而亡國的。』現在您酒杯裡盛著儀狄釀造的美酒，桌上擺著易牙烹調的佳餚，左有白臺、右有閭須，都是南之威一樣的美女，前有夾林，後有蘭臺，一樣屬強臺之樂。這四樣中佔有一樣，就足以亡國，現在您兼而有之，能不警戒嗎？」魏惠王聽了，連連點頭讚好。

【出處】

梁王魏嬰觴諸侯於范臺。酒酣，請魯君舉觴。魯君興，避席擇言曰：「昔者帝女令儀狄作酒而美，進之禹，禹飲而甘之，遂疏儀狄，絕旨酒，曰：『後世必有以酒亡其國者。』齊桓公夜半不嗛，易牙乃煎敖燔炙，和調五味而進之，桓公食之而飽，至旦不覺，曰：『後世必有以味亡其國者。』晉文公得南之威，三日不聽朝，遂推南之威而遠之，曰：『後世必有以色亡其國者。』楚王登強臺而望崩山，左江而右湖，以臨彷徨，其樂忘死，遂盟強臺而弗登，曰：『後世必有以高臺陂池亡其國者。』今主君之尊，儀狄之酒也；主君之味，易牙之調也；左白臺而右閭須，南威之美也；前夾林而後蘭臺，強臺之樂也。有一於此，足以亡其國。今主君兼此四者，可無戒與！」梁王稱善相屬。（《戰國策》〈魏策二〉）

南轅北轍

魏王準備出兵攻打邯鄲。季梁聽到這件事，從半路折回，一身塵土，髒衣服也來不及換，就趕到宮中拜見魏王說：「今天我回來的時候，在大路上碰見一個人，正趕車往北走。問他去哪兒，他回答說：『到楚國去。』我說：『您到楚國去，幹嘛往北走呢？』他說：『我的馬好。』我說：『馬雖然好，但這不是往楚國去的路啊！』他說：『我帶的路費很多。』我說：『路費再多，但這不是去楚國的方向啊。』他又說：『我的車伕善於趕車。』我說：『這幾樣越好，你離楚國反而越遠了。』如今大王每天都想建立霸業，享譽天下；然而倚仗魏國的強大和軍隊的精良去攻打邯鄲，以拓展土地、贏得尊貴的名分，這樣的行動越多，距離大王的霸業只會越來越遠，這不是和那位想到楚國去卻往北走的人一樣嗎？」

【出處】

魏王欲攻邯鄲，季梁聞之，中道而反，衣焦不申，頭塵不去，往見王曰：「今者臣來，見人於大行。方北面而持其駕，告臣曰：『我欲之楚。』臣曰：『君之楚，將奚為北面？』曰：「吾馬良。』臣曰：『馬雖良，此非楚之路也。』曰：『吾用多。』臣曰：『用雖多，此非楚之路也。』曰：『吾御者善。』此數者愈善，而離楚愈遠耳！」今王動欲成霸王，舉欲信於天下。恃王國之大，兵之精銳，而攻邯鄲，以廣地尊名，王之動愈數，而離王愈遠耳。猶至楚而北行也。」（《戰國策》〈魏策四〉）

貪爭之心

魏惠王對惠子說：「前代享有國家的，都是賢德的人。如今我的能力比先生差，希望能把國家傳給您。」惠子謝絕了。魏王再次懇請說：「假如我不坐在國君的位置上而把它讓給賢德的人，人們就不會再有貪婪爭奪的想法了。希望先生遵從我的意見。」惠子搖頭說：「如果按您說的，那我就更不能遵從您的意見了。您本來是大國君主，把國家讓給別人尚且可以制止人們的貪婪爭奪；如今我只是一介平民，可以享有大國卻謝絕了，豈不更能制止人們貪婪爭奪的想法？」

【出處】

魏惠王謂惠子曰：「上世之有國，必賢者也。今寡人實不若先生，願得傳國。」惠子辭。王又固請曰：「寡人莫有之國於此者也，而傳之賢者，民之貪爭之心止矣。欲先生之以此聽寡人也。」惠子曰：「若王之言，則施不可而聽矣。王固萬乘之主也，以國與人猶尚可。今施，布衣也，可以有萬乘之國而辭之，此其止貪爭之心愈甚也。」（《呂氏春秋》〈審應覽・不屈〉）

善而不可行

惠子為魏惠王制定法令。法令制定好了，拿來給人們看，人們都認為很好。獻給惠王，惠王也認為很好，再拿給翟翦看，翟翦點頭說：「好啊！」惠王說：「可以實行嗎？」翟翦搖頭說：「不能。」惠王說：「很好卻不能付諸實施，為什麼？」翟翦回答說：「如今抬大木頭的，前面的唱號子，後面跟著應和，這號子對於抬大木頭來說是很好了。但也有鄭、衛兩國人民喜愛的音樂可唱啊！然而那不適宜於抬大木頭。治理國家也像抬大木頭一樣，必須有適宜的法令啊。」

【出處】

惠子為魏惠王為法。為法已成，以示諸民人，民人皆善之。獻之惠王，惠王善之，以示翟翦，翟翦曰：「善也。」惠王曰：「可行邪？」翟翦曰：「不可。」惠王曰：「善而不可行，何故？」翟翦對曰：「今舉大木者，前呼輿謣，後亦應之，此其於舉大木者善矣。豈

無鄭、衛之音哉。然不若此其宜也。夫國亦木之大者也。」(《呂氏春秋》〈審應覽・淫辭〉)

慈者不忍，惠者好與

魏惠王問卜皮說：「你在外聽到我的聲望如何？」卜皮回答說：「聽說大王非常慈惠。」惠王欣喜地說：「這會有什麼功效呢？」卜皮回答說：「不會有好下場。」惠王說：「對人慈惠是好事，怎麼會沒有好下場呢？」卜皮回答說：「仁慈的人不狠心，行惠的人喜歡施捨。不狠心就不會懲罰有過錯的人，喜歡施捨，不等臣下立功就會加賞。有過錯不懲治，沒功勞受賞賜，怎麼會有好下場呢？」

【出處】

魏惠王謂卜皮曰：「子聞寡人之聲聞亦何如焉？」對曰：「臣聞王之慈惠也。」王欣然喜曰：「然則功且安至？」對曰：「王之功至於亡。」王曰：「慈惠，行善也。行之而亡，何也？」卜皮對曰：「夫慈者不忍，而惠者好與也。不忍則不誅有過，好予則不待有功而賞。有過不罪，無功受賞，雖亡，不亦可乎？」(《韓非子》〈內儲說上・七術〉)

以知陰情

卜皮做縣令，他的御史行為下流骯髒，有一個寵妾，卜皮就安排了一個年輕的家臣假裝喜歡她，靠這種辦法來刺探御史的隱私。

慈者不忍，惠者好與

【出處】

卜皮為縣令，其御史污穢而有愛妾，卜皮乃使少庶子佯愛之，以知御史陰情。（《韓非子》〈內儲說上・七術〉）

陳子說梁王

陳子遊說梁王，梁王雖然高興，但也有所懷疑，便問他說：「你為什麼要離開齊侯的國家，來這裡教誨小國的國君呢？」陳子說：「好事有一定的規律，遇合也有一定的時機。從前傳說穿短衣扎草繩，修築秕傅的城牆，武丁夜裡做夢，第二天早上便得到他，成為當時的賢王；寧戚餵牛，在大路上敲著車輪高唱《碩鼠》之歌，遇見齊桓公，齊桓公得到他，成為當時的霸主；百里奚以五張羊皮作價出賣自己，作秦國的奴隸，秦穆公得到他，使秦國成為當時的強國。以這三個人的德行，還不能成為孔子的優秀弟子。那孔子周旋於列國，在陳、蔡兩國陷入斷糧的困境，北上謁求齊景公也多次受到冷遇。這是由於孔子的學說在他的時代行不通，景公對他的學說已不感興趣。憑著孔子的聖明還不能在當時說服齊景公去掉怠慢的態度，我在各國又能怎麼樣呢？」

【出處】

陳子說梁王，梁王說而疑之曰：「子何為去陳侯之國而教小國之孤於此乎？」陳子曰：「夫善亦有道，而遇亦有時，昔傅說衣褐帶劍，而築於秕傅之城，武丁夕夢，旦得之，時王也；寧戚飯牛，康衢擊車輻而歌，顧見桓公得之，時霸也；百里奚自賣五羊之皮，為秦人虜，穆公得之，時強也。論若三子之行，未得為孔子駿徒也。今孔子經營天下，南有陳蔡之阨，而北干景公，二坐而五立，未嘗離也。孔子之時不行，而景公之時怠也。以孔子之聖，不能以時行，說之怠，亦獨能如之何乎？」（《說苑》〈善說〉）

將照千里

齊威王、魏惠王在效野約會狩獵。魏惠王問：「齊國也有什麼寶貝嗎？」齊威王便說：「沒有。」魏惠王說：「我的國家雖小，尚有十顆直徑一寸以上、可以照亮十二乘車子的大珍珠。以齊國之大，怎麼會沒有寶貝？」齊威王說：「我對寶貝的看法和你可不一樣。我的大臣中有位檀子，派他鎮守南城，楚國不敢來犯，泗水流域的十二個諸侯國都來朝賀。我的大臣中還有位盼子，使他守高唐，趙國人不敢向東到黃河邊打漁。我的官吏中有位黔夫，令他守徐州，燕國人在北門、趙國人在西門禮拜求福，相隨來投奔的多達七千餘家。我的大臣中有位種首，讓他防備盜賊，便出現路不拾遺的太平景象。這四位大臣，光照千里，豈止是十二乘車子呢！」魏惠王聽了，面色十分慚愧。

【出處】

齊威王、魏惠王會田於郊。惠王曰：「齊亦有寶乎？」威王曰：「無有。」惠王曰：「寡人國雖小，尚有徑寸之珠，照車前後各十二乘者十枚。豈以齊大國而無寶乎？」威王曰：「寡人之所以為寶者與王異。吾臣有檀子者，使守南城，則楚人不敢為寇，泗上十二諸侯皆來朝；吾臣有盼子者，使守高唐，則趙人不敢東漁於河；吾吏有黔夫者，使守徐州，則燕人祭北門，趙人祭西門，徙而從者七千餘家；吾臣有種首者，使備盜賊，則道不拾遺。此四臣者，將照千里，豈特十二乘哉！」惠王有慚色。(《資治通鑑》〈周紀二〉)

魏國之大寶

經侯拜訪魏太子，左邊佩帶玉飾寶劍，右邊掛著玉環玉珠，顯得珠光寶氣。坐了好一會兒，魏太子既不看他，也不問他。經侯問說：「魏國也有寶物嗎？」太子說：「有啊。」經侯問：「寶物是什麼？」太子說：「君主誠信，臣子忠實，百姓擁戴君主，這就是魏國的寶物。」經侯說：「我問的寶物，不是您說的這些，是指器物。」太子說：「魏國有徒師沼治理，市場上就沒人干涉商人做買賣。郤辛治理陽邑，百姓就道不拾遺。芒卯在朝，四周鄰國的賢士沒有不互相薦舉引見的。這三位大夫就是魏國的大寶。」經侯默不作聲，解下身上的珠玉丟棄在座位上，面有愧色地站起來，不向太子告辭就快步走出，乘車離去。魏太子派騎使帶著經侯留下的珠玉寶劍追上去交還經侯，讓使者告訴他說：「我不會感謝你的寶物，也不能守護你的珠玉。這些東西既不能當飯吃，也不能當衣穿，不要留下禍害給我。」從此經侯閉門不出，不久便傳說他死了。

【出處】

經侯往適魏太子，左帶羽玉具劍，右帶環珮，左光照右，右光照左；坐有頃，太子不視也，又不問也。經侯曰：「魏國亦有寶乎？」太子曰：「有。」經侯曰：「其寶何如？」太子曰：「主信臣忠，百姓上戴。此魏之寶也。」經侯曰：「吾所問者，非是之謂也。乃問其器而已。」太子曰：「有。徒師沼治魏而市無豫賈，郤辛治陽而道不拾遺，芒卯在朝而四鄰賢士無不相因而見。此三大夫乃魏國之大寶。」於是經侯默然不應，左解玉具，右解環珮，委之坐，愆然而起，默然不謝，趨而出，上車驅去。魏太子使騎操劍佩逐與經侯，使告經侯曰：「吾無德所寶，不能為珠玉所守；此寒不可衣，饑不可食，無為遺我賊。」於是經侯杜門不出，傳死。(《說苑》〈反質〉)

何不稱病

惠施為了韓、魏兩國與齊國的邦交，讓太子鳴去齊國做人質。魏王想見太子鳴，朱倉為魏王出主意說：「大王就說自己生病了。這樣我就可以去對靖郭君田嬰說：『魏王年紀大了，現在生病了，您不如施恩於魏王，放太子鳴回國。公子高現在楚國，如果楚國送回公子高立為太子，齊國的人質就失去價值，空有其名，而且還落下不仁義的名聲。』」

【出處】

惠施為韓、魏交，令太子鳴為質於齊。王欲見之，朱倉謂王曰：

「何不稱病？臣請說嬰子曰：『魏王之年長矣，今有疾，公不如歸太子以德之。不然，公子高在楚，楚將內而立之，是齊抱空質而行不義也。』」（《戰國策》〈魏策二〉）

百戰百勝之術

惠王三十年，魏軍進攻趙國，趙國向齊國告急。齊宣王用孫子的計策圍魏救趙。魏國於是以太子申為上將軍，龐涓為將，發重兵迎擊齊軍。魏軍經過外黃的時候，外黃徐子對太子申說：「我有百戰百勝的方法。」太子說：「可以讓我聽聽嗎？」徐子說：「本來就是想呈給您的。」於是說：「太子領兵攻齊，即使大勝並佔領莒地，富也不過擁有魏國，貴也不過做魏王。如果不能戰勝齊國，那就會子子孫孫也得不到魏國了。這就是我的百戰百勝之術。」太子申說：「好吧，我一定聽您的意見返回魏國。」徐子說：「太子想返回魏國已經不可能了。那些勸太子打仗，想從中得利的人太多了。」果然太子提出返回，駕車的人說：「將軍率兵剛出來就要返回，這和打敗仗是一樣的。」太子申只好率領魏軍與齊軍作戰，結果兵敗馬陵。齊軍俘虜了太子申，殺死魏將龐涓。

【出處】

三十年，魏伐趙，趙告急齊。齊宣王用孫子計，救趙擊魏。魏遂大興師，使龐涓將，而令太子申為上將軍。過外黃，外黃徐子謂太子曰：「臣有百戰百勝之術。」太子曰：「可得聞乎？」客曰：「固願效之。」曰：「太子自將攻齊，大勝並莒，則富不過有魏，貴不益為王。若戰不勝齊，則萬世無魏矣。此臣之百戰百勝之術也。」太子曰：「諾，請必從公之言而還矣。」客曰：「太子雖欲還，不得矣。彼勸太子戰攻，欲啜汁者眾。太子雖欲還，恐不得矣。」太子因欲還，其御曰：「將出而還，與北同。」太子果與齊人戰，敗於馬陵。齊虜魏太子申，殺將軍涓，軍遂大破。（《史記》〈魏世家〉）

變服折節

齊魏兩國在馬陵交戰，齊國大勝，殺死魏國太子申，消滅魏軍十萬餘眾。魏王對惠施說：「齊國是魏國的仇敵，寡人至死也不會忘記。魏國雖小，我願盡起全國之兵以攻齊。你認為如何？」惠施回答說：「不能這麼做。臣下聽說，王者做事張弛有度，霸者做事重在謀劃。大王現在的想法，偏離王霸之道太遠了。大王先同趙國結怨，而後又同齊國交戰。大敗之後還沒緩過勁來，又想以全國之兵攻打齊國，臣以為這樣做絕不會有好結果。大王真想報復齊國，不如立即脫下君主的服裝委屈自己去朝拜齊國。楚王看見魏國向齊國稱臣，一定會生氣。大王再派人到楚國遊說，楚國一定會發兵攻打齊國，以強盛的楚國去進攻疲敝的齊國，齊國一定會被楚國打敗，這就是以楚毀齊的計謀。」魏王說：「太好了。」於是派人向齊國報告，魏王願意稱臣朝拜，田嬰同意了。張醜發覺了其中的問題，勸阻田嬰說：「這樣不妥。如果與魏國交戰未獲大勝，再讓魏國行朝見之禮，而後與魏國聯合討伐楚國，一定可以取得大勝。現在大勝魏國，消滅人家十萬軍卒，生擒太子，令擁有萬輛兵車的魏國臣服，秦國、楚國肯定坐不住。以楚王喜好用兵愛圖虛名的性格，一定會找齊國的麻煩。」田嬰沒有採納張醜的意見，於是召見魏王，與他多次朝見齊侯。趙國深以為恥，楚王更是大怒。於是楚國率兵攻打齊國，趙國出兵策應，在徐州大敗齊國。

【出處】

齊、魏戰於馬陵，齊大勝魏，殺太子申，覆十萬之軍。魏王召惠施而告之曰：「夫齊，寡人之仇也，怨之至死不忘。國雖小，吾常欲悉起兵而攻之，何如？」對曰：「不可。臣聞之，王者得度，而霸者知計。今王所以告臣者，疏於度而遠於計。王固先屬怨於趙，而後與齊戰。今戰不勝，國無守戰之備，王又欲悉起而攻齊，此非臣之所謂也。王若欲報齊乎，則不如因變服折節而朝齊，楚王必怒矣。王游人而合其鬥，則楚必伐齊。以休楚而伐罷齊，則必為楚禽矣。是王以楚毀齊也。」魏王曰：「善。」乃使人報於齊，願臣畜而朝。田嬰許諾。張醜曰：「不可。戰不勝魏，而得朝禮，與魏和而下楚，此可以大勝也。今戰勝魏，覆十萬之軍，而禽太子申；臣萬乘之魏，而卑秦、楚，此其暴於戾定矣。且楚王之為人也，好用兵而甚務名，終為齊患者，必楚也。」田嬰不聽，遂內魏王，而與之並朝齊侯再三。趙氏醜之。楚王怒，自將而伐齊，趙應之，大敗齊於徐州。（《戰國策》〈魏策二〉）

公子泣王太后

魏王起全國之兵，以太子申為主將進攻齊國。一位門客對公子理的老師說：「為什麼不讓公子到王太后那兒哭訴，阻止太子出征呢？阻止成功就有了美德，不成功就有做國君的機會。太子年少，不熟悉用兵，齊國則以老將田盼為主將，軍師孫子又善於用兵。太子很可能戰敗被擒。公子到大王那兒力爭，大王如果聽從公子建議，公子一定會受封賞；如果不聽，太子戰敗，公子就可能被立為太子，將來接任國君之位。」

【出處】

魏惠王起境內眾，將太子申而攻齊。客謂公子理之傳曰：「何不令公子泣王太后，止太子之行？事成則樹德，不成則為王矣。太子年少，不習於兵。田朌，宿將也，而孫子善用兵。戰必不勝，不勝必禽。公於爭之於王，王聽公子，公子不封；不聽公子，太子必敗；敗，公子必立；立，必為王也。」（《戰國策》〈魏策二〉）

郊迎惠施

魏王派惠施出使楚國，公孫衍出使齊國，為兩人安排規格同等的車輛，以測試兩國與魏國交情的深淺。惠施事先使人告知楚國說：「魏王派公孫衍出使齊國，惠施出使楚國，安排相同的車輛和隨從，以此來檢驗兩國與魏國交情的深淺。」楚王聽說後，於是到郊外迎接惠施。

【出處】

魏王令惠施之楚，令犀首之齊。鈞二子者，乘數鈞，將測交也。楚王聞之，施因令人先之楚，言曰：「魏王令犀首之齊，惠施之楚，鈞二子者，將測交也。」楚王聞之，因郊迎惠施。（《戰國策》〈魏策二〉）

樹之難而去之易

田需很受魏惠王的重視，惠施忠告他說：「先生一定要善待大王身邊的人。您看那楊樹，橫著栽能活，倒著栽也能活，折斷了栽還可以活。然而讓十個人栽楊樹，一個人來拔，也就沒有活著的楊樹了。以十人之力栽植容易成活的楊樹，卻抵不過一人的毀壞。這是什麼道理呢？拔掉容易栽種難啊！現在先生雖然得到大王的信任，但想除掉您的人卻很多，您的處境危險啊。」

【出處】

田需貴於魏王，惠子曰：「子必善左右。今夫楊，橫樹之則生，倒樹之則生，折而樹之又生。然使十人樹楊，一人拔之，則無生楊矣。故以十人之眾，樹易生之物，然而不勝一人者，何也？樹之難而去之易也。今子雖自樹於王，而欲去子者眾，則子必危矣。」（《戰國策》〈魏策二〉）

無耕而食

匡章在惠王面前對惠子說：「螟蟲，農夫捉住後就弄死它，為什麼？因為它損害莊稼。如今您一出動，跟隨的車輛和侍從動輒數以百計，這些不耕而食的人，與損害莊稼的螟蟲何異？」惠王說：「惠子很難回答您，雖然如此，還是請惠子談談自己的想法。」惠子說：「如今修築城牆，有人拿著大杵在墟上搗土，有人背著畚箕在城下運土，有人拿著標誌仔細觀望方位的斜正。我就是拿著標誌的人啊。讓善於織絲的女子變成絲，就不能織絲了，讓巧匠變成木材，就沒有木工了，讓聖人變成農夫，就沒人管理農夫了。我就是能管理農夫的人啊。您憑什麼把我比做螟蟲呢？」惠子以治理魏國為根本，就不見成效。作戰五十次失敗了二十次，被殺死的人不計其數，連惠王的大將、愛子都做了俘虜。惠子的治國之術被天下人恥笑，誰都可以舉出他的過錯。

【出處】

匡章謂惠子於魏王之前曰：「蝗螟，農夫得而殺之，奚故？為其害稼也。今公行，多者數百乘，步者數百人；少者數十乘，步者數十人。此無耕而食者，其害稼亦甚矣。」惠王曰：「惠子施也難以辭與公相應。雖然，請言其志。」惠子曰：「今之城者，或者操大築乎城上，或負畚而赴乎城下，或操表掇以善晞望。若施者，其操表掇者也。使工女化而為絲，不能治絲；使大匠化而為木，不能治木；使聖人化而為農夫，不能治農夫。施而治農夫者也，公何事比施於螣螟乎？」惠子之治魏為本，其治不治。當惠王之時，五十戰而二十敗，所殺者不可勝數，大將、愛子有禽者也。大術之愚，為天下笑，得舉其諱。（《呂氏春秋》〈審應覽・不屈〉）

王使無譬

有賓客對魏惠王說：「惠子說事善用比喻，大王讓他不用比喻，他就說不出什麼了。」魏惠王說：「好，我試試看。」第二天魏王召見惠施，對他說：「希望先生論說事情時直說就好了，不要用比喻。」惠子說：「現在如果有人不了解彈弓，他問彈弓的形狀像什麼？回答說彈弓的形狀像彈弓。這能明白嗎？」魏王說：「不能明白。」惠子又說：「如果更改一種方式回答，說彈弓的形狀像弓，並且用竹子作弦。這樣知道了嗎？」魏王說：「能夠知道了。」惠子說：「會說話的人，當然要用人們知道的來比喻人們不知道的，從而使人懂得所說的東西。現在大王卻說『不要用比喻』，怎麼可能呢？」魏惠王說：「講得好。」

【出處】

客謂梁王曰：「惠子之言事也善譬，王使無譬，則不能言矣。」王曰：「諾。」明日見，謂惠子曰：「願先生言事則直言耳，無譬也。」惠子曰：「今有人於此而不知彈者，曰：『彈之狀何若？』應曰：『彈之狀如彈。』諭乎？」王曰：「未諭也。」「於是更應曰：『彈之狀如弓而以竹為弦。』則知乎？」王曰：「可知矣。」惠子曰：「夫說者

固以其所知，諭其所不知，而使人知之。今王曰無譬則不可矣。」王曰：「善。」(《說苑》〈善說〉)

越人不疑羿

惠子說：「羿準備開弓射箭時，連關係疏遠的越人都敢爭著為他舉靶；當小孩子彎弓射箭時，連慈母也會躲進屋內關起門來。」所以說，肯定沒有危險，就連越人也不擔心羿會射到自己；不能肯定沒有危險，就連慈母也要躲避張弓射箭的孩子。

【出處】

惠子曰：「羿執鞅持扞，操弓關機，越人爭為持的。弱子扞弓，慈母入室閉戶。」故曰：「可必，則越人不疑羿；不可必，則慈母逃弱子。」(《韓非子》〈說林下〉)

同事之人，不可不察

田伯鼎因喜歡士人而挽救了君主，白公勝喜歡士人卻擾亂了楚國，兩人都喜歡士人，但用士人幹的事情卻不相同。公孫友自己砍掉腳來使百里奚獲得高官，豎刁自行閹割來奉承齊桓公；兩人自我用刑相同，目的卻不相同。惠子說：「瘋子向東邊跑，追趕的人也向東邊跑。他們向東邊跑的行為相同，但向東邊跑的目的卻不相同。所以說，對做同樣事情的人，不可不嚴加考察。」

【出處】

田伯鼎好士而存其君，白公好士而亂荊。其好士則同，其所以為則異。公孫友自刖而尊百里，豎刁自宮而諂桓公。其自刑則同，其所以自刑之為則異。慧子曰：「狂者東走，逐者亦東走。其東走則同，其所以東走之為則異。故曰：同事之人，不可不審察也。」（《韓非子》〈說林上〉）

夾其一目

田駟欺騙鄒君，鄒君想派人刺殺他。田駟很害怕，找惠子求救。惠子拜見鄒君說：「如果有人見到您，就閉上一隻眼，您會怎樣？」鄒君說：「我會殺了他。」惠子說：「瞎子兩隻眼都閉著，您為什麼不殺？」鄒君說：「瞎子沒奈何才閉著雙眼啊。」惠子說：「田駟東欺齊侯，南騙楚王，欺騙別人就像瞎子慣於閉眼一樣，您何必還要怨恨他呢？」於是鄒君赦免了田駟。

【出處】

田駟欺鄒君，鄒君將使人殺之。田駟恐，告惠子。惠子見鄒君曰：「今有人見君，則夾其一目，奚如？」君曰：「我必殺之。」惠子曰：「瞽兩目夾，君奚為不殺？」君曰：「不能勿夾。」惠子曰：「田駟東欺齊侯，南欺荊王，駟之於欺人，瞽也，君奚怨焉？」鄒君乃不殺。（《韓非子》〈說林上〉）

以不悖為悖

魏國的相國公叔痤病重，惠王去探望他，問他說：「公叔您的病，唉，病得太重了！國家該怎麼辦呢？」公叔回答說：「我的家臣公孫鞅很有才能，希望大王能把國政交給他。如果不想任用他，那就千萬不要讓他離開魏國。」惠王沒有回答，出來後對左右侍從說：「太悲哀了。以公叔的賢明，如今竟然讓我把國政交給公孫鞅來治理，這太荒謬了！」公叔死後，公孫鞅擔心處境危險，於是向西進入秦國推銷他的學說。秦孝公聽從他的意見。秦國因此強盛起來，魏國卻日漸削弱。由此看來，荒謬的不是公叔痤，而是惠王自己啊！[2]

【出處】

魏公叔痤疾，惠王往問之，曰：「公叔之病，甚矣。將奈社稷何？」公叔對曰：「臣之御庶子鞅，願王以國聽之也。為不能聽，勿使出境。」王不應，出而謂左右曰：「豈不悲哉。以公叔之賢，而今謂寡人必以國聽鞅，悖也夫。」公叔死，公孫鞅西游秦，秦孝公聽之。秦果用強，魏果用弱。非公叔痤之悖也，魏王則悖也。夫悖者之患，固以不悖為悖。（《呂氏春秋》〈仲冬紀・長見〉）

---

2. 公叔痤直到病重才薦舉公孫鞅，假如從人才流失的角度來論魏國的成敗，公叔痤則負有一定責任。太史公司馬遷於《史記》〈商君列傳〉特著一筆，「公叔痤知其賢，未及進」，很有深意。

始作俑者

孟子問梁惠王說：「用木棒打死人和用刀子殺死人有什麼不同嗎？」梁惠王說：「沒什麼不同。」孟子又問：「用刀子殺人和以政令害人有什麼差別嗎？」梁惠王回答說：「沒什麼差別吧。」孟子說：「廚房裡有肥肉，馬廄裡有壯馬，然而老百姓卻面帶饑色，路邊有饑餓而死的行人。這跟野獸吃人有什麼區別？野獸自相殘殺，人尚且厭惡，作為老百姓的父母官，行政卻跟野獸吃人一樣，那還叫什麼父母官！孔子說：『最早以木偶陪葬的人，將會斷子絕孫！』連像人樣的木偶都不能用來陪葬，又怎麼能讓老百姓活活餓死呢？」

【出處】

梁惠王曰：「寡人願安承教。」孟子對曰：「殺人以梃與刃，有以異乎？」曰：「無以異也。」「以刃與政，有以異乎？」曰：「無以異也。」曰：「庖有肥肉，廄有肥馬，民有饑色，野有餓莩，此率獸而食人也。獸相食，且人惡之。為民父母，行政不免於率獸而食人。惡在其為民父母也？仲尼曰：『始作俑者，其無後乎！』為其像人而用之也。如之何其使斯民饑而死也？」（《孟子》〈梁惠王上〉）

若時雨降

孟子說：「我聽說商湯憑藉方圓七十里的國土就能統一天下，卻沒聽說擁有方圓千里的國土而害怕別國的。《尚書》說：『商湯征伐，從葛國開始。』天下人都相信了。所以，當他向東方進軍時，西方國家的老百姓便抱怨；當他向南方進軍時，北部國家的老百姓便抱怨。都說：『為什麼把我們放到後面呢？』老百姓盼望他，就像久旱盼望烏雲和霓虹一樣。這是因為湯的征伐一點也不驚擾百姓。做生意的照常經營，種地的照常耕作，只是誅殺暴虐的國君以解除百姓的苦難。就像天上下了及時雨一樣，老百姓非常高興。」

【出處】

孟子對曰：「臣聞七十里為政於天下者，湯是也。未聞以千里畏人者也。書曰：『湯一征，自葛始。』天下信之。『東面而征，西夷怨；南面而征，北狄怨。曰，奚為後我？』民望之，若大旱之望雲霓也。歸市者不止，耕者不變。誅其君而弔其民，若時雨降，民大悅。」（《孟子》〈梁惠王下〉）

與民偕樂

梁惠王與孟子站在池塘邊上，一面顧盼著鴻雁麋鹿等飛禽走獸，一面說：「賢人也以此為樂嗎？」孟子回答說：「正因為是賢人才能夠以擁有珍禽異獸為樂，不賢的人就算有這些東西，也不能夠快樂。《詩經》說：『開始規劃造靈臺，仔細營造巧安排。天下百姓都來幹，幾天建成速度快。建臺本來不著急，百姓起勁自動來，國王遊覽靈園中，母鹿伏在深草叢。母鹿肥大毛色潤，白鳥潔淨羽毛豐。國王遊覽到靈沼，滿池魚兒皆歡笑。』周文王雖然用了老百姓的勞力來修建高臺深池，老百姓卻非常高興，把那個臺叫作『靈臺』，把那個池叫作

『靈沼』，以裡面有麋鹿魚鱉等珍禽異獸為快樂。古代的君王與民同樂，所以能真正快樂。相反，《湯誓》說：『你這太陽啊，什麼時候毀滅呢？我寧肯與你一起毀滅！』老百姓恨不得與你同歸於盡，即使你有高臺深池、珍禽異獸，難道能獨自享受快樂嗎？」

【出處】

孟子見梁惠王，王立於沼上，顧鴻雁麋鹿，曰：「賢者亦樂此乎？」孟子對曰：「賢者而後樂此，不賢者雖有此，不樂也。詩云：『經始靈臺，經之營之，庶民攻之，不日成之。經始勿亟，庶民子來。王在靈囿，麀鹿攸伏，麀鹿濯濯，白鳥翯翯。王在靈沼，於牣魚躍。』[3]文王以民力為臺為沼。而民歡樂之，謂其臺曰靈臺，謂其沼曰靈沼，樂其有麋鹿魚鱉。古之人與民偕樂，故能樂也。湯誓曰：『時日害喪？予及女偕亡。』民欲與之偕亡，雖有臺池鳥獸，豈能獨樂哉？」（《孟子》〈梁惠王上〉）

五十步笑百步

梁惠王說：「我對於國家，也算盡了心。河內遇到饑荒，就把那裡的老百姓遷移到河東去，把河東的糧食轉移到河內；河東遇到饑荒也這樣做。了解一下鄰國的政治，沒有像我這樣用心的。然而鄰國的百姓不見減少，我的百姓不見增多，這是為什麼呢？」孟子回答說：

3. 「經始靈臺，經之營之……於牣魚躍」，出自《詩經》〈大雅・靈臺〉；「時日害喪？予及女偕亡」，出自《尚書》〈商書・湯誓〉。

「大王喜歡打仗，讓我用戰爭做個比喻吧。咚咚地敲響戰鼓，兩軍開始交戰，戰敗的扔掉盔甲拖著武器逃跑。有人逃了一百步然後停下來，有人逃了五十步然後停下來。因為自己只跑了五十步而恥笑別人跑了一百步，那怎麼樣呢？」梁惠王說：「不行。只不過沒有跑上一百步罷了，那也是逃跑啊。」

【出處】

梁惠王曰：「寡人之於國也，盡心焉耳矣。河內凶，則移其民於河東，移其粟於河內。河東凶亦然。察鄰國之政，無如寡人之用心者。鄰國之民不加少，寡人之民不加多，何也？」孟子對曰：「王好戰，請以戰喻。填然鼓之，兵刃既接，棄甲曳兵而走。或百步而後止，或五十步而後止。以五十步笑百步，則何如？」（《孟子》〈梁惠王上〉）

仁者無敵

梁惠王說：「晉國曾一度在天下稱強，這是老先生您知道的。可是到了我這裡，東邊被齊國打敗，連我的大兒子都死掉了；西邊被秦國佔去了七百里土地；南邊又受到楚國的侮辱。我為這些事感到非常羞恥，希望替所有的死難者報仇雪恨，我要怎樣做才行呢？」孟子回答說：「只要有方圓一百里的土地就可以使天下歸服。大王如果對老百姓施行仁政，減免刑罰，少收賦稅，深耕細作，及時除草；並且讓身強力壯的人抽出時間修養孝順、尊敬、忠誠、守信的品德，使他們在家侍奉父母兄長，出門尊敬長輩上級。如此一來，即使讓他們手持木棒，也可以打敗那些擁有堅實盔甲銳利刀槍的秦楚軍隊。因為秦國、楚國的執政者剝奪了他們百姓的生產時間，使他們不能夠深耕細作來贍養父母。父母受凍挨餓，兄弟妻子東離西散。秦、楚的老百姓陷入深淵之中，大王去征伐他們，有誰來和您抵抗呢？所以說：『施行仁政的人無敵於天下。』大王請不要疑慮！」

【出處】

梁惠王曰：「晉國，天下莫強焉，叟之所知也。及寡人之身，東敗於齊，長子死焉；西喪地於秦七百里；南辱於楚。寡人恥之，願比死者一灑之，如之何則可？」孟子對曰：「地方百里而可以王。王如施仁政於民，省刑罰，薄稅斂，深耕易耨。壯者以暇日修其孝悌忠信，入以事其父兄，出以事其長上，可使制梃以撻秦楚之堅甲利兵矣。彼奪其民時，使不得耕耨以養其父母，父母凍餓，兄弟妻子離散。彼陷溺其民，王往而征之，夫誰與王敵？故曰：『仁者無敵。』王請勿疑！」（《孟子》〈梁惠王上〉）

何以利為

梁惠王在軍事上屢遭重挫，於是以謙恭的禮節和豐厚的財物招納賢人。鄒衍、淳于髡、孟軻都來到魏國。梁惠王對孟軻說：「寡人沒有才能，軍隊三次在國外遭受重挫，太子被俘，上將戰死，國內因而空虛，致使祖先的宗廟社稷遭受羞辱，寡人非常慚愧。老先生不遠千里，屈尊親臨敝國朝廷，將為弊國帶來哪些利好消息呢？」孟軻說：「君主不可以像這樣談論利益。君主想得利，大夫也想得利；大夫想得利，百姓也想得利，上下爭利，國家就危險了。作為一國君主，重在仁義德行，何必講利？」

【出處】

惠王數被於軍旅，卑禮厚幣以招賢者。鄒衍、淳于髡、孟軻皆至梁。梁惠王曰：「寡人不佞，兵三折於外，太子虜，上將死，國以空虛，以羞先君宗廟社稷，寡人甚醜之，叟不遠千里，辱幸至弊邑之廷，將何利吾國。」孟軻曰：「君不可以言利若是。夫君欲利則大夫欲利，大夫欲利則庶人欲利，上下爭利，國則危矣。為人君，仁義而已矣，何以利為。」（《史記》〈魏世家〉）

白圭相魏

白圭擔任魏相，暴譴擔任韓相。白圭對暴譴說：「您用韓國的力量幫我在魏國任職，我用魏國的力量協助您在韓國任職，我長期在魏國掌權、您長期在韓國掌權。」

【出處】

白圭相魏，暴譴相韓。白圭謂暴譴曰：「子以韓輔我於魏，我以魏待子於韓，臣長用魏，子長用韓。」（《韓非子》〈內儲說下・六微〉）

市丘之鼎

白圭對魏王說:「用市丘出產的大鼎來煮雞，多加湯汁就會淡得沒法吃，少加湯汁，便燒焦了雞還不熟。這鼎看起來非常高大漂亮，不過沒什麼用處。惠子的話，就跟這大鼎相似。」惠子聽到這些話後說:「不對。假使三軍士兵饑餓了停留在鼎旁邊，恰好弄到了蒸飯用的大甑，那麼和甑搭配起來蒸飯就沒有比這鼎更合適的了。」白圭聽到這話後說:「沒什麼用處的東西，想來只能在上面放上甑蒸飯用！」白圭的評論自然是錯的，他太輕視魏王了。認為惠子的話只是說得漂亮，沒什麼用處，等於是說魏王把說話沒什麼用處的人當成了仲父和完人。

【出處】

白圭謂魏王曰:「市丘之鼎以烹雞，多洎之則淡而不可食，少洎之則焦而不熟，然而視之蝺焉美，無所可用。惠子之言，有似於此。」惠子聞之，曰:「不然。使三軍饑而居鼎旁，適為之甑。則莫宜之此鼎矣。」白圭聞之，曰:「無所可用者，意者徒加其甑邪？」白圭之論自悖，其少魏王大甚。以惠子之言蝺焉美，無所可用，是魏王以言無所可用者為仲父也，是以言無所用者為美也。(《呂氏春秋》〈審應覽・應言〉)

秦必留君

成陽君想讓韓國、魏國聽命於秦國，魏王認為對自己不利。白圭對魏王說：「大王不如暗中派人勸成陽君說：『您進入秦國，秦國一定會扣留您，以達到從韓國多割取土地的目的。如果韓國不肯，秦國一定會扣留您並討伐韓國。所以您不如安步當車到秦國做人質。』成陽君聽到這些話後肯定不會去秦國了。秦、韓兩國不能結盟，大王的地位就重要了。」

【出處】

成陽君欲以韓、魏聽秦，魏王弗利。白圭謂魏王曰：「王不如陰侯人說成陽君曰：『君入秦，秦必留君，而以多割與韓矣。韓不聽，秦必留君，而伐韓矣。故君不如安行求質於秦。』成陽君必不入秦，秦、韓不敢合，則王重矣。」（《戰國策》〈魏策四〉）

功不及五伯

孟嘗君問白圭說：「魏文侯的名氣比齊桓公還大，但建立的功業卻趕不上五霸，為什麼呢？」白圭回答說：「魏文侯以子夏為老師，以田子方為摯友，敬重段干木，這是他的名氣比齊桓公大的原因。但他在選擇相國時卻問：『公季成與翟黃哪一個合適？』這就是他的功業比不上五霸的原因。以個人偏愛選拔官員，當職後卻不能勝任，所以功業曠廢。名聲響亮是因為三賢的襯托，如果他能重用三賢，成就王道也沒有問題，豈止霸主呢！」

【出處】

孟嘗君問於白圭曰：「魏文侯名過於桓公，而功不及五伯，何也？」白圭對曰：「魏文侯師子夏，友田子方，敬段干木，此名之所以過於桓公也。卜相則曰：『成與黃庯可？』此功之所以不及五伯也。以私愛妨公舉，在職者不堪其事，故功廢，然而名號顯榮者，三士翊之也，如相三士，則王功成，豈特霸哉！」（《新序》〈雜事第四〉）

何謂五盡

白圭到中山國去，中山國的君主想留下他，白圭當即謝絕，乘車離開了。接著到了齊國，齊國君主也想留他做官，他又辭謝離去。有人問他原因，他說：「這兩個國家不久就會亡國。我學過關於『五盡』的知識。什麼叫『五盡』呢？沒人信任，信譽就喪盡了；沒人讚譽，名聲就喪盡了；沒人喜愛，親情就喪盡了；行者無糧、居者無食，財物就喪盡了；不能用人，自己也碌碌無為，功業就喪盡了。國家出現這五種情況，注定會亡國。眼下的中山、齊國正好符合這五種情況。」

【出處】

白圭之中山，中山之王欲留之，白圭固辭，乘輿而去。又之齊，齊王欲留之仕，又辭而去。人問其故，曰：「之二國者皆將亡。所學有五盡。何謂五盡。曰：莫之必，則信盡矣。莫之譽，則名盡矣。莫之愛，則親盡矣。行者無糧、居者無食，則財盡矣。不能用人、又不能自用，則功盡矣。國有此五者，無幸必亡。中山、齊皆當此。」（《呂氏春秋》〈先識覽・先識〉）

誹污因污，誹辟因辟

惠子與白圭初次見面，就滔滔不絕跟他大談如何使國家強大，白圭沒有回應。惠子走後，白圭對人說：「有個人新娶了媳婦。新媳婦剛來，應安穩持重，言行謹慎。童僕拿的火炬太旺，新媳婦說：『火把太旺了。』進了門，發現門內有陷坎，新媳婦說：『把小坑填了，它會傷到人的腿。』這對夫家不是不好，而是過分了些。惠子與我初次見面，他說的話也有點過。」惠子聽到白圭的點評後說：「不是這樣的。《詩》上說：『愷悌君子，民之父母。』[4]愷是大的意思，悌是長的意思。意思是愷悌之風的君子，就如同人民的父母。父母教育子女，難道還要等好長時間嗎？為什麼把我比做新媳婦？《詩》上可沒有『愷悌新婦』的說法。」以污詆污，以邪對邪，相互詆毀，雙方都有不妥。白圭批評惠子初次見面就滔滔不絕，好像剛過門的新媳婦一樣操之過急；惠子聽到後馬上回擊他，竟然以白圭的父母自居。相比白圭批評他過分，惠子的過錯顯然嚴重得多。

【出處】

白圭新與惠子相見也，惠子說之以強，白圭無以應。惠子出，白

4. 「愷悌君子，民之父母」。出自《詩經》〈大雅・泂酌〉。

圭告人曰：「人有新取婦者，婦至，宜安矜煙視媚行。豎子操蕉火而鉅，新婦曰：蕉火大鉅。入於門，門中有斂陷，新婦曰：塞之。將傷人之足。此非不便之家氏也，然而有大甚者。今惠子之遇我尚新，其說我有大甚者。」惠子聞之，曰：「不然。《詩》曰：『愷悌君子，民之父母。』愷者大也，悌者長也。君子之德，長且大者，則為民父母。父母之教子也，豈待久哉。何事比我於新婦乎。《詩》豈曰愷悌新婦哉。」誹污因污，誹辟因辟，是誹者與所非同也。白圭曰：「惠子之遇我尚新，其說我有大甚者。」惠子聞而誹之，因自以為為之父母，其非有甚於白圭亦有大甚者。（《呂氏春秋》〈審應覽・不屈〉）

不能禁狗使無吠

白珪對新城君說：「夜行的人可以不幹壞事，卻不能禁止狗的狂叫。我能夠做到在魏王那裡不議論您，卻不能禁止別人在您這兒議論我。」

【出處】

白珪謂新城君曰：「夜行者能無為奸，不能禁狗使無吠己也。故臣能無議君於王，不能禁人議臣於君也。」（《戰國策》〈魏策四〉）

以鄰國為壑

白圭對孟子說：「我治水的本領，應該強過大禹吧？」孟子批評他說：「你錯了。大禹治水，是順著水流的方向，以四海為蓄水的溝壑；如今先生治水，卻是以鄰國為蓄水的溝壑。水逆向而行，稱之洚水，洚水就是洪水，講仁義道德的人絕不會幹這種事的。」

【出處】

白圭曰：「丹之治水也愈於禹。」孟子曰：「子過矣。禹之治水，水之道也。是故禹以四海為壑，今吾子以鄰國為壑。水逆行，謂之洚水。洚水者，洪水也，仁人之所惡也。吾子過矣。」（《孟子》〈告子下〉）

天下弗能使

白圭問鄒公子夏后啟說：「正直之士的節操，平民百姓的志向，三家分晉的事情，這些都是天下最傑出的。因為我住在晉國，所以能經常聽到晉國的事情，不曾聽到過正直之士的節操、平民百姓的志向。希望能聽您說一說。」夏后啟說：「我是鄙陋之人，哪裡值得問？」白圭說；「希望您不要推辭。」夏后啟說：「認為可以做的就去做，天下誰都不能禁止他；認為不可以做的就不去做，天下誰都不能驅使他。」白圭說：「利益也不能驅使他嗎？威嚴也不能禁止他嗎？」夏后啟說：「就連生存都不能驅使他，利益又豈能驅使他呢？連死亡都不能禁止他，禍害又怎能禁止他呢？」白圭無話回答。夏后啟告辭走了。

【出處】

白圭問於鄒公子夏后啟曰：「踐繩之節，四上之志，三晉之事，此天下之豪英。以處於晉，而迭聞晉事，未嘗聞踐繩之節、四上之志。願得而聞之。」夏后啟曰：「鄙人也，焉足以問？」白圭曰：「願公子之毋讓也！」夏后啟曰：「以為可為，故為之，為之，天下弗能禁矣；以為不可為，故釋之，釋之，天下弗能使矣。」白圭曰：「利弗能使乎？威弗能禁乎？」夏后啟曰：「生不足以使之，則利曷足以使之矣？死不足以禁之，則害曷足以禁之矣？」白圭無以應。夏后啟辭而出。凡使賢不肖異，使不肖以賞罰，使賢以義。故賢主之使其下也必義，審賞罰，然後賢不肖盡為用矣。（《呂氏春秋》〈恃君覽・知分〉）

顯達之本

張儀完成學業，就去遊說諸侯。某日他陪著楚相喝酒，席間，楚相丟失了一塊玉璧，門客們懷疑張儀，說：「張儀貧窮，品行鄙劣，一定是他偷去了宰相的玉璧。」於是，大家一起把張儀拘捕起來，拷打了幾百下。張儀始終沒有承認，只好釋放了他。他的妻子又悲又恨地說：「唉！您要是不讀書遊說，又怎能受到這樣的屈辱呢？」張儀對他的妻子說：「你看看我的舌頭還在不在？」他的妻子笑著說：「舌頭還在呀。」張儀說：「這就夠了。」

【出處】

張儀已學游說諸侯。嘗從楚相飲，已而楚相亡璧，門下意張儀，曰：「儀貧無行，必此盜相君之璧。」共執張儀，掠笞數百，不服，醳之。其妻曰：「嘻！子毋讀書游說，安得此辱乎？」張儀謂其妻曰：「視吾舌尚在不？」其妻笑曰：「舌在也。」儀曰：「足矣。」（《史記》〈張儀列傳〉）

公叔以為便

張儀為了秦國到魏國去，魏王任用張儀做宰相。犀首認為此事對自己不利，於是派人對韓國公叔說：「張儀已經讓秦、魏聯合了，他揚言說：『魏國進攻南陽，秦國進攻三川。』魏王器重張儀的原因，是想獲得韓國的土地。況且韓國的南陽已經被佔領，先生為什麼不稍微把一些政事委託給公孫衍，讓他到魏王面前請功？那麼秦、魏兩國的交往就會停止。這樣，魏國一定會謀取秦國而拋棄張儀，結交韓國而讓公孫衍出任宰相。」公叔認為有利，因此就把政事委託犀首，讓他獻功。犀首果然作了魏國宰相，於是張儀離開魏國。

【出處】

張儀為秦之魏，魏王相張儀。犀首弗利，故令人謂韓公叔曰：「張儀已合秦魏矣，其言曰：『魏攻南陽，秦攻三川。』魏王所以貴張子者，欲得韓地也。且韓之南陽已舉矣，子何不少委焉以為衍功，則秦魏之交可錯矣。然則魏必圖秦而棄儀，收韓而相衍。」公叔以為便，因委之犀首以為功。果相魏。張儀去。（《史記》〈張儀列傳〉）

蠻夷之賢君

義渠君前來朝拜魏王。犀首聽說張儀又再次出任秦國宰相，心中憂慮，對義渠君說：「貴國道路遙遠，今日分別，不容易再來訪問，請允許我告訴你一件事情。中原各國不合縱討伐秦國，秦國就會侵掠您的國家；如果中原各國合縱討伐秦國，秦國就會派遣使臣帶著貴重的禮物侍奉您的國家。」此後，楚、魏、齊、韓、趙五國共同討伐秦國，正趕上陳軫對秦王說：「義渠君是蠻夷各國中的賢明君主，不如贈送財物以安撫他的心志。」秦王說：「好。」於是把一千匹錦繡和一百名美女贈送給義渠君，義渠君對群臣議論說：「這不就是公孫衍告訴我的情形嗎？」於是起兵襲擊秦國，在李伯城下大敗秦軍。

【出處】

義渠君朝於魏。犀首聞張儀復相秦，害之。犀首乃謂義渠君曰：「道遠不得復過，請謁事情。」曰：「中國無事，秦得燒掇焚杅君之國；有事，秦將輕使重幣事君之國。」其後五國伐秦。會陳軫謂秦王曰：「義渠君者，蠻夷之賢君也，不如賂之以撫其志。」秦王曰：「善。」乃以文繡千純，婦女百人遺義渠君。義渠君致群臣而謀曰：「此公孫衍所謂邪？」乃起兵襲秦，大敗秦人李伯之下。（《史記》〈張儀列傳〉）

張儀惡陳軫

張儀在魏王面前中傷陳軫說：「陳軫盡心盡力侍奉楚國，為楚國謀取土地非常賣力。」左華對陳軫說：「張儀同魏王關係很好，魏王特別偏愛他。即使您百般解釋，魏王也不會相信。您不如以張儀的話為憑證，反過來報告楚王。」陳軫說：「太好了。」於是派人向楚王轉述了張儀的中傷。

【出處】

張儀惡陳軫於魏王曰：「軫善事楚，為求壤地也甚力之。」左華謂陳軫曰：「儀善於魏王，魏王甚愛之。公雖百說之，猶不聽也。公不如儀之言為資，而反於楚王。」陳軫曰：「善。」因使人先言於楚王。（《戰國策》〈魏策一〉）

王亡其半

張儀想憑秦、韓、魏三國交好的形勢去攻打齊國和楚國，惠施則想與齊、楚罷兵言和。兩人爭執不下。群臣近侍都幫張儀說話，認為攻打齊、楚有利，而沒有人站在惠施一邊。魏王採納了張儀的建議。攻打齊、楚的事確定之後，惠子去見魏王。魏王說：「您不要再說了。攻打齊、楚確實有利，全國都這麼認為。」惠施趁機進言說：「這種情況不能不明察。如果攻打齊、楚真如全國都認為有利，聰明人怎麼會這麼多呢？如果攻打齊、楚不利，全國都認為有利，愚蠢的人也太多了！凡是謀劃，總會存在疑惑，一半人認為可行、一半人認為不可行就很正常。現在全國人都認為可行，這是大王失去了一半人的意見而被人挾持啊！」

【出處】

張儀欲以秦、韓與魏之勢伐齊、荊，而惠施欲以齊、荊偃兵。二人爭之。群臣左右皆為張子言，而以攻齊、荊為利，而莫為惠子言。王果聽張子，而以惠子言為不可。攻齊、荊事已定，惠子入見。王言曰：「先生毋言矣。攻齊、荊之事果利矣，一國盡以為然。」惠子因說：「不可不察也。夫齊、荊之事也誠利，一國盡以為利，是何智者之眾也？攻齊、荊之事誠不可利，一國盡以為利，何愚者之眾也？凡謀者，疑也。疑也者，誠疑以為可者半，以為不可者半。今一國盡以為可，是王亡半也。劫主者，固亡其半者一也。」（《韓非子》〈內儲說上・七術〉）

老妾事其主婦

張儀逃到魏國，魏國準備迎接他。張醜向魏王進諫不要接納張儀，魏王不聽。張醜退下不久，再次向魏王進諫說：「大王也聽說過老妾侍奉主婦的事吧？孩子大了，自已也人老色衰，只有改嫁而已。如今臣下侍奉大王，就像老妾侍奉主婦一樣啊。」魏王這才沒有接納張儀。

【出處】

張儀走之魏，魏將迎之。張醜諫於王，欲勿內，不得於王。張醜退，復諫於王曰：「王亦聞老妾事其主婦者乎？子長色衰，重家而已。今臣之事王，若老妾之事其主婦者。」魏王因不納張儀。（《戰國策》〈魏策一〉）

三人言而成虎

魏王安排龐恭陪太子到邯鄲做人質。龐恭對魏王說：「如果有人來跟大王說街上有老虎，大王會相信嗎？」「魏王說：「不會。」龐恭說：「如果有兩個人來說呢？」魏王說：「那我會有所懷疑。」龐恭接著說：「如果有三個人來說呢？」魏王說：「我會相信。」龐恭說：「街上沒有老虎是肯定的，但是三個都說有老虎，就彷彿真有老虎了。如今邯鄲距大梁比宮中至街市的距離要遠得多，而詆毀我的人也絕對不止三個，希望大王能夠明察。」魏王說：「我知道了，你放心去吧。」龐恭隨太子去邯鄲不久，非議龐恭的話便不絕於耳，魏王後來也就沒有再見龐恭。

【出處】

魏龐恭與太子質於邯鄲，謂魏王曰：「今一人來言市中有虎，王信之乎？」王曰：「否。」曰：「二人言，王信之乎？」曰：「寡人疑矣。」曰：「三人言，王信之乎？」曰：「寡人信之矣。」龐恭曰：「夫市之無虎明矣，三人言而成虎。今邯鄲去魏遠於市，議臣者過三人，

願王察之也。」魏王曰：「寡人知之矣。」及龐恭自邯鄲反，讒口果至，遂不得見。（《新序》〈雜事第二〉）

止射之教

梁國國君外出打獵，看見一群白雁。梁君下車，彎弓搭箭要射，路上正好有個行人，梁君讓他停住，行人卻沒有止步。群雁受驚，都飛走了。梁君大怒，想射死行人。梁君的御駕公孫襲趕忙下車，用手按住箭說：「大王別射。」梁君氣得臉色都變了，罵道：「公孫襲不向著主子，反而向著別人，你什麼意思！」公孫襲回答說：「從前齊景公的時候，齊國遭遇三年大旱，占卜的結果說：『一定要殺人作祭品，天才會下雨。』景公走下殿堂，對天叩頭，說：『但凡我求雨，都是為了百姓，如果一定要以活人祭獻才能下雨，就讓我來犧牲吧。』他的話還沒說完，千里見方的廣大地區就下起了傾盆大雨。這是為什麼呢？就因為他能順應天意造福人民啊。現在大王為幾隻白雁就要殺人，我認為大王跟虎狼沒什麼兩樣。」梁君拉著公孫襲的手跟他一塊兒上車，回城進入宗廟，就高呼萬歲，大聲說：「我今天太幸運啦！別人打獵只得到野味，我卻獲得有益的教誨歸來。」

【出處】

梁君出獵，見白雁群，梁君下車，彀弓欲射之。道有行者，梁君謂行者止，行者不止，白雁群駭。梁君怒，欲射行者。其御公孫襲下車撫矢曰：「君止。」梁君忿然作色而怒曰：「襲不與其君，而顧與他人，何也？」公孫襲對曰：「昔齊景公之時，天大旱三年，卜之曰：『必以人祠，乃雨。』景公下堂頓首曰：『凡吾所以求雨者，為吾民也，今必使吾以人祠乃且雨，寡人將自當之。』言未卒而天大雨方千里者，何也？為有德於天而惠於民也。今主君以白雁之故而欲射人，襲謂主君無異於虎狼。」梁君援其手與上車，歸入廟門，呼萬歲，曰：「幸哉！今日也他人獵，皆得禽獸，吾獵得善言而歸。」（《新序》〈雜事第二〉）

報怨以德

梁國有一位叫宋就的大夫，曾經做過邊境縣令。該縣與楚國鄰界，梁國兵營和楚國兵營都種了瓜，面積多少各自有數。梁國戍邊的士兵勤勉努力，精心照料瓜地，瓜長得很好；楚國士兵懶惰，很少打理瓜地，瓜長得很差。楚國縣令見梁國的瓜長得好，就怒責楚國士兵懶惰。楚國士兵心生忌恨，夜晚偷偷去拉扯梁國瓜地的瓜蔓。梁國士兵發現瓜藤蹊蹺枯死，探知真相，請求縣尉報復楚兵。縣尉將情況匯報給宋就，宋就說：「唉。冤冤相報何時了。我來教給你們辦法吧，從今天起，每天晚上你們派人過去，偷偷為楚國兵營澆灌瓜地，不要讓他們知道。」楚國士兵早晨巡視瓜田，發現瓜田都已得到灌溉，瓜也一天天長好。楚國士兵感到奇怪，查明是梁國士兵幹的，內心十分羞愧。楚國縣令把情況如實報告給楚王。楚王得知，心裡既慚愧又憂慮，告訴主管官吏說：「調查一下到人家瓜田裡搗亂的人，看是否還有其他的罪過。這是梁國人在暗中責備我們啊。」於是拿出豐厚的禮物，向宋就表示歉意，並請求與梁王結交。楚王時常稱讚梁王，認為他很講誠信。梁楚兩國的友好關係是從宋就開始的。古語說：「轉敗而為功，因禍而為福。」《老子》說：「報怨以德。」宋就的做法就是最好的註解。別人做錯的事，哪值得效仿呢！

【出處】

梁大夫有宋就者，嘗為邊縣令，與楚鄰界。梁之邊亭，與楚之邊亭，皆種瓜，各有數。梁之邊亭人，劬力數灌其瓜，瓜美。楚人窳而稀灌其瓜，瓜惡。楚令因以梁瓜之美，怒其亭瓜之惡也。楚亭人心惡梁亭之賢己，因往夜竊搔梁亭之瓜，皆有死焦者矣。梁亭覺之，因請其尉，亦欲竊往報搔楚亭之瓜，尉以請宋就。就曰：「惡是何可構怨禍之道也，人惡亦惡，何偏之甚也。若我教子必每暮令人往竊為楚亭夜善灌其瓜，勿令知也。」於是梁亭乃每暮夜竊灌楚亭之瓜，楚亭旦而行瓜，則又皆以灌矣，瓜日以美，楚亭怪而察之，則乃梁亭之為也。楚令聞之大悅，因具以聞楚王，楚王聞之，惄然愧以意自閔也，告吏曰：「微搔瓜者，得無有他罪乎？此梁之陰讓也。」乃謝以重幣，而請交於梁王，楚王時則稱說，梁王以為信，故梁楚之歡，由宋就始。語曰：「轉敗而為功，因禍而為福。」老子曰：「報怨以德。」此之謂也。夫人既不善，胡足效哉！（《新序》〈雜事第四〉）

厚之而可

梁國曾經有一件疑難案件，大臣們一半認為該判罪，一半認為無罪，就是梁王也拿不定主意。梁王說：「陶地的朱公以平民起家，如今富可敵國，他一定智慧超群。」於是召見朱公，問他說：「梁國有一件疑難案件，司法官員一半認為有罪，一半認為無罪，寡人也難以決斷，如果讓你來斷案，你怎麼判決呢？」朱公說：「在下無知草民，不懂得斷案。雖然這樣，還是勉強說說：草民家裡有兩塊白璧，它們的顏色、直徑、光澤都一樣，但是一塊價值千金，另一塊只值五百金。」梁王說：「這是為什麼呢？」朱公說：「從側面看，一塊比另一塊厚一倍，所以價值千金。」梁王說：「我懂了。」朱公是在以白璧打比方，暗示可判可不判罪的人就不判罪，可獎賞可不獎賞的人盡量給予獎賞。牆薄了容易倒，帛薄了裂得快，器皿薄容易碎，玉薄了價值菲；握有國家權力、實施政令教化的君主，也應該心存忠厚啊。

【出處】

梁嘗有疑獄，群臣半以為當罪，半以為無罪，雖梁王亦疑。梁王曰：「陶之朱公，以布衣富侔國，是必有奇智。」乃召朱公而問曰：「梁有疑獄，獄吏半以為罪，半以為不當罪，雖寡人亦疑，吾子決是奈何？」朱公曰：「臣鄙民也，不知當獄，雖然，臣之家有二白璧，其色相如也，其徑相如也，其澤相如也。然其價一者千金，一者五百金。」王曰：「徑上色澤相如也，一者千金、一者五百金，何也？」朱公曰：「側而視之，一者厚倍，是以千金。」梁王曰：「善。」故獄疑則從去，賞疑則從與，梁國大悅。由此觀之，牆薄則前壞，繒薄則前裂，器薄則前毀，酒薄則前酸。夫薄而可以曠日持久者，殆未有也。故有國畜民施政教者，宜厚之而可耳。（《新序》〈雜事第四〉）

解攻於魏

張儀憑藉秦國的勢力在魏國為相，齊、楚兩國很氣憤，就出兵攻打魏國。雍沮對張儀說：「魏國讓您出任相國，是以為您能為國民帶來安寧，如今魏國反而遭遇兵禍，看來是魏國考慮不周。如果齊、楚聯手進攻魏國，您的處境就危險了。」張儀說：「那怎麼辦呢？」雍沮說：「讓我去勸說齊、楚放棄攻魏吧。」於是雍沮去對齊、楚君主說：「大王知道張儀和秦惠王訂立密約的事嗎？張儀說：『大王讓我到魏國為相，齊楚恨我，必定會攻打魏國。如果魏國得勝，齊、楚兩國就會受損，我的相位就穩了；倘若魏國戰敗，一定會獻地投靠秦國。齊、楚兩國再想進攻魏國，其疲憊之態怎能同秦國周旋呢？』這就是張儀和秦王暗中勾結的陰謀。如今你們去攻打魏國，等於是在幫助張儀實現計謀啊。」齊楚兩國的君主說：「對。」於是放棄攻打魏國。

【出處】

張子儀以秦相魏，齊、楚怒而欲攻魏。雍沮謂張子曰：「魏之所以相公者，以公相則國家安，而百姓無患。今公相而魏受兵，是魏計過也。齊、楚攻魏，公必危矣。」張子曰：「然則奈何？」雍沮曰：「請令齊、楚解攻。」雍沮謂齊、楚之君曰：「王亦聞張儀之約秦王乎？曰：『王若相儀於魏，齊、楚惡儀，必攻魏。魏戰而勝，是齊、楚之兵折，而儀固得魏矣；若不勝魏，魏必多秦以持其國，必割地以賂王。若欲復攻，其敝不足以應秦。』此儀之所以與秦王陰相結也。

厚之而可

今儀相魏而攻之，是使儀之計當與秦也，非所以窮儀之道也。」齊、楚之王曰：「善。」乃遽解攻於魏。（《戰國策》〈魏策一〉）

寡婦高行

高行是梁國的寡婦，名字拜梁王所賜。高行人長得漂亮，品行也很端正。丈夫死得很早，一直沒有再嫁。梁國的貴人們都爭著娶她，但她始終不肯答應。梁王知道後，也派丞相前往下聘。高行說：「我丈夫不幸早死，壽命如犬馬一樣短暫，我本該陪葬同下棺槨，只因要撫養幼小的孤兒，所以不能殉節。貴人們多有來求的，幸而都已辭掉。現在君王又重申此意。妾聽說，婦人的志向，一旦立下就不要更改，以保全貞信的氣節。忘掉死去的丈夫再嫁新人，這是不守信義；見到富貴而忘記貧賤，是不堅貞；棄義而從利，就無法做人了。」於是拿刀對著鏡子割傷了自己的鼻子，說：「我已經自殘了。所以不死，是不忍心幼弱的孤兒再失去母親。君王聘妾，為的是我的姿色，如今我已破相，可以放棄了吧。」丞相稟報梁王，梁王非常讚賞她高貴的人品，於是免除她一家的勞役，並尊稱她為「高行」。

【出處】

高行者，梁之寡婦也。其為人榮於色而美於行。夫死早，寡不嫁。梁貴人多爭欲取之者，不能得。梁王聞之，使相聘焉。高行曰：「妾夫不幸早死，先狗馬填溝壑，妾宜以身薦其棺槨。守養其幼孤，曾不得專意。貴人多求妾者，幸而得免，今王又重之。妾聞：『婦人之義，一往而不改，以全貞信之節。』今忘死而趨生，是不信也。見貴而忘賤，是不貞也。棄義而從利，無以為人。」乃援鏡持刀以割其鼻曰：「妾已刑矣。所以不死者，不忍幼弱之重孤也。王之求妾者，以其色也。今刑餘之人，殆可釋矣。」於是相以報，王大其義，高其行，乃復其身，尊其號曰高行。（《列女傳》〈貞順傳〉）

梁節姑姊

梁節姑姊是梁國的婦人。一次家裡失火，哥哥的兒子和她自己的兒子都在屋子裡，她想先救哥哥的兒子，卻拽到自己的兒子。火勢很猛再也不能進屋，她就自己撲向大火。鄰友止住她說：「你本來是要救哥哥的兒子，慌亂中救出了自己的兒子，這有多大錯呢？何至於撲火自焚？」女人說：「面對梁國大眾，我哪能家家去傾訴，人人去表白？我背著不義的名聲，無臉見同胞國人。如果我把兒子扔回火裡，那就失去了身為母親的人性。這種情景下，我唯有一死而已。」於是投火而死。

【出處】

梁節姑姊者，梁之婦人也。因失火，兄子與己子在內中，欲取兄子，輒得其子，獨不得兄子。火盛，不得復入，婦人將自趣火，其友止之，曰：「子本欲取兄之子，惶恐卒誤得爾子，中心謂何，何至自赴火？」婦人曰：「梁國豈可戶告人曉也？被不義之名，何面目以見兄弟國人哉！吾欲復投吾子，為失母之恩，吾勢不可以生。」遂赴火而死。（《列女傳》〈節義傳〉）

取大舍小

楊朱見梁王，說自己治理天下就如玩於股掌之間。梁王說：「先生你只有一個妻子一個妾室，都不能管理好她們，有三畝大小的園子，都不能耕耘好它，怎麼說自己能治理好天下呢？」楊朱回答說：「您見過放羊的人嗎？一群羊上百隻，讓一個五尺高的小童拿著木棍跟著，讓它們向東就向東，讓它們向西就向西。而讓堯牽一隻羊，讓舜拿著木棍跟著，就不能前進了。況且臣聽說，能夠吞沒小船的魚，不會游在細小的河流中；高飛的鴻鵠，不會聚集在污濁的池塘中。為什麼？它們追求更遠的東西。黃鐘大呂，不會配以普通的舞蹈。將要治理大事的人不治理小事；成大功的人不成小功，就是這個道理。」

【出處】

楊朱見梁王，言治天下如運諸掌然，梁王曰：「先生有一妻一妾不能治，三畝之園不能芸，言治天下如運諸手掌何以？」楊朱曰：「臣有之，君不見夫羊乎，百羊而群，使五尺童子荷杖而隨之，欲東而東，欲西而西；君且使堯牽一羊，舜荷杖而隨之，則亂之始也。臣聞之，夫吞舟之魚不游淵，鴻鵠高飛不就污池，何則？其志極遠也。黃鐘大呂，不可從繁奏之舞，何則？其音疏也。將治大者不治小，成大功者不小苛，此之謂也。」（《說苑》〈政理〉）

雪及牛目

魏惠王死了，出殯的日期快到了，卻下起大雪，雪深得幾乎埋住牛的眼睛。群臣紛紛勸諫太子說：「雪下得這麼大還要舉行葬禮，百姓們一定會很勞累，朝廷的費用恐怕也不夠。請您推遲日期，另擇吉日吧。」太子說：「為人子女，如果因為百姓勞苦和費用不足就推遲葬禮，就是不仁不孝。你們不要再說了。」群臣不敢再言。惠施聽說後坐車去見太子，問他說：「安葬的日期要到了吧？」太子說：「是的。」惠公說：「從前周文王的父親季歷葬在渦山腳下，墳墓被水流浸蝕，露出了棺木的前臉。周文王說：『嘻，先王是想看一看臣下和百姓吧，所以才讓流水沖刷棺木上的泥土。』於是就把棺木挖出來，張設帷幕，舉行朝會，讓季歷接見群臣百姓，三天以後才改葬。這是文王的孝啊！如此大雪天太子卻堅持如期出殯，難道沒有快點安葬了事的嫌疑嗎？希望您另擇吉日。先王一定是想稍作停留以便安撫國家和百姓，所以才讓雪下得這樣大。另擇吉日就是效法文王的孝行啊。難道太子還以效法文王為羞恥嗎？」太子說：「您說得太好了，謹奉命緩期，另選吉日。」

【出處】

魏惠王死，葬有日矣。天大雨雪，至於牛目。群臣多諫於太子者，曰：「雪甚，如此而行葬，民必甚疾之，官費又恐不給，請弛期更日。」太子曰：「為人子者，以民勞與官費用之故，而不行先王之葬，不義也。子勿復言。」群臣皆莫敢諫，而以告犀首。犀首曰：

「吾未有以言之。是其唯惠公乎。請告惠公。」惠公曰：「諾。」駕而見太子曰：「葬有日矣。」太子曰：「然。」惠公曰：「昔王季歷葬於渦山之尾，欒水齧其墓，見棺之前和。文王曰：『嘻。先君必欲一見群臣百姓也天，故使欒水見之。』於是出而為之張朝，百姓皆見之，三日而後更葬。此文王之義也。今葬有日矣，而雪甚，及牛目，難以行。太子為及日之故，得無嫌於欲亟葬乎。願太子易日。先王必欲少留而撫社稷安黔首也，故使雨雪甚。因弛期而更為日，此文王之義也。若此而不為，意者羞法文王也。」太子曰：「甚善。敬弛期，更擇葬日。」（《呂氏春秋》〈開春論・開春〉）

蘇秦拘於魏

蘇秦被魏國扣押，想離開魏國逃到韓國去，因為魏國關閉城門而不能行。齊國派蘇厲替他對魏王說：「齊國請求把宋國的土地分封給涇陽君，秦國沒有接受。假借齊國之手得到宋國的土地對秦國並非不利，秦國沒有接納的原因，是不信任齊王和蘇秦。現在秦國看到齊、魏兩國嚴重不和，就會覺得齊國一定不欺騙秦國，進而信任齊國了。齊、秦兩國強強聯合，涇陽君也會得到宋國的土地，這對魏國不是好事。所以大王不如讓蘇秦返回齊國，讓秦國懷疑齊國。齊、秦不和，魏國就少了憂慮。討伐齊國成功，魏國的地盤也能擴大。」

【出處】

蘇秦拘於魏，欲走而之韓，魏氏閉關而不通。齊使蘇厲為之謂魏王曰：「齊請以宋地封涇陽君，而秦不受也。夫秦非不利有齊而得宋地也，然其所以不受者，不信齊王與蘇秦也。今秦見齊、魏之不合也，如此其甚也，則齊必不欺秦，而秦信齊矣。齊、秦合而涇陽君有宋地，則非魏之利也。故王不如復東蘇秦，秦必疑齊而不聽也。夫齊、秦不合，天下無憂，伐齊成，則地廣矣。」（《戰國策》〈魏策一〉）

四分五裂

張儀為促成秦國與魏國連橫，遊說魏王說：「魏國的領土方圓不到一千里，士兵不超過三十萬人。四周地勢平坦，與四方諸侯交通便利，猶如車輪輻條都集聚於車軸一樣，更沒有高山大川的阻隔。從鄭國到魏國，不過百十來里；從陳國到魏國，也僅有二百里地。人奔馬跑，等不到疲倦就到了魏國。南邊與楚國接壤，西邊是韓國，北邊是趙國，東邊與齊國相鄰，魏國士兵要守衛四方邊界，守境的小亭和屏障接連排列。魏國的地勢，原本就易攻難守。如果魏國親近楚國而不親近齊國，那齊國就會進攻你們的東面；向東親附齊國而不親附趙國，趙國就會從北面來攻；不和韓國聯合，韓國就會攻打你們的西面；不和楚國親善，南面就會危險了。這就是人們所說的四分五裂的地理位置。」

【出處】

張儀為秦連橫，說魏王曰：「魏地方不至千里，卒不過三十萬人。地四平，諸侯四通，條達輻湊，無有名山大川之阻。從鄭至梁，不過百里；從陳至梁，二百餘里。馬馳人趨，不待倦而至梁。南與楚境，西與韓境，北與趙境，東與齊境，卒戍四方。守亭障者參列。粟糧漕庾，不下十萬。魏之地勢，故戰場也。魏南與楚而不與齊，則齊攻其東；東與齊而不與趙，則趙攻其北；不合於韓，則韓攻其西；不親於楚，則楚攻其南。此所謂四分五裂之道也。（《戰國策》〈魏策一〉）

難敗其法

安邑的御史死了，他的副手擔心自己不能升任御史。輸里的人就為他去向安邑令說：「聽說公孫綦在為別人向魏王請求御史的職位，魏王說：『那裡不是本來就有個副手嗎？我不能破壞制度啊。』」於是安邑令馬上安排那個副手接任。

【出處】

安邑之御史死，其次恐不得也。輸人為之謂安令曰：「公孫綦為人請御史於王，王曰：『彼固有次乎？吾難敗其法。』」因遽置之。（《戰國策》〈韓策三〉）

鄰有聖令

魏襄王與群臣宴飲，喝到暢快的時候，魏王起立祝酒，祝願群臣人人得志。史起趁著酒興站起來說：「臣子有賢明也有不肖，賢明的人得志可以，不肖的人得志不可以。」魏王說：「群臣都應該向西門豹看齊。」史起回答說：「魏國分配土地，每戶一百畝，鄴地偏偏給二百畝，這說明那裡的土地不好。漳水就在旁邊，西門豹卻不知利用，這說明他很愚蠢。知道利用卻不報告，說明他不忠。又愚蠢又不忠，不可效法。」魏王無言以對。第二天，襄王召來史起問他說：「漳水還可以灌溉鄴縣的田地嗎？」史起回答說：「可以啊。」襄王說：「你何不替我去辦這件事？」史起說：「我擔心您做不了啊。」魏王說：「你真能做這件事，我都聽你的。」史起恭敬地答應了，而後對魏王說：「我去做這件事，當地的百姓肯定會非常怨恨我，重的會弄死我，輕的也會凌辱我。即使我被弄死或被凌辱，也希望您派其他人完成這件事。」魏王說；「好吧。」於是派他去當鄴令。史起啟動了引漳工程，鄴地一時民怨沸騰，想要凌辱他，史起躲起來不敢出門。魏王派人繼續引漳工程。工程完成後，百姓大獲其利，作歌稱頌說：「鄴地有賢令，此人是史公。引漳水，灌鄴旁；古來鹽鹼地，能長稻和粱。」

【出處】

魏襄王與群臣飲，酒酣，王為群臣祝，令群臣皆得志。史起興而對曰：「群臣或賢或不肖，賢者得志則可，不肖者得志則不可。」王曰：「皆如西門豹之為人臣也。」史起對曰：「魏氏之行田也以百畝，鄴獨二百畝，是田惡也。漳水在其旁，而西門豹弗知用，是其愚也。知而弗言，是不忠也。愚與不忠，不可效也。」魏王無以應之。明日，召史起而問焉，曰：「漳水猶可以灌鄴田乎？」史起對曰：「可。」王曰：「子何不為寡人為之？」史起曰：「臣恐王之不能為也。」王曰：「子誠能為寡人為之，寡人盡聽子矣。」史起敬諾，言之於王曰：「臣為之，民必大怨臣，大者死，其次乃藉臣。臣雖死藉，願王之使他人遂之也。」王曰：「諾。」使之為鄴令。史起因往為之。鄴民大怨，欲藉史起。史起不敢出而避之。王乃使他人遂為之。水已行，民大得其利，相與歌之曰：「鄴有聖令，時為史公。決漳水，灌鄴旁。終古斥鹵，生之稻粱」。（《呂氏春秋》〈先識覽・樂成〉）

為人用兵

公孫弘改變中原的禮俗，剪短了頭髮去做越王的騎士，公孫喜派人宣布和他斷交說：「我不再和你保持兄弟關係了。」公孫弘說：「剪了頭髮是斷髮，你卻賣命斷頸去替人帶兵打仗，我又該對你說什麼呢？」周南之戰時，公孫喜果然戰死。

【出處】

公孫弘斷髮而為越王騎，公孫喜使人絕之曰：「吾不與子為昆弟矣。」公孫弘曰：「我斷髮，子斷頸而為人用兵，我將謂之何？」周南之戰，公孫喜死焉。（《韓非子》〈說林下〉）

終身不見

魏國攻打衛國，連克兩座城邑，衛國國君非常憂慮，如耳拜見衛君說：「請讓我去勸說魏國收兵，罷免成陵君，可以嗎？」衛君說：「先生果能辦到，我願意世世代代以衛國侍奉先生。」如耳先去見成陵君，對他說：「從前魏國攻打趙國，斷絕羊腸阪，攻克閼與，曾想把趙國一分為二，趙國所以沒亡，是因為魏國是合縱的盟主。如今衛國已瀕臨亡國，準備向秦國稱臣。與其由秦國來解救衛國，不如由魏國來寬釋衛國。這樣，衛君一定會永遠感激魏國的恩德。」成陵君說：「那好吧。」如耳再去拜見魏王說：「臣曾去拜見衛君。衛國本來是周王室的分支，雖屬小國，寶器卻非常多。如今國家蒙難卻不肯拿出寶器的原因，在於他們認為進攻或寬釋衛國都不由大王做主，獻上寶器也一定不會到大王手上。臣私下猜測，最先建議寬釋衛國的，一定是接受了衛國賄賂的人。」如耳走後，成陵君進來請求撤軍。魏王同意了，同時也罷免了他的職位，終身不再見他。

【出處】

八年，伐衛，拔列城二。衛君患之。如耳見衛君曰：「請罷魏兵，免成陵君可乎？」衛君曰：「先生果能，孤請世世以衛事先生。」如耳見成陵君曰：「昔者魏伐趙，斷羊腸，拔閼與，約斬趙，趙分而為二，所以不亡者，魏為從主也。今衛已迫亡，將西請事於秦。與其以秦醳衛，不如以魏醳衛，衛之德魏必終無窮。」成陵君曰：「諾。」如耳見魏王曰：「臣有謁於衛。衛故周室之別也，其稱小國，多寶器。今國迫於難而寶器不出者，其心以為攻衛醳衛不以王為主，故寶器雖出必不入於王也。臣竊料之，先言醳衛者必受衛者也。」如耳出，成陵君入，以其言見魏王。魏王聽其說，罷其兵，免成陵君，終身不見。(《史記》〈魏世家〉)

罷起天臺

魏王要建造中天臺，下令說:「誰敢勸阻就處死誰。」許綰背著土籠拿著鐵鍬，來到朝廷對魏王說:「聽說大王要興建中天臺，臣下希望能盡綿薄之力。」魏王說:「你能出什麼力呢?」許綰說:「雖然沒什麼體力，但可以測算建臺的條件。」魏王說:「有什麼高見?」許綰說:「在下聽說天地之間的距離是一萬五千里，大王取其一半，就該起一座七千五百里的高臺，要建到這樣的高度，其地基每邊就要有八千里長，即便把大王的領土全部用上，也不夠用來做臺基。古代堯舜建立諸侯國，疆土面積是五千平方里。大王如果一定要建這個高臺，就要武力攻打周邊各諸侯國，湊夠每邊八千里才可以開始起臺。此外木材的用量、人力成本、物資儲備，都要以萬億來計量。八千里之外，都應該劃為農田，以保證修築高臺的日常用度。這些條件都具備，就可以建臺了。」魏王默然無語，隨即取消了築臺計劃。

【出處】

魏王將起中天臺，令曰:「敢諫者死。」許綰負蔂操鍤入曰:「聞大王將起中天臺，臣願加一力。」王曰:「子何力有加?」綰曰:「雖無力，能商臺。」王曰：「若何？」曰：「臣聞天與地相去萬五千里，今王因而半之，當起七千五百里之臺，高既如是，其趾須方八千里，盡王之地，不足以為臺趾。古者堯舜建諸侯，地方五千里，王必起此臺，先以兵伐諸侯，盡有其地猶不足，又伐四夷，得方八千里乃足以為臺趾，材木之積，人徒之眾，倉廩之儲，數以萬億度。八千里以外，當盡農畝之地，足以奉給王之臺者，臺具以備，乃可以作。」魏王默然無以應，乃罷起臺。（《新序》〈刺奢第六〉）

以至無奸

龐敬是個縣令，某次他派遣一位管理市場的人員出發，又召另一位管理市場的官員來見。公大夫站了一會兒，龐敬並沒有什麼可告誡的，最後讓他走了。市者以為縣令對公大夫有所指示，而對自己不予信任，因此不敢作姦犯科。

【出處】

龐敬，縣令也。遣市者行，而召公大夫而還之。立有間，無以詔之，卒遣行。市者以為令與公大夫有言，不相信，以至無奸。（《韓非子》〈內儲說上・七術〉）

是以名母

秦軍在華陽打敗魏軍，魏王準備入秦朝拜。魏臣周欣對魏王說：

「宋國有個人出外求學，三年後回家，竟然對母親直呼其名。母親說：『你在外求學三年，回來後對我直呼其名，這是為何？』兒子說：『天下的聖賢，沒有誰能超過堯、舜，可是對堯、舜都是直稱其名；天下的事物沒有比天地更大的了，可是對天地也是直呼其名。母親的賢德超不過堯舜，大不過天地，因此才直呼其名。』母親說：『你所學的本領，準備全部用上嗎？那就請你換一種方式稱呼我，不要直呼直名。你所學的本領，是否準備有所保留，或暫不實行？那就請你對母親暫緩直呼其名吧。』現在大王要侍奉秦王，還有可以代替朝拜秦王的辦法嗎？希望大王換一種思路，把朝拜秦王的事推後一些。」魏王說：「你是擔心我有去無回嗎？許綰曾對我發誓說：『如果去而難返，請取我的頭為您殉葬。』」周欣說：「像我這樣低賤的人，如果有人對我說：『你跳入不可測量的深淵，一定能出來；如果出不來，我就拿一隻老鼠為你殉葬。』我一定不幹。秦國是反覆無常的國家，就像是不可測量的深淵；而許綰的腦袋就好比老鼠的腦袋。讓大王進入反覆無常的秦國，卻用一隻老鼠的腦袋為您擔保，我認為大王不能這樣做。再說，君王你覺得失掉大梁和失掉河內哪個更緊急？」魏王說：「失掉大梁緊急。」周欣又說：「失掉大梁和丟掉性命哪個更要緊？」魏王說：「性命更要緊。」周欣說：「河內、大梁、性命，三者中性命最重要，河內次要。秦國還沒有索求次要的，大王已主動送上最要緊的，這能行嗎？」魏王沒有採納周欣的意見。支期又來勸說：「大王可以靜觀楚王，如果他要去秦國，大王就率三輛戰車搶先入秦；如果楚王不去，楚魏聯合為一，還能抗拒秦軍。」魏王這才沒有動身。

【出處】

秦敗魏於華，魏王且入朝於秦。周欣謂王曰：「宋人有學者，三年反而名其母。其母曰：『子學三年，反而名我者何也？』其子曰：『吾所賢者，無過堯、舜，堯、舜名。吾所大者，無大天地，天地名。今母賢不過堯、舜，母大不過天地，是以名母也。』其母曰：『子之於學者，將盡行之乎？願子之有以易名母也。子之於學也，將有所不行乎？願子之且以名母為後也。』今王之事秦，尚有可以易入朝者乎？願王之有以易之，而以入朝為後。」魏王曰：「子患寡人入而不出邪？許綰為我祝曰：『入而不出，請殉寡人以頭。』」周欣對曰：「如臣之賤也，今人有謂臣曰，入不測之淵而必出，不出，請以一鼠首為女殉者，臣必不為也。今秦不可知之國也。猶不測之淵也；而許綰之首，猶鼠首也。內王於不可知之秦，而殉王以鼠首，臣竊為王不取也。且無梁孰與無河內急？」王曰：「梁急。」「無梁孰與無身急？」王曰：「身急。」曰：「以三者，身，上也；河內，其下也。秦未索其下，而王效其上，可乎？」王尚未聽也。支期曰：「王視楚王。楚王入秦，王以三乘先之；楚王不入，楚、魏為一，尚足以捍秦。」王乃止。（《戰國策》〈魏策三〉）

誰能禦之

孟子見了梁襄王，出來以後，告訴人說：「遠看不像個國君，到了他跟前也看不出威嚴的樣子。突然問我：『天下要怎樣才能安定？』我回答說：『要統一才會安定。』他又問：『誰能統一天下呢？』我又答：『不喜歡殺人的國君能統一天下。』他又問：『有誰願意跟隨不喜歡殺人的國君呢？』我又答：『天下的人沒有不願意跟隨他的。大王知道禾苗的情況嗎？七八月間天旱的時候，禾苗就乾枯了。一旦天上烏雲密布，嘩啦嘩啦下起大雨來，禾苗便會蓬勃生長起來。這樣的情況，誰能夠阻擋呢？如今各國的國君，沒有一個不喜歡殺人的。如果有一個不喜歡殺人的國君，那麼，天下的老百姓都會伸長脖子期待著他來解救。老百姓歸服他，就像雨水向下奔流一樣，嘩啦嘩啦誰能阻擋得住呢？』」

【出處】

孟子見梁襄王。出，語人曰：「望之不似人君，就之而不見所畏焉。卒然問曰：『天下惡乎定？』吾對曰：『定於一。』『孰能一之？』對曰：『不嗜殺人者能一之。』『孰能與之？』對曰：『天下莫不與也。王知夫苗乎？七八月之間旱，則苗槁矣。天油然作雲，沛然下雨，則苗浡然興之矣。其如是，孰能禦之？今夫天下之人牧，未有不嗜殺人者也，如有不嗜殺人者，則天下之民皆引領而望之矣。誠如是也，民歸之，由水之就下，沛然誰能禦之？』」（《孟子》〈梁惠王上〉）

贏勝而履蹻

秦、韓攻打魏國，昭卯西去秦、韓遊說，使兩國退兵；齊、楚攻打魏國，昭卯東到齊、楚遊說，再使兩國撤軍。魏襄王以三十里食邑的待遇供養昭卯。昭卯說：「伯夷按將軍的禮儀葬在首陽山下，天下人說：『憑伯夷的賢德和仁名，卻只按將軍的禮儀埋葬他，這就好比連手腳都沒有遮住的薄葬。現在我說退了四個國家的軍隊，大王卻只給我三十里食邑，這和我的功勞相比，就好像發了大財的人卻穿著草鞋一樣。」

【出處】

秦、韓攻魏，昭卯西說而秦、韓罷。齊、荊攻魏，卯東說而齊、荊罷。魏襄王養之以五乘將軍，卯曰：「伯夷以將軍葬於首陽山之下，而天下曰：夫以伯夷之賢與其稱仁，而以將軍葬，是手足不掩也。今臣罷四國之兵，而王乃與臣五乘，此其稱功，猶贏勝而履蹻。」（《韓非子》〈外儲說左下〉）

王謀三國

齊王約燕國、趙國、楚國的相國在衛國相會，魏國不在之列。魏王擔心四國謀劃進攻魏國。公孫衍說：「大王給臣下百金，臣去攪黃他們的合約。」公孫衍算準齊王到達衛國的日期，先以車五十乘到達衛國等候。等齊王到後公孫衍向齊國使者獻上百金，請求先拜見齊王。見到齊王之後，公孫衍有意拖延時間，不緊不慢地閒扯，很久才告辭出來。另外三國的相國因此心生怨恨。對齊王說：「大王同我們三國相約排斥魏國，魏國派公孫衍來見您，兩人談了那麼久，這是大王在算計我們三國啊。」齊王說：「魏王聽說寡人到衛國來，特派公孫先生來慰勞寡人，寡人並沒同他密談什麼。」三個國家的相國都不相信齊王的話，結盟的事就泡湯了。

【出處】

齊王將見燕、趙、楚之相於衛，約外魏。魏王懼，恐其謀伐魏也，告公孫衍。公孫衍曰：「王與臣百金，臣請敗之。」王為約車，載百金。犀首期齊王至之曰，先以車五十乘至衛間齊，行以百金以請先見齊王，乃得見。因久坐，安從容談三國之相怨。謂齊王曰：「王與三國約外魏，魏使公孫衍來，今久與之談，是王謀三國也已。」齊王曰：「魏王聞寡人來，使公孫子勞寡人，寡人無與之語也。」三國之不相信齊王之遇，遇事遂敗。（《戰國策》〈魏策一〉）

服牛驂驥

公孫衍做魏國將軍時，與相國田繻不睦。季子替公孫衍對魏王說：「大王難道不知道牛馬並駕走一百步都很困難嗎？現在大王認為公孫衍是能領兵打仗的將領，因此任用他；然而率兵出征時您又聽信相國的主意，這明顯是牛馬並駕的做法。即使牛馬都累死，也達不到效果，國家也會因此受到損傷，希望大王明察。」

【出處】

公孫衍為魏將，與其相田繻不善。季子為衍謂梁王曰：「王獨不見夫服牛驂驥乎？不可以行百步。今王以衍為可使將，故用之也；而聽相之計，是服牛驂驥也。牛馬俱死，而不能成其功，王之國必傷矣！願王察之。」（《戰國策》〈魏策一〉）

不辭而去

史舉在魏王面前指責公孫衍。公孫衍想讓史舉難堪，就去對張儀說：「請讓我遊說魏王把魏國讓給先生，魏王就成了堯、舜一樣的君主了；而先生不接受讓國，也成了許由一樣的賢人。那時我再請求魏王賞給先生一座萬戶人家的城邑。」張儀非常高興，於是讓史舉多次去拜見公孫衍。魏王聽說這件事，從此再不信任史舉，史舉只得離開魏國。

【出處】

史舉非犀首於王。犀首欲窮之，謂張儀曰：「請令王讓先生以國，王為堯、舜矣；而先生弗受，亦許由也。衍請因令王致萬戶邑於先生。」張儀說，因令史舉數見犀首。王聞之而弗任也，史舉不辭而去。（《戰國策》〈魏策二〉）

不如釋薔

楚王從南面進攻大梁，韓國乘機圍困了魏國的薔地。成恢替公孫衍對韓王說：「猛攻薔地，楚軍就會大舉挺進。魏國支持不住，就會拱手聽命於楚國，韓國就危險了，所以大王不如放棄薔地。魏國少了韓國的憂患，一定會拚力同楚國決戰。打敗了，大梁都守不住，又何況薔地呢？打勝了，士兵疲憊不堪，大王再攻打薔地就容易得多。」

【出處】

楚王攻梁南，韓氏因圍藺。成恢為犀首謂韓王曰：「疾攻藺，楚師必進矣。魏不能支，交臂而聽楚，韓氏必危，故王不如釋藺。魏無韓患，必與楚戰，戰而不勝，大梁不能守，而又況存藺乎？若戰而勝，兵罷敝，大王之攻藺易矣。」（《戰國策》〈魏策二〉）

厝需於側

蘇代為田需遊說魏王說：「臣下想問大王，田文對魏國和齊國，哪個會更盡力呢？」魏王說：「當然是齊國。」「那公孫衍對魏國和韓國，哪個會更盡力呢？」魏王說：「當然是韓國。」蘇代說：「公孫衍親近韓國而疏遠魏國，田文親近齊國而疏遠魏國。這兩個人在魏國用事，想要他們保持中立是不可能的。大王的國家雖然衰弱，參與合縱就不容小視。大王不如安置田需在您身邊，監督公孫衍和田文的所做所為。兩人擔心田需指責，就不敢再有外心。」魏王說：「好主意。」果真把田需安置在自己身邊。

【出處】

蘇代為田需說魏王曰：「臣請問文之為魏，孰與其為齊也？」王曰：「不如其為齊也。」「衍之為魏，孰與其為韓也？」王曰：「不如其為韓也。」而蘇代曰：「衍將右韓而左魏，文將右齊而左魏。二人者，將用王之國，舉事於世，中道而不可，王且無所聞之矣。王之國雖滲樂而從之可也。王不如舍需於側，以稽二人者之所為。二人者曰：『需非吾人也，吾舉事而不利於魏，需必挫我於王。』二人者必不敢有外心矣。二人者之所為之，利於魏與不利於魏，王厝需於側以稽之，臣以為身利而便於事。」王曰：「善。」果厝需於側。（《戰國策》〈魏策二〉）

太子之自相

魏相田需死後，楚國宰相昭魚很擔心張儀、犀首或薛公繼任為相。蘇代問說：「那誰做宰相對楚國有利呢？」昭魚說：「最好是魏國太子。」蘇代說：「請允許我北上遊說，一定會讓您如願以償。」昭魚說：「你怎麼做呢？」蘇代回答說：「您來做梁王，我來試試。」昭魚說：「你說吧。」蘇代說：「我從楚國來，昭魚非常擔憂，他說：『田需去世了，我恐怕張儀、犀首、薛公三人中有一人要做魏相了。』我說：『梁王是一位賢君，一定不會讓張儀做宰相。張儀做了宰相，一定會偏向秦國，不助魏國。犀首做了宰相，一定偏向韓國，不助魏國。薛公做了宰相，一定會偏向齊國，不助魏國。梁王是一位賢君，一定會知道這樣對魏國不利。』魏王會說：『那麼寡人應該讓誰做宰相呢？』我說：『不如讓太子做宰相。太子做宰相，這三個人都會認為太子不會長期擔任宰相，都將盡力讓他們原來的國家侍奉魏國，藉以謀取相國的地位。以魏國的強大，再加上三個大國的輔助，魏國一定會安定的。所以說不如讓太子做宰相。』」於是昭魚北上，把這些話告訴魏王。魏王果然讓太子做了宰相。

【出處】

魏相田需死，楚害張儀、犀首、薛公。楚相昭魚謂蘇代曰：「田需死，吾恐張儀、犀首、薛公有一人相魏者也。」代曰：「然相者欲誰而君便之。」昭魚曰：「吾欲太子之自相也。」代曰：「請為君北，必相之。」昭魚曰：「奈何？」對曰：「君其為梁王，代請說君。」昭魚曰「奈何？」對曰：「代也從楚來，昭魚甚憂，曰：『田需死，吾恐張儀、犀首、薛公有一人相魏者也。』代曰：『梁王，長主也，必不相張儀。張儀相，必右秦而左魏。犀首相，必右韓而左魏。薛公相，必右齊而左魏。梁王，長主也，必不便也。』王曰：『然則寡人孰相。』代曰：『莫若太子之自相。太子之自相，是三人者皆以太子為非常相也，皆將務以其國事魏，欲得丞相璽也。以魏之彊，而三萬乘之國輔之，魏必安矣。故曰莫若太子之自相也。』」遂北見梁王，以此告之。太子果相魏。（《史記》〈魏世家〉）

破趙大易

犀首和田盼想率領齊、魏兩國的軍隊去攻打趙國，魏王和齊王不同意。犀首說：「請兩國各出五萬兵力，不出五個月就能攻下趙國。」田盼卻說：「輕易動用軍隊，國家易出風險；總想算計人家，自身會陷入困境。您現在把攻打趙國說得太容易了，恐有後患。」犀首說：「您太糊塗了。二位君主本來就不想出兵，如果再拿困難嚇唬他們，不但趙國不能攻打，我們的圖謀也破產了。把事情說容易些，兩國君王的顧慮就消除了。等到雙方交戰，短兵相接，齊王和魏王看到形勢危險，又怎麼敢放著軍隊不讓我們使用呢？」田盼說：「對。」於是合力勸說兩國君主聽從犀首的意見，犀首、田盼如願得到齊、魏兩軍的指揮權。軍隊還沒開出國境，魏王和齊王擔心兩人到了趙國要吃敗仗，立即調集全部軍隊緊跟而來，果然很快擊敗了趙國。

【出處】

犀首、田盼欲得齊、魏之兵以伐趙，梁君與田侯不欲。犀首曰：「請國出五萬人，不過五月而趙破。」田盼曰：「夫輕用其兵者，其國易危；易用其計者，其身易窮。公今言破趙大易，恐有後咎。」犀首曰：「公之不慧也。夫二君者，固已不欲矣，今公又言有難以懼之，是趙不伐，而二士之謀困也。且公直言易，而事已去矣。夫難構而兵結，田侯、梁君見其危，又安敢釋卒不我予乎？」田盼曰：「善。」遂勸兩君聽犀首。犀首、田盼遂得齊、魏之兵。兵未出境，梁君、田侯恐其至而戰敗也，悉起兵從之，大敗趙氏。（《戰國策》〈魏策二〉）

魏曲沃負

曲沃負是魏國大夫如耳的母親。秦國立魏國的公子政為魏太子。魏哀王遣使者為太子納妃。太子妃長得很美，哀王想據為己有。曲沃負對兒子如耳說：「君王亂了倫常，你為何不出面糾正？如今戰國時代，強國稱雄，有道義的國家才能昌顯。現在魏國不思強起，大王又不講仁義，怎麼能保全我們的國家呢？君王資質平凡，不知道這樣做的後果，如果你不加勸諫，魏國就將大禍臨頭。如果發生禍患，也會殃及我們家。你應該直言相勸，盡了忠心，就可以免除禍患，不要再錯失機會了。」如耳聽從母親的話想向魏王進諫，但一直沒找到合適的機會。沒多久，又被安排出使齊國。曲沃負於是親自上朝向魏王進言說：「我聽古人說：男女之別，是國家的重要規範。婦女心志脆弱，容易迷失，不可以誘惑。因此女子到十五歲一定要插上頭笄表示成年，到了二十歲就要出嫁，早早定下名分。正式迎娶的稱為妻，私奔的稱為妾，這是為了教育從善遏止邪念。婚姻嫁娶自有規範。先是下聘，而後確定婚期，再到女家迎娶，接到夫家，這是貞節女子應該遵守的大義。現在大王為太子娶妃，最後卻想納入自己的後宮，這等於毀了貞女的節操，又亂了男女的大別。自古以來，聖明的君主都會重視夫人的品行，夫人品行端正國家才會興盛，不正國家就會出現混亂。夏朝的興起源於塗山氏，亡國於末喜。殷朝興起於娀氏，滅亡於妲己。周朝興起於太姒，滅亡於褒姒。周康王的夫人盡心盡力輔佐夫君，本著淑女配君子的原則。雎鳩之鳥，也是成雙成對，從沒有獨居的。如果男女按禮法結合，就會確立父子關係和君臣關係。因此，夫婦關係是萬物之源。君臣、父子、夫婦三者，是最重要的綱紀。三者和諧則天下安定，三者混亂則天下大亂。如今面對重重外患，君王不為國家安危擔憂，反而違犯人倫，摒棄綱紀，與太子同爭一女，我們的國家已經很危險了。」魏王說：「原來這樣，寡人的確糊塗呀！」於是把太子妃還給太子，並賞賜曲沃老婦三十鍾粟。如耳返國後又加封爵位。魏王加強勤政自修，國力日盛，齊楚強秦均不敢加兵來犯。

【出處】

曲沃負者，魏大夫如耳母也。秦立魏公子政為魏太子，魏哀王使使者為太子納妃而美，王將自納焉。曲沃負謂其子如耳曰：「王亂於無別，汝胡不匡之？方今戰國強者為雄，義者顯焉。今魏不能強，王又無義，何以持國乎！王中人也，不知其為禍耳。汝不言，則魏必有禍矣。有禍，必及吾家。汝言以盡忠，忠以除禍，不可失也。」如耳未遇閒，會使於齊，負因款王門而上書曰：「曲沃之老婦也，心有所懷，願以聞於王。」王召入。負曰：「妾聞男女之別，國之大節也。婦人脆於志，窳於心，不可以邪開也。是故必十五而笄，二十而嫁，早成其號謚，所以就之也。聘則為妻，奔則為妾，所以開善遏淫也。節成，然後許嫁，親迎，然後隨從，貞女之義也。今大王為太子求妃，而自納之於後宮，此毀貞女之行而亂男女之別也。自古聖王必正妃匹妃。匹正則興，不正則亂。夏之興也以塗山，亡也以末喜。殷之興也以有娀，亡也以妲己。周之興也以太姒，亡也以褒姒。周之康王夫人，晏出朝關雎預見，思得淑女以配君子。夫雎鳩之鳥，猶未嘗見乘居而匹處也。夫男女之盛，合之以禮，則父子生焉，君臣成焉，故為萬物始。君臣、父子、夫婦三者，天下之大綱紀也。三者治則治，亂則亂。今大王亂人道之始，棄綱紀之務。敵國五六，南有從楚，西有橫秦，而魏國居其間，可謂僅存矣。王不憂此而從亂無別，父子同女妾，恐大王之國政危矣。」王曰：「然，寡人不知也。」遂與太子妃，而賜負粟三十鍾，如耳還而爵之。王勤行自修，勞來國家，而齊楚強秦不敢加兵焉。（《列女傳》〈仁智傳〉）

議則君必窮

秦穰侯攻打大梁，進入北宅，魏王將要順服，對穰侯說：「您攻打楚國，得宛地、穰地來擴大封地陶邑；攻打齊國，得剛地、壽地以擴大陶邑；進攻魏國，得許地、鄢陵以擴大陶邑，秦王之所以不過問，為什麼？是因為大梁還沒有被滅亡。如果大梁滅亡，私佔許地、鄢陵就會遭到非議，從而使您陷入困境。從您的角度考慮，不攻大梁有利。」

【出處】

穰侯攻大梁，乘北郢，魏王且從。謂穰侯曰：「君攻楚得宛、穰以廣陶，攻齊得剛、博以廣陶，得許、鄢陵以廣陶，秦王不問者，何也？以大梁之未亡也。今日大梁亡，許、鄢陵必議，議則君必窮。為君計者，勿攻便。」（《戰國策》〈魏策四〉）

堯之知舜

魏昭王問田詘說：「我在東宮當太子的時候，聽到先生議論說：『當聖賢很容易。』有這樣的話嗎？」田詘回答說：「是我說的話。」昭王說：「那麼先生您是聖賢嗎？」田詘回答說：「沒有功績就能知道這人是聖賢，這是堯對舜的了解，等到這人有了功績然後才知道他是聖賢，這是一般人對舜的了解。現在我沒有功績，可是您卻問我說『你是聖賢嗎』，請問您也是堯嗎？」昭王無話回答。

【出處】

魏昭王問於田詘曰：「寡人之在東宮之時，聞先生之議曰：『為聖易。』有諸乎？」田詘對曰：「臣之所舉也。」昭王曰：「然則先生聖於？」田詘對曰：「未有功而知其聖也，是堯之知舜也；待其功而後知其舜也，是市人之知聖也。今詘未有功，而王問詘曰『若聖乎』，敢問王亦其堯邪？」昭王無以應。（《呂氏春秋》〈審應覽・審應〉）

睡不亦宜乎

魏昭王想親自參與國家事務管理，就對孟嘗君說：「我想參與國家事務管理。」孟嘗君說：「大王如果想參與國家事務，為什麼不試著學學法令呢？」昭王才讀了十幾條法令，瞌睡就來了。昭王說：「我不能閱讀這些法令。」君主不親自掌握權勢，卻想做臣子該做的事情，打磕睡不是很自然嗎？

【出處】

魏昭王欲與官事，謂孟嘗君曰：「寡人欲與官事。」君曰：「王欲與官事，則何不試習讀法？」昭王讀法十餘簡而睡臥矣。王曰：「寡人不能讀此法。」夫不躬親其勢柄，而欲為人臣所宜為者也，睡不亦宜乎。（《韓非子》〈外儲說左上〉）

既雕既琢

古書上說：「既雕既琢，還原它的本來面目。」魏國有個人鑽研這部書，一言一行都奉行這句話，做任何事都講求修飾，感嘆說：「真是困難啊。」結果什麼事情也做不好。別人說：「這是為什麼呢？」他回答說：「書上是這樣說的，當然要這麼做。」

【出處】

書曰：「既雕既琢，還歸其樸。」梁人有治者，動作言學，舉事於文，曰：「難之。」顧失其實。人曰：「是何也？」對曰：「書言之，固然。」（《韓非子》〈外儲說左上〉）

焉得不馴

薛公做魏昭王相國的時候，昭王近侍中有一對孿生子，名叫陽胡、潘，很受昭王的器重，但不肯替薛公效勞。薛公為此深感憂慮，於是就召二人賭博。薛公給他們每人一百金，讓兄弟二人打棋相賭，一會兒又給每人增加二百金。剛賭了一會兒，傳達官通報門客張季的兒子在門外。薛公勃然大怒，拿兵器交給傳達官說：「殺了他！我聽說張季不肯為我效勞。」站了一會兒，剛好張季的黨羽在旁邊，解釋說：「不是這樣的。我私下聽說張季為您很賣力，只是他暗中出力，您不知道罷了。」薛公於是傳令不要殺張季的兒子，並厚禮相待，說：「過去我聽說張季不為我效勞，所以想殺他；現在知道他確實為我出力，我怎麼能忘了他呢！」於是拿出千石糧食、五百金，又從自己馬廄裡選出好馬八匹、車二乘，以及宮中挑選的美女二十名一併送給張季。孿生子私下商量說：「既然為薛公效勞一定獲利，不為薛公

睡不亦宜乎

效勞一定受害，我們幹嘛不為薛公效力呢？」從此爭相勸勉為薛公效勞。薛公以臣子的勢位，假借君王的權術，尚且可以避免禍害的發生，君主如果擅用這種權術，又哪能不奏效呢？馴養烏鴉首先要剪斷烏鴉的翅膀和尾巴下邊的羽毛，這樣烏鴉就只能靠人餵養，哪能不馴服呢？明君蓄養臣子也是這樣，如果臣子貪圖君主的俸祿，仰仗君主的名位。又哪能不馴服呢？

【出處】

薛公之相魏昭侯也，左右有欒子者曰陽胡、潘，其於王甚重，而不為薛公。薛公患之，於是乃召與之博，予之人百金，令之昆弟博；俄又益之人二百金。方博有間，謁者言客張季之子在門，公怫然怒，撫兵而授謁者曰：「殺之！吾聞季之不為文也。」立有間，時季羽在側，曰：「不然。竊聞季為公甚，顧其人陰未聞耳。」乃輟不殺客大禮之，曰：「曩者聞季之不為文也，故欲殺之；今誠為文也，豈忘季哉！「告廩獻千石之粟，告府獻五百金，告騶私廄獻良馬固車二乘，因令奄將宮人之美妾二十人並遺季也。欒子因相謂曰：「為公者必利，不為公者必害，吾曹何愛不為公？」因私競勸而遂為之。薛公以人臣之勢，假人主之術也，而害不得生，況錯之人主乎！夫馴烏者斷其下翎，則必恃人而食，焉得不馴乎？夫明主畜臣亦然，令臣不得不利君之祿，不得無服上之名。夫利君之祿，服上之名，焉得不服？（《韓非子》〈外儲說右上〉）

非馬之任

魏王說：「過去您說『天下無道』，如今您又說『且將攻燕』，為什麼？」虞卿回答說：「現在說馬很有力量，那是事實，但要說馬的力量勝過千鈞就有點誇張了。為什麼？因為千鈞之力，已經不在馬力的範圍之內。現在說楚國強大，那是事實，但要說楚國能跨越趙國、魏國同燕軍作戰，則是楚國不能勝任的事情。讓楚國去做不能勝任的事情，這是損害楚國啊。使楚國強大和使楚國受到損害，它們之中哪種情況對大王更有利呢？」

【出處】

王曰：「向也，子曰『天下無道』，今也，子曰『乃且攻燕』者，何也？」對曰：「今謂馬多力則有矣，若曰勝千鈞則不然者，何也？夫千鈞，非馬之任也。今謂楚強大則有矣，若夫越趙、魏而鬥兵於燕，則豈楚之任也哉？且非楚之任，而楚為之，是弊楚也。強楚、弊楚，其於王孰便也？」（《戰國策》〈韓策一〉）

敬受明教

魏公子牟往東方去，穰侯為他送行，說：「先生將要離開我去山東了，難道沒有一句話來教誨我嗎？」魏公子牟說：「要不是你講到這件事，我幾乎忘了。你知道，那官位並不與權勢相約，權勢自己就會到來；權勢不與財富相約，財富自己就會到來；財富並不與尊貴相約，尊貴自己就會到來；尊貴並不與驕奢相約，驕奢自己就會到來；驕奢並不與罪過相約，罪過自己就會到來；罪過並不與死亡相約，死亡自己就會到來。」穰侯說：「講得好！我恭敬地接受你高明的教誨。」

【出處】

魏公子牟東行，穰侯送之曰：「先生將去冉之山東矣，獨無一言以教冉乎？」魏公子牟曰：「微君言之，牟幾忘語君，君知夫官不與勢期，而勢自至乎？勢不與富期，而富自至乎？富不與貴期，而貴自至乎？貴不與驕期，而驕自至乎？驕不與罪期，而罪自至乎？罪不與死期，而死自至乎？」穰侯曰：「善，敬受明教。」（《說苑》〈敬慎〉）

得臣則安

須賈帶范雎出使齊國。齊襄王很欣賞范雎，派人私下給范雎送去十斤黃金及牛肉美酒，范雎忠於魏國，堅辭不受。須賈得知後妒火中燒，認為范雎一定是向齊國出賣了魏國的祕密，所以才得到餽贈讓他接收牛肉美酒，退還黃金。返回魏國，須賈立即把他的臆測報告給國相魏齊。魏齊大怒，命令左右近臣用板子、荊條抽打范雎，打得范雎脅斷齒折。范雎裝死，魏齊讓人用蓆子捲住他扔進廁所。宴飲的賓客喝醉了，輪番往他身上撒尿，故意污辱他，藉以懲一警百。范雎從卷席裡對看守說：「我家裡還有點金子，您把我送回家，金子都是您的。」看守於是向魏齊請示扔掉死人。魏齊喝醉了，順口答應說：

「行吧。」范睢因而得以逃脫。後來魏齊後悔把范睢當死人扔掉，派人去搜索。魏國人鄭安平得知消息，把范睢隱藏起來，改名張祿。王稽出使魏國，與鄭安平一起幫助范睢逃到秦國。王稽向秦王報告出使情況後，趁機進言說：「魏國有個張祿先生，是天下難得的辯才。他說『秦國的處境已經到了非常危險的地步，能採用我的策略可保安全，但需面談，不能用書信傳達』，所以我把他帶到秦國來了。」秦王不相信這番話，讓范睢住在客舍，供應粗劣的飯食。范睢一等就是一年。

【出處】

須賈為魏昭王使於齊，范睢從。留數月，未得報。齊襄王聞睢辯口，乃使人賜睢金十斤及牛酒，睢辭謝不敢受。須賈知之，大怒，以為睢持魏國陰事告齊，故得此饋，令睢受其牛酒，還其金。既歸，心怒睢，以告魏相。魏相，魏之諸公子，曰魏齊。魏齊大怒，使舍人笞擊睢，折脅摺齒。睢詳死，即卷以簀，置廁中。賓客飲者醉，更溺睢，故僇辱以懲後，令無妄言者。睢從簀中謂守者曰：「公能出我，我必厚謝公。」守者乃請出棄簀中死人。魏齊醉，曰：「可矣。」范睢得出。後魏齊悔，復召求之。魏人鄭安平聞之，乃遂操范睢亡，伏匿，更名姓曰張祿。當此時，秦昭王使謁者王稽於魏。鄭安平詐為卒，侍王稽。王稽問：「魏有賢人可與俱西游者乎？」鄭安平曰：「臣里中有張祿先生，欲見君，言天下事。其人有仇，不敢晝見。」王稽曰：「夜與俱來。」鄭安平夜與張祿見王稽。語未究，王稽知范睢賢，謂曰：「先生待我於三亭之南。」與私約而去。……王稽遂與范睢入咸陽。已報使，因言曰：「魏有張祿先生，天下辯士也。曰：『秦

王之國危於累卵，得臣則安。然不可以書傳也。』臣故載來。」秦王弗信，使舍食草具。待命歲餘。（《史記》〈范雎蔡澤列傳〉）

謹解大位

魏國進攻管邑，久攻不下。知道安陵人縮高的兒子是管邑的守官，信陵君派人對安陵君說：「您還是派縮高來吧，我會賜他為五大夫，擔任持節尉。」安陵君說：「安陵是個小國，不能強行驅使自己的百姓。請使者自己去吧。」安陵君讓使者親自面見縮高，轉達信陵君的意思。縮高推辭說：「做父親的去進攻兒子守衛的城邑，別人會大加笑話的。臣下的兒子因為見到臣下而獻出城邑，這是背叛君主；父親教兒子背叛君主，相信您也不會喜歡。冒昧地再拜辭謝。」使者回報信陵君，信陵君很生氣，派特使到安陵說：「安陵跟魏國是一家人。現在我久攻管邑不下，秦國軍隊就會威脅我，國家就危險了。希望您能把縮高捆送到我這兒來。如果您不送來，我將率兵十萬進駐安陵城下。」安陵君說：「我的先君成侯受襄王之詔來據守這塊土地，親手接受了大府的法令。法令的上篇中說：『兒子殺死父親，臣下殺死君主，不在赦免之列。國家雖有大赦，哪怕因城邑被征服而逃亡，也不能獲得赦免。』現在縮高辭謝高官以保全父子之間的大義，而您卻說『一定要把他活著送來。』這是讓我背棄襄王遺詔並且廢除大府的法令啊，即使是死，我也不敢這麼做。」縮高聽說這件事之後說：「信陵君為人凶悍自用。用這番話回覆他，一定會釀成國家的禍患。我已經保全了父子之義，不能再違背作人臣的大義，怎麼可以讓我的君主遭到來自魏國的禍患呢。」於是來到使者住處自刎而死。信陵君聽說縮高自刎的消息，穿上白色的孝服離開正舍而居，並派使者向安陵君謝罪說：「無忌是個小人，由於考慮不周失言於您，冒昧地再拜謝罪。」

【出處】

魏攻管而不下。安陵人縮高，其子為管守。信陵君使人謂安陵君曰：「君其遣縮高，吾將仕之以五大夫，使為持節尉。」安陵君曰：「安陵，小國也，不能必使其民。使者自往，請使道使者至縮高之所，覆信陵君之命。」縮高曰：「君之幸高也，將使高攻管也。夫以父攻子守，人大笑也。是臣而下，是倍主也。父教子倍，亦非君之所喜也。敢再拜辭。」使者以報信陵君，信陵君大怒，遣大使之安陵曰：「安陵之地，亦猶魏也。今吾攻管而不下，則秦兵及我，社稷必危矣。願君之生束縮高而致之。若君弗致也，無忌將發十萬之師，以造安陵之城。」安陵君曰：「吾先君成侯，受詔襄王以守此地也，手受大府之憲。憲之上篇曰：『子弒父，臣弒君，有常不赦。國雖大赦，降城亡子不得與焉。』今縮高謹解大位，以全父子之義，而君曰『必生致之』，是使我負襄王詔而廢大府之憲也，雖死，終不敢行。」縮高聞之曰：「信陵君為人，悍而自用也。此辭反，必為國禍。吾已全己，無為人臣之義矣，豈可使吾君有魏患也。」乃之使者之舍，刎頸而死。信陵君聞縮高死，素服縞素辟舍，使使者謝安陵君曰：「無忌，小人也，困於思慮，失言於君，敢再拜釋罪。」（《戰國策》〈魏策四〉）

請以魏聽

周肖對宮他說：「您替我對齊王說，我願做齊國的外臣。希望讓齊國幫助我在魏國獲得權力。」宮他說：「不可以這麼做，這是向齊國表示您在魏國得不到重用。齊國絕不會用得不到魏國信任的人來損害已經取得魏國信任的人，所以您不妨表示已經得到魏國信任。您就說：『大王向魏國所提出的要求，臣下會說服魏國聽從。』這樣齊國才會幫助您。您有了齊國的重視和支持，也會取得魏國的信任。」

【出處】

周肖謂宮他曰：「子為肖謂齊王曰，肖願為外臣。令齊資我於魏。」宮他曰：「不可，是示齊輕也。夫齊不以無魏者以害有魏者，故公不如示有魏。公曰：『王之所求於魏者，臣請以魏聽。』齊必資公矣，是公有齊，以齊有魏也。」（《戰國策》〈魏策四〉）

欲傷張儀

周最親齊，翟強親楚。這兩個人想要在魏王那裡中傷張儀。張儀聽說後，就派他的手下做了引見傳命之人的嗇夫，專門監視拜見魏王的人，因此沒有人敢中傷張儀。

【出處】

周冣善齊，翟強善楚。二子者，欲傷張儀於魏。張子聞之，因使

其人為見者嗇夫聞見者，因無敢傷張子。（《戰國策》〈魏策四〉）

亡趙之始

秦國要趙國攻打魏國，魏王對趙王說：「攻打魏國是趙國滅亡的開始。從前，晉國想要滅掉虞國就先攻打虢國，攻打虢國就是滅掉虞國的開始。當時晉國大夫荀息拿出寶馬玉璧向虞國借道，虞國相國宮之奇極力勸阻，虞公不聽。晉國借道滅掉虢國後，返國途中就滅掉了虞國。所以《春秋》記載這件事時，特別責備了虞公。現在諸侯中只有趙國能與齊、秦並駕齊驅，趙王既賢明又得到有聲望的人輔佐，是秦國的心腹之患。魏、趙兩國同虞、虢兩國一樣，是唇齒相依的關係，唇亡則齒寒。聽秦國之言去攻打魏國，就等於從前虞國借道給晉國攻打虢國一樣，是自取滅亡，還望大王三思。」

【出處】

秦使趙攻魏，魏謂趙王曰：「攻魏者，亡趙之始也。昔者晉人欲亡虞而伐虢，伐虢者，亡虞之始也。故荀息以馬與璧假道於虞，宮之奇諫而不聽，卒假晉道。晉人伐虢，反而取虞。故《春秋》書之，以罪虞公。今國莫強於趙，而並齊、秦，王賢而有聲者相之，所以為腹心之疾者，趙也。魏者，趙之虢也；趙者，魏之虞也。聽秦而攻魏者，虞之為也。願王熟計之也。」（《戰國策》〈魏策三〉）

垣雍之割

秦、趙長平之戰時，平都君勸魏安王說：「大王為何不參與合縱呢？」魏王說：「因為秦國答應讓韓國把垣雍歸還給我國。」平都君說：「我認為歸還垣雍不過是一句空話。」魏王說：「為什麼呢？」平都君說：「秦趙兩軍在長平城下長久相持，勝負難決。諸侯若與秦國聯合，趙國就會滅亡；若和趙國聯合，秦國就會滅亡。秦國擔心大王參與合縱，所以用垣雍來引誘大王。大王試想，假如秦國戰勝了趙國，大王敢向秦國索取垣雍嗎？」魏王說：「不敢。」平都君說：「秦國如果不能戰勝趙國，大王能讓韓國交出垣雍嗎？」魏王說：「不能。」平都君說：「所以我說歸還垣雍只是一句空話。」魏王說：「對。」

【出處】

長平之役，平都君說魏王曰：「王胡不為從？」魏王曰：「秦許吾以垣雍。」平都君曰：「臣以垣雍為空割也。」魏王曰：「何謂也？」平都君曰：「秦、趙久相持於長平之下而無決。天下合於秦，則無趙；合於趙，則無秦。秦恐王之變也，故以垣雍餌王也。秦戰勝趙，王敢責垣雍之割乎？」王曰：「不敢。」「秦戰不勝趙，王能令韓出垣雍之割乎？」王曰：「不能。」「臣故曰，垣雍空割也。」魏王曰：「善。」（《戰國策》〈魏策四〉）

弱之召攻

秦國停止攻打邯鄲，改為進攻魏國。攻下寧邑後，吳慶擔心魏王同秦國講和，對魏王說：「秦國進攻大王，大王知道原因嗎？天下諸侯都說大王親近秦國。其實大王並不親近秦國，相反，魏國是秦國想滅掉的國家；天下諸侯都說大王國力弱小，其實大王的國家並不弱於東、西二周。秦國人之所以離開邯鄲、越過二周進攻大王，是認為大王容易被挾制。大王也該知道軟弱可欺的道理了吧？」

【出處】

秦罷邯鄲，攻魏，取寧邑，吳慶恐魏王之構於秦也，謂魏王曰：「秦之攻王也，王知其故乎？天下皆曰王近也。王不近秦，秦之所去。皆曰王弱也。王不弱二周，秦人去邯鄲，過二周而攻王者，以王為易制也。王亦知弱之召攻乎？」（《戰國策》〈魏策四〉）

善者相避

宋石是魏國的將領，衛君是楚國的將領。兩國交戰，宋石、衛君分別擔任兩國將領。宋石送信給衛君說：「雙方兵力相當，雙方軍旗相望，希望不要交戰，交戰後一定不能兩存。這是兩國君主的事，我和您沒有私仇，最好的辦法是相互避開。」

【出處】

宋石，魏將也。衛君，荊將也。兩國構難，二子皆將，宋石遺衛君書曰：「二軍相當，兩旗相望，唯毋一戰，戰必不兩存，此乃兩主之事也，與子無有私怨，善者相避也。」（《韓非子》〈內儲說下・六微〉）

矯王命而謀攻

魏王臣子中有兩個人與濟陽君不和，濟陽君就讓人偽造王命來謀劃進攻自己。魏王派人問濟陽君說：「你與誰有仇？」濟陽君回答說：「我不敢和誰有仇。雖說如此，也曾和兩個人關係不好，但還不至於到這種地步。」魏王問左右近侍，都說：「確實如此。」魏王就殺了這兩個人。

【出處】

魏王臣二人不善濟陽君，濟陽君因偽令人矯王命而謀攻己，王使人問濟陽君曰：「誰與恨？」對曰：「無敢與恨，雖然，嘗與二人不善，不足以致於此。」王問左右，左右曰：「固然。」王因誅二人。（《韓非子》〈內儲說下・六微〉）

魏有老儒

魏國有個老學究與濟陽君不和。濟陽君有個門客正好與這個老學究有私仇，乘機攻擊老學究殺死他，而後去討好濟陽君說：「我因他與您不和，所以替您殺了他。」濟陽君不加明察就獎賞了他。另一種說法是：濟陽君家裡有個年輕侍從，想得到濟陽君的賞識。齊國派老學究到馬梨山挖草藥，年輕的侍從進見濟陽君說：「齊國派老學究到馬梨山挖草藥，名義上是挖草藥，實際上是要刺探您的封地。如果是您殺他，魏國就會拿您到齊國抵罪。就讓我去殺了他吧。」濟陽君說：「行。」第二天，年輕的侍從在城北殺死了老儒生，因此得寵。

【出處】

魏有老儒而不善濟陽君，客有與老儒私怨者，因攻老儒殺之以德於濟陽君曰：「臣為其不善君也，故為君殺之。」濟陽君因不察而賞之。一曰：濟陽君有少庶子，有不見知，欲入愛於君者，齊使老儒掘藥於馬梨之山，濟陽少庶子欲以為功，入見於君曰：「齊使老儒掘藥於馬梨之山，名掘藥也，實間君之國，君殺之，是將以濟陽君抵罪齊矣。臣請刺之。」君曰：「可。」於是明日得之城陰而刺之，濟陽君還益親之。（《韓非子》〈內儲說下・六微〉）

鄭梁一國

魏王對韓王說：「當初韓、魏屬同一個國家，後來因故分開，現在我希望重新把韓國併入魏國。」韓王很為這件事擔憂，召集群臣，商量如何回覆。鄭公子對韓王說：「這很容易回答。您對魏王說：『既然韓、魏原屬一國可以合併，那麼敝國希望把魏國併入韓國』」。魏王聽了，不再提出合併的要求。

【出處】

魏王謂鄭王曰：「始鄭、梁一國也，已而別，今願復得鄭而合之梁。」鄭君患之，召群臣而與之謀所以對魏，鄭公子謂鄭君曰：「此甚易應也。君對魏曰：以鄭為故魏而可合也，則弊邑亦願得梁而合之鄭。」魏王乃止。（《韓非子》〈內儲說上・七術〉）

以荊勢相魏

陳需是魏王的臣子，又和楚王友好，就叫楚國攻打魏國，而後乘機請求替魏王解圍，從而利用楚國攻魏的形勢做了魏相。

【出處】

陳需，魏王之臣也，善於荊王，而令荊攻魏，荊攻魏，陳需因請為魏王行解之，因以荊勢相魏。（《韓非子》〈內儲說下・六微〉）

鄴令襄疵

鄴縣的縣令襄疵暗中結交趙王的左右侍從。趙王每次謀劃偷襲鄴縣，襄疵都能馬上得到情報，並事先報告魏王。魏王加強守備，趙國只得撤兵。

【出處】

鄴令襄疵，陰善趙王左右，趙王謀襲鄴，襄疵常輒聞而先言之魏王，魏王備之，趙乃輒還。(《韓非子》〈內儲說下‧六微〉)

用智不如用梟

安釐王元年，秦軍攻下了魏國的兩座城池。二年，又攻下兩座城池。三年，再下四城，斬殺四萬人。四年，秦軍打敗魏軍、韓軍和趙軍，殺死十五萬人，撵走了魏將芒卯。魏將段干子請求把南陽讓給秦國以求和。蘇代對魏王說：「想陞官的是段干子，想得到土地的是秦國。如今大王讓想得土地的人控制官印，想陞官的人控制土地，魏國的土地不送光就不會終結。況且用土地侍奉秦國，就好像抱著乾柴去救火，柴不燒完，火是不會滅的。」魏王說：「那是當然了。儘管如此，可是事情已經開始實行，不能更改了。」蘇代回答說：「大王不知道玩博戲的人所以特別看重梟的緣故嗎？是由於有利就可以吃掉對方的子，無利就停下來。如今大王說『事情已經開始實行，不能更改了』，大王使用智謀怎麼還不如博戲時的用梟呢？」

【出處】

安釐王元年，秦拔我兩城。二年，又拔我二城，軍大梁下，韓來救，予秦溫以和。三年，秦拔我四城，斬首四萬。四年，秦破我及韓、趙，殺十五萬人，走我將芒卯。魏將段干子請予秦南陽以和。蘇代謂魏王曰：「欲璽者段干子也，欲地者秦也。今王使欲地者制璽，使欲璽者制地，魏氏地不盡則不知已。且夫以地事秦，譬猶抱薪救火，薪不盡，火不滅。」王曰：「是則然也。雖然，事始已行，不可更矣。」對曰：「王獨不見夫博之所以貴梟者，便則食，不便則止矣。今王曰事始已行，不可更，是何王之用智不如用梟也」。（《史記》〈魏世家〉）

得魚而涕下

魏王和龍陽君同船釣魚，龍陽君釣了十多條魚後，突然失聲痛哭。魏王說：「你有什麼委屈嗎？」龍陽君說：「臣下沒什麼委屈。」魏王說：「那你為什麼傷心流淚？」龍陽君說：「臣下為釣魚流淚。」魏王說：「什麼意思？」龍陽君回答說：「臣下釣到第一條魚的時候，心裡很開心，後來釣起來的魚更大就想拋棄先前釣的魚。如今臣下這樣醜陋，卻能夠枕席之間侍奉君王，爵位高達人君，誰見了都要趨步避讓。四海之內美人很多，聽說臣下受寵，一定會提起衣裙奔向大王。到時候，臣下少不得也會像先前釣出水的魚一樣被拋棄，臣下怎能不流淚呢？」魏王說：「您錯了。有這種想法，為什麼不告訴我呢？」於是在全國發布命令說：「有敢談論美人的滅族。」由此來看，受君王寵信的人，他們討好君王的手段已經很嫻熟，自我保護的辦法也很完善。現在從千里之外進獻美人，未必一定能得到寵幸，即便得到寵幸，也不一定能保證為我所用，反而會遭到君主身邊受寵者的怨恨。這樣只會有禍而不會有福，只會遭怨而不會受惠，這絕不是好的智謀。

【出處】

魏王與龍陽君共船而釣，龍陽君得十餘魚而涕下。王曰：「有所不安乎？如是，何不相告也？」對曰：「臣無敢不安也。」王曰：「然則何為涕出？」曰：「臣為王之所得魚也。」王曰：「何謂也？」對曰：「臣之始得魚也，臣甚喜，後得又益大，今臣直欲棄臣前之所得矣。今以臣凶惡，而得為王拂枕席。今臣爵至人君，走人於庭，辟人於途。四海之內，美人亦甚多矣，聞臣之得幸於王也，必褰裳而趨王。臣亦猶曩臣之前所得魚也，臣亦將棄矣，臣安能無涕出乎？」魏王曰：「誤！有是心也，何不相告也？」於是布令於四境之內曰：「有敢言美人者族。」由是觀之，近習之人，其摯諂也固矣，其自纂繁也完矣。今由千里之外，欲進美人，所效者庸必得幸乎？假之得幸，庸必為我用乎？而近習之人相與怨，我見有禍，未見有福；見有怨，未見有德，非用知之術也。（《戰國策》〈魏策四〉）

上屋騎危

趙王派人對魏王說：「為我殺死范痤，我願獻出七十里土地。」

魏王說：「好。」於是派官吏去逮捕范痤，將范痤堵在家裡。范痤爬上屋頂，騎在屋脊上對使臣說：「與其用死的范痤去談判，不如用活的范痤作交易。如果把范痤殺了，趙國卻不給大王土地，那大王怎麼辦呢？所以不如與趙國先把割讓的土地劃定，然後再殺我也不遲。」魏王說：「很好。」范痤於是給信陵君上書說：「范痤是魏國免職的宰相，趙國以割地為條件要殺我，魏王竟然聽從。如果強秦沿用趙國的辦法對待您，那您將怎麼辦呢？」信陵君於是向趙王進諫，范痤隨即被釋放了。

【出處】

趙使人謂魏王曰：「為我殺范痤，吾請獻七十里之地。」魏王曰：「諾。」使吏捕之，圍而未殺。痤因上屋騎危，謂使者曰：「與其以死痤市，不如以生痤市。有如痤死，趙不予王地，則王將奈何。故不若與先定割地，然後殺痤。」魏王曰：「善。」痤因上書信陵君曰：「痤，故魏之免相也，趙以地殺痤而魏王聽之，有如彊秦亦將襲趙之欲，則君且奈何。」信陵君言於王而出之。（《史記》〈魏世家〉）

心不在博

魏公子與魏王正在下棋，北部邊境傳來警報說：「趙國發兵進犯，將進入邊境。」魏王立即放下棋子，準備召集大臣商議對策。公子勸阻魏王說：「應該是趙王打獵，不會是進犯邊境。」接著繼續下棋，如同什麼事情也沒發生一樣。魏王驚恐，再也沒心思下棋。過了一會兒，又從北部傳來消息說：「是趙王打獵，不是進犯邊境。」魏王聽後大感驚詫說：「公子怎麼知道的？」魏公子回答說：「我的食客中有人能貼近趙王，趙王有什麼行動，我當然能及時知道。」從此以後，魏王畏懼公子賢能，不敢任用魏公子處理國家大事。

【出處】

公子與魏王博，而北境傳舉烽，言：「趙寇至，且入界。」魏王釋博，欲召大臣謀。公子止王曰：「趙王田獵耳，非為寇也。」復博如故。王恐，心不在博。居頃，復從北方來傳言曰：「趙王獵耳，非為寇也。」魏王大驚，曰：「公子何以知之？」公子曰：「臣之客有能深得趙王陰事者，趙王所為，客輒以報臣，臣以此知之。」是後魏王畏公子之賢能，不敢任公子以國政。（《史記》〈魏公子列傳〉）

持兩端以觀望

魏安釐王二十年，秦昭王在長平大敗趙軍，隨後進兵邯鄲。魏公子姐姐是平原君的夫人，多次給魏王和公子送信，向魏國請求援助。魏王派將軍晉鄙領兵十萬前往援趙。秦昭王得知消息，隨即派使臣警告魏王說：「我攻克趙國是早晚的事，諸侯中有誰敢救援趙國的，拿下趙國後，一定移兵先攻打它。」魏王很害怕，於是派人阻止晉鄙進軍，讓軍隊在鄴城紮營駐守，名義上是救趙國，實際上是採取兩面倒的策略觀望形勢的發展。平原君使臣的車子連續不斷地趕往魏國，責備魏公子說：「我趙勝之所以自願依託魏國跟魏國聯姻，就是因為公子的慷慨仗義，熱心助人。如今邯鄲危在旦夕，早晚就要投降秦國，然而魏國救兵至今不來，公子的行俠仗義究竟表現在哪裡？再說公子即使不把我趙勝看在眼裡，拋棄我讓我投降秦國，難道就不可憐你的姐姐嗎？」公子為這件事憂慮萬分，屢次請求魏王趕緊出兵，又讓賓客辯士們使出渾身解數勸說魏王。魏王由於害怕秦國，始終不肯採納公子的意見。

【出處】

魏安釐王二十年，秦昭王已破趙長平軍，又進兵圍邯鄲。公子姊為趙惠文王弟平原君夫人，數遺魏王及公子書，請救於魏。魏王使將軍晉鄙將十萬眾救趙。秦王使使者告魏王曰：「吾攻趙旦暮且下，而諸侯敢救者，已拔趙，必移兵先擊之。」魏王恐，使人止晉鄙，留軍壁鄴，名為救趙，實持兩端以觀望。平原君使者冠蓋相屬於魏，讓魏公子曰：「勝所以自附為婚姻者，以公子之高義，為能急人之困。今邯鄲旦暮降秦而魏救不至，安在公子能急人之困也！且公子縱輕勝，棄之降秦，獨不憐公子姊邪？」公子患之，數請魏王，及賓客辯士說王萬端。魏王畏秦，終不聽公子。（《史記》〈魏公子列傳〉）

隱士侯嬴

魏國有個隱士，名叫侯嬴，已經七十歲了，家境貧寒，是大梁城東的看門人。魏公子想結交他，派人送給他一份厚禮。侯嬴推辭說：「我幾十年來節操自守，看門的生活雖然貧困，但也不能無功受祿。」

公子於是大擺酒席，宴請賓客。賓客坐定之後，公子帶著車馬及隨從親自到東門迎接侯嬴。侯先生整理一下破舊的衣帽，徑直上車坐在公子左邊的空位上，毫無謙讓之意。侯先生對公子說：「我有個朋友在街市的屠宰場，希望委屈一下車馬讓我順道看看他。」公子立即駕車前往街市。侯先生下車會見朋友朱亥，一邊聊天，一邊暗暗觀察公子。此時公子府上貴客雲集，高朋滿座，都等著公子舉杯開宴。公子的隨從在心裡責罵侯先生，公子卻面容和藹，恭敬如初。到家後，公子把侯先生領到上位，向全體賓客隆重介紹侯先生。酒興正濃時，公子起身走到侯先生面前為他祝壽。宴會結束後，侯先生便成了公子府上的常客。侯先生對公子說：「朱亥是個賢才，雖然隱身街市做屠夫，但值得結交。」公子多次前往拜見，朱亥也不回拜答謝，公子覺得此人頗為古怪。

【出處】

魏有隱士曰侯嬴，年七十，家貧，為大梁夷門監者。公子聞之，往請，欲厚遺之。不肯受，曰：「臣脩身絜行數十年，終不以監門困故而受公子財。」公子於是乃置酒大會賓客。坐定，公子從車騎，虛左，自迎夷門侯生。侯生攝敝衣冠，直上載公子上坐，不讓，欲以觀公子。公子執轡愈恭。侯生又謂公子曰：「臣有客在市屠中，原枉車騎過之。」公子引車入市，侯生下見其客朱亥，俾倪故久立，與其客語，微察公子。公子顏色愈和。當是時，魏將相宗室賓客滿堂，待公子舉酒。市人皆觀公子執轡。從騎皆竊罵侯生。侯生視公子色終不變，乃謝客就車。至家，公子引侯生坐上坐，遍贊賓客，賓客皆驚。酒酣，公子起，為壽侯生前。侯生因謂公子曰：「今日嬴之為公子亦足矣。嬴乃夷門抱關者也，而公子親枉車騎，自迎嬴於眾人廣坐之中，不宜有所過，今公子故過之。然嬴欲就公子之名，故久立公子車騎市中，過客以觀公子，公子愈恭。市人皆以嬴為小人，而以公子為長者能下士也。」於是罷酒，侯生遂為上客。侯生謂公子曰：「臣所過屠者朱亥，此子賢者，世莫能知，故隱屠間耳。」公子往數請之，朱亥故不復謝，公子怪之。(《史記》〈魏公子列傳〉)

如姬竊符

魏王不肯發兵救趙，鄭公子拼湊了一百輛戰車，率領賓客，打算去同秦軍死拼。公子去向侯嬴道別，侯先生說：「公子努力幹吧，恕老臣不能隨行。」公子走了幾里路，心裡很不舒服，自語說：「我對侯先生畢恭畢敬，訣別之際，老人家竟無隻言片語相告，是我有什麼過錯嗎？」於是掉頭返回。侯先生見到公子便笑著說：「我知道公子會掉頭回來的。」接著說，「公子好客愛士天下聞名，如今有了危難卻拿不出像樣的主意，還要我們這些賓客幹什麼呢？」公子兩次向侯先生拜禮，請教對策。侯先生支開旁人，同公子密談說：「我聽說晉鄙的兵符經常放在魏王臥室裡，魏王妻妾中以如姬最受寵愛，她出入魏王臥室，可以偷出兵符。我還聽說如姬的父親為人所殺，是公子為她報仇雪恨。只要公子肯開口請如姬幫忙，如姬必定答應。得到虎符就能從晉鄙手上接過軍權，北可救趙，西能抵秦，這是春秋五霸的功業啊。」公子聽從侯嬴的計策，懇請如姬幫忙。如姬果然盜出虎符交給了公子。

【出處】

行過夷門，見侯生，具告所以欲死秦軍狀。辭決而行，侯生曰：「公子勉之矣，老臣不能從。」公子行數里，心不快，曰：「吾所以待侯生者備矣，天下莫不聞，今吾且死而侯生曾無一言半辭送我，我豈有所失哉？」復引車還，問侯生。侯生笑曰：「臣固知公子之還也。」曰：「公子喜士，名聞天下。今有難，無他端而欲赴秦軍，譬若以肉投餒虎，何功之有哉？尚安事客？然公子遇臣厚，公子往而臣不送，以是知公子恨之復返也。」公子再拜，因問。侯生乃屏人間語，曰：「嬴聞晉鄙之兵符常在王臥內，而如姬最幸，出入王臥內，力能竊之。嬴聞如姬父為人所殺，如姬資之三年，自王以下欲求報其父仇，莫能得。如姬為公子泣，公子使客斬其仇頭，敬進如姬。如姬之欲為公子死，無所辭，顧未有路耳。公子誠一開口請如姬，如姬必許諾，則得虎符奪晉鄙軍，北救趙而西卻秦，此五霸之伐也。」公子從其計，請如姬。如姬果盜晉鄙兵符與公子。（《史記》〈魏公子列傳〉）

北鄉自剄

魏公子竊得晉鄙兵符，準備前往鄴地奪兵救趙。臨行時，侯嬴叮囑說：「將在外，君令有所不受。公子到達後，如果兩符相合，驗明無誤，晉鄙仍不肯交出兵權，提出請示魏王，事情就危險了。我的朋友屠夫朱亥可以跟您一同前往，這人是個大力士。晉鄙聽從最好；如果拒絕，就讓朱亥擊殺他。」公子聽說，當時就流淚了。侯先生說：

「公子怕死嗎？為什麼哭呢？」公子回答說：「晉鄙是魏國難得的老將，殺他於心不忍，哪裡是怕死呢？」於是帶朱亥上路。公子再次向侯先生辭行。侯先生說：「我本該隨您同行，因年邁力不從心，我會計算您的行程，您到達晉鄙軍部的那天，我會向北刎頸而死，來表達我為公子送行的一片忠心。」到了鄴城，公子拿出兵符假傳魏王命令，令晉鄙交出兵權。晉鄙合了兵符，驗證無誤，卻提出疑議說：「如今我統帥十萬大軍駐紮邊境，這是關乎國家命運的重任，大王卻只派公子一人來接替我，這是怎麼回事呢？」正要拒絕接受命令，朱亥取出藏在衣袖裡的四十斤重鐵椎，一椎擊斃晉鄙。公子於是接管軍隊，向軍中下令說：「父子都在軍隊的，父親回家；兄弟同在軍隊的，長兄回家；沒有兄弟的獨生子，回家奉養雙親。」經過整頓選拔，得到精兵八萬人，隨即開拔前線。秦軍撤離，趙國終於得救。公子與侯先生訣別，到達鄴城軍營的那天，侯先生果然面北刎頸而死。

【出處】

公子行，侯生曰：「將在外，主令有所不受，以便國家。公子即合符，而晉鄙不授公子兵而復請之，事必危矣。臣客屠者朱亥可與俱，此人力士。晉鄙聽，大善；不聽，可使擊之。」於是公子泣。侯生曰：「公子畏死邪？何泣也？」公子曰：「晉鄙嚄唶宿將，往恐不聽，必當殺之，是以泣耳，豈畏死哉？」於是公子請朱亥。朱亥笑曰：「臣乃市井鼓刀屠者，而公子親數存之，所以不報謝者，以為小禮無所用。今公子有急，此乃臣效命之秋也。」遂與公子俱。公子過謝侯生。侯生曰：「臣宜從，老不能。請數公子行日，以至晉鄙軍之日，北鄉自剄，以送公子。」公子遂行。至鄴，矯魏王令代晉鄙。晉鄙合符，疑之，舉手視公子曰：「今吾擁十萬之眾，屯於境上，國之重任，今單車來代之，何如哉？」欲無聽。朱亥袖四十斤鐵椎，椎殺晉鄙，公子遂將晉鄙軍。勒兵下令軍中曰：「父子俱在軍中，父歸；兄弟俱在軍中，兄歸；獨子無兄弟，歸養。」得選兵八萬人，進兵擊秦軍。秦軍解去，遂救邯鄲，存趙。趙王及平原君自迎公子於界，平原君負韊矢為公子先引。趙王再拜曰：「自古賢人未有及公子者也。」當此之時，平原君不敢自比於人。公子與侯生訣，至軍，侯生果北鄉自剄。（《史記》〈魏公子列傳〉）

物有不可忘

趙孝成王感激魏公子假托君命接管晉鄙軍權從而保住趙國的義舉，就與平原君商量，想封賞公子五座城邑。公子得知消息，不覺流露出居功自滿的神色。有門客立即提醒他說：「有些事情不能忘記，有些事情可以忘記。別人對公子有恩，公子不可忘記；公子對別人有德，希望公子忘記。假托魏王命令、奪取兵權救援趙國，這對趙國來說算是有功，但對魏國來說就是另一回事。公子因此居功自傲，我私下認為實在不妥。」公子頓時自責，彷彿無地自容。趙國舉行宴會歡迎公子，宴會上，公子一直謙讓自責，趙王因此不好意思開口談封賞五座城邑的事。最終趙王把鄗邑封賞給了公子，魏王也把信陵邑奉還公子。

【出處】

趙孝成王德公子之矯奪晉鄙兵而存趙，乃與平原君計，以五城封公子。公子聞之，意驕矜而有自功之色。客有說公子曰：「物有不可忘，或有不可不忘。夫人有德於公子，公子不可忘也；公子有德於人，原公子忘之也。且矯魏王令，奪晉鄙兵以救趙，於趙則有功矣，於魏則未為忠臣也。公子乃自驕而功之，竊為公子不取也。」於是公子立自責，似若無所容者。趙王埽除自迎，執主人之禮，引公子就西階。公子側行辭讓，從東階上。自言罪過，以負於魏，無功於趙。趙王侍酒至暮，口不忍獻五城，以公子退讓也。公子竟留趙。趙王以鄗為公子湯沐邑，魏亦復以信陵奉公子。公子留趙。（《史記》〈魏公子列傳〉）

不足從游

盜符救趙後，魏公子留在趙國。他打聽到趙國有兩位高人，一個毛公藏身於賭徒之中，一個薛公藏身在酒店裡，於是想方設法去同兩人交往。會見後，彼此都覺得相見恨晚。平原君知道後，對夫人說：「以前我以為夫人弟弟天下無雙，如今他竟然與賭徒和酒店夥計交往，原來公子只是個無知妄為的人罷了。」夫人把這些話告訴弟弟，公子於是向姐姐告辭說：「以前我聽說平原君賢德，所以背棄魏王而救趙國，滿足了平原君的要求。現在才知道平原君與人交往，只是顯示富貴的豪放而已。從前我在大梁時，就聽說這兩個人賢能有才，到了趙國惟恐不能結識他們。以我的身分，還怕人家不肯接納，現在平原君竟然把與他們的交往視為羞辱，平原君這人不值得結交。」整理行李準備離開。夫人再把公子的話轉告平原君，平原君深感慚愧，趕去向公子脫帽謝罪，真誠挽留。平原君門下的賓客聽到這件事，有一半人離開他投靠魏公子，天下士子皆慕名來投。

【出處】

公子聞趙有處士毛公藏於博徒，薛公藏於賣漿家，公子欲見兩人，兩人自匿不肯見公子。公子聞所在，乃間步往從此兩人游，甚歡。平原君聞之，謂其夫人曰：「始吾聞夫人弟公子天下無雙，今吾聞之，乃妄從博徒賣漿者游，公子妄人耳。」夫人以告公子。公子乃謝夫人去，曰：「始吾聞平原君賢，故負魏王而救趙，以稱平原君。平原君之游，徒豪舉耳，不求士也。無忌自在大梁時，常聞此兩人賢，至趙，恐不得見。以無忌從之游，尚恐其不我欲也，今平原君乃以為羞，其不足從游。」乃裝為去。夫人具以語平原君。平原君乃免冠謝，固留公子。平原君門下聞之，半去平原君歸公子，天下士復往歸公子，公子傾平原君客。（《史記》〈魏公子列傳〉）

兵先臣出

齊、楚兩國聯合攻魏，魏國派人到秦國求救，使者絡繹不絕，秦國的救兵卻一直沒來。魏國有個叫唐雎的人，九十多歲了，對魏王說：「老臣請求到西方去遊說秦王，一定讓秦國的軍隊在我離秦之前出發。」魏王於是安排車輛派他前行。唐雎到達秦國，入宮拜見秦王。秦王說：「老人家疲憊不堪遠來秦國，太辛苦了。魏國多次求救，寡人知道魏國的危急了。」唐雎回答說：「大王明知魏國危急卻不發兵，我私下以為是謀臣無能。魏國是有萬輛戰車的大國，之所以向西侍奉秦國，稱為東方藩屬，接受秦國賜給的衣冠，春秋兩季都向秦國奉獻祭品，是由於秦國的強大足以成為盟國。如今齊、楚的軍隊已經在魏都的郊外會合，秦國卻不發兵相救，也就幸虧魏國還不太危急吧。假如到了特別危急的時候，它就要割地來加入合縱集團了。」於是秦昭王馬上發兵援救魏國。

【出處】

齊、楚相約而攻魏，魏使人求救於秦，冠蓋相望也，而秦救不至。魏人有唐雎者，年九十餘矣，謂魏王曰：「老臣請西說秦王，令兵先臣出。」魏王再拜，遂約車而遣之。唐雎到，入見秦王。秦王曰：「丈人芒然乃遠至此，甚苦矣。夫魏之來求救數矣，寡人知魏之急已。」唐雎對曰：「大王已知魏之急而救不發者，臣竊以為用策之臣無任矣。夫魏，一萬乘之國也，然所以西面而事秦，稱東藩，受冠帶，祠春秋者，以秦之彊足以為與也。今齊、楚之兵已合於魏郊矣，而秦救不發，亦將賴其未急也。使之大急，彼且割地而約從，王尚何救焉。必待其急而救之，是失一東藩之魏而彊二敵之齊、楚，則王何利焉？」於是秦昭王遽為發兵救魏。魏氏復定。（《史記》〈魏世家〉）

魏芒慈母

魏芒慈母是魏國孟陽氏的女兒，芒卯的後妻，生有三個兒子。芒卯前妻有五個兒子，對她都沒有情分。儘管慈母很盡心，但依舊不愛她。慈母於是有意讓自己的兒子在吃穿用度方面跟前妻的孩子拉開差距，以討好前妻的兒子，但前妻的兒子們對她仍舊沒有情感。後來前妻的兒子老三觸犯朝廷的法令，該處死刑。慈母非常難過，衣帶腰圍都減了一尺，四處奔走哀求解除死罪。有人向慈母說：「那些孩子對你毫無感情，你又何必辛苦至此呢？」慈母說：「假如是我的親生兒子，即使不愛我，我也會救他的，怎能對前妻兒子的事袖手旁觀呢？那和一般的普通人有什麼不同？他們的父親就是因為他們失去母愛才娶我的，繼母和母親一樣，不愛兒子哪稱得上慈愛？只愛自己的兒子冷落前妻的兒子，哪稱得上仁義？不慈愛又不仁義的人，如何立足世間呢？他們雖然對我冷漠，我豈能忘記仁義呢？」於是繼續替前妻的三兒子請求免罪。魏安釐王知道此事後，讚賞她的美德說：「有慈母這樣的人，豈能不寬赦她的兒子？」於是寬恕了她兒子的罪過，併除去他們一家的徭役。從此五個兒子個個親近慈母，一家人親愛一團。慈母一步步教導他們禮法和正義。八個兒子後來都各有建樹。

【出處】

魏芒慈母者，魏孟陽氏之女，芒卯之後妻也。有三子。前妻之子有五人，皆不愛慈母。遇之甚異，猶不愛。慈母乃命其三子，不得與前妻子齊衣服飲食，起居進退甚相遠，前妻之子猶不愛。於是前妻中子犯魏王令當死，慈母憂慼悲哀，帶圍減尺，朝夕勤勞以救其罪人。有謂慈母曰：「人不愛母至甚也，何為勤勞憂懼如此？」慈母曰：「如妾親子，雖不愛妾，猶救其禍而除其害，獨於假子而不為，何以異於凡母！其父為其孤也，而使妾為其繼母。繼母如母，為人母而不能愛其子，可謂慈乎！親其親而偏其假，可謂義乎！不慈且無義，何以立於世！彼雖不愛，妾安可以忘義乎！」遂訟之。魏安釐王聞之，高其義曰：「慈母如此，可不救其子乎！」乃赦其子，復其家。自此五子親附慈母，雍雍若一。慈母以禮義之漸，率導八子，咸為魏大夫卿士，各成於禮義。（《列女傳》〈母儀傳〉）

西為趙蔽

秦國將要討伐魏國。魏王聽說，夜裡去見孟嘗君，請教他說：「秦國將要進攻魏國了，您替寡人謀劃一下該怎麼辦。」孟嘗君說：「有諸侯援救的話國家就可以保存。」魏王說：「寡人希望您能出面遊說。」於是鄭重地為孟嘗君準備了百輛馬車。孟嘗君來到趙國，對趙王說：「我希望從趙國借些軍隊去救魏國。」趙王說：「寡人不能借。」孟嘗君說：「我冒昧借兵，是在為大王效忠啊。」趙王說：「可以說給我聽聽嗎？」孟嘗君說：「趙國的軍隊並非比魏國的軍隊戰鬥力強，魏國的軍隊也並非比趙國軍隊的戰鬥力弱。然而趙國的土地沒有年年遭受威脅，百姓沒有年年遭遇死亡的厄運，為什麼？是因為魏國成為趙國西面的屏障和堡壘。現在趙國不援救魏國，魏國就會同秦國歃血結盟，趙國就如同與強大的秦國比鄰了，從此趙國的土地將年年受到威脅，百姓也將年年遭遇死亡的厄運，這就是我忠於大王的表現。」趙王當即為魏國發兵十萬，戰車三百輛。

【出處】

秦將伐魏。魏王聞之，夜見孟嘗君，告之曰：「秦且攻魏，子為寡人謀，奈何？」孟嘗君曰：「有諸侯之救，則國可存也。」王曰：「寡人願子之行也。」重為之約車百乘。孟嘗君之趙，謂趙王曰：「文願借兵以救魏。」趙王曰：「寡人不能。」孟嘗君曰：「夫敢借兵者，以忠王也。」王曰：「可得聞乎？」孟嘗君曰：「夫趙之兵，非能強於魏之兵；魏之兵，非能弱於趙也。然而趙之地不歲危而民不歲死，而魏之地歲危而民歲死者，何也？以其西為趙蔽也。今趙不救魏，魏歃盟於秦，是趙與強秦為界也，地亦且歲危，民亦且歲死矣。此文之所以忠於大王也。」趙王許諾，為趙兵十萬，車三百乘。（《戰國策》〈魏策三〉）

公子不恤

魏公子留在趙國十年不歸。秦國聽說公子滯留趙國，日夜不停地發兵進攻魏國。魏王為此焦慮萬分，派使臣請公子回國。公子擔心魏王惱怒自己，告誡門下賓客說：「有敢替魏王使臣通報傳達的，一律處死。」賓客們大多是跟隨公子背棄魏國來到趙國的，因此也沒有誰敢勸公子回國。這時，毛公和薛公去見公子說：「公子所以在趙國受到尊重，名揚諸侯，這是因為有魏國存在啊。現在秦國進攻魏國，魏國危急而公子竟毫不顧念；假如秦國攻破大梁，將您先祖的宗廟夷為平地，公子還有什麼臉面活在世上呢？」話還沒說完，公子的臉色就變了，囑咐車伕趕快套車回國。

【出處】

公子留趙十年不歸。秦聞公子在趙，日夜出兵東伐魏。魏王患之，使使往請公子。公子恐其怒之，乃誡門下：「有敢為魏王使通者，死。」賓客皆背魏之趙，莫敢勸公子歸。毛公、薛公兩人往見公子曰：「公子所以重於趙，名聞諸侯者，徒以有魏也。今秦攻魏，魏急而公子不恤，使秦破大梁而夷先王之宗廟，公子當何面目立天下乎？」語未及卒，公子立變色，告車趣駕歸救魏。（《史記》〈魏公子列傳〉）

魏公子兵法

魏王把上將軍大印授給魏公子。魏安釐王三十年，公子派使臣把自己擔任上將軍職務一事通報各國諸侯。諸侯各國得知消息，都各自調兵遣將增援魏國。公子率領五國聯軍越過黃河，大敗秦軍，秦將蒙驁敗逃。聯軍進而乘勝追擊直至函谷關，把秦軍壓制在函谷關內，使其不敢出關。當時，公子的聲威震動天下，諸侯各國的賓客紛紛進獻兵法，公子把它們合在一起，世稱《魏公子兵法》。

【出處】

魏王見公子，相與泣，而以上將軍印授公子，公子遂將。魏安釐王三十年，公子使使遍告諸侯。諸侯聞公子將，各遣將將兵救魏。公子率五國之兵破秦軍於河外，走蒙驁。遂乘勝逐秦軍至函谷關，抑秦兵，秦兵不敢出。當是時，公子威振天下，諸侯之客進兵法，公子皆名之，故世俗稱魏公子兵法。（《史記》〈魏公子列傳〉）

有虎狼之心

魏國準備跟隨秦國一同攻打韓國，公子無忌對魏王說：「秦國與戎狄習俗相同，心腸像虎狼一樣狠毒，貪暴好利不守信用，不懂得禮義德行。只要有利可圖，就會將親情拋在一邊，跟禽獸一樣，天下人沒有不知道的，根本不是施恩惠、積德行的國家。秦宣太后雖然是秦昭王的母親，卻因為憂愁而死；穰侯是秦昭王的舅舅，沒有誰的功勞比他大，竟然也被放逐；高陵君、涇陽君兩個弟弟本沒有罪過，卻兩次被剝奪封地。親戚兄弟姊妹之間如此，更何況對於結仇的敵國呢！」

【出處】

魏將與秦攻韓，朱己謂魏王曰：「秦與戎、翟同俗，有虎狼之心，貪戾好利而無信，不識禮義德行。苟有利焉，不顧親戚兄弟，若禽獸耳。此天下之所同知也，非所施厚積德也。故太后母也，而以憂死；穰侯舅也，功莫大焉，而竟逐之；兩弟無罪，而再奪之國。此於其親戚兄弟若此，而又況於仇讎之敵國也！」（《戰國策》〈魏策三〉）

日聞其毀

魏公子從趙國回到魏國後，秦王擔憂公子威脅秦國，動用萬金到魏國行賄，尋找晉鄙過去的門客，讓他們在魏王面前詆毀公子說：「公子流亡在外十年，現在擔任魏國大將，諸侯國的將領都歸他指揮。諸侯們只知道魏國有魏公子而不知道有魏王，公子也有乘機而立的想法。諸侯各國畏懼公子的聲威，正打算共同擁立呢。」秦國多次施行反間計，假裝不知情向公子祝賀問是否已立為魏王。魏王每天聽到誹謗公子的話，不能不信，後來果然派人代替公子擔任上將軍。公子明知因誹謗廢黜，於是託病不再上朝。他在家中與賓客通宵達旦地喝酒，追逐女色尋歡。四年之後，終於因縱酒過度死亡。這一年，魏安釐王也去世了。秦王得知公子已死，立即派蒙驁進攻魏國，攻佔了二十座城邑，開始設立東郡。從此以後，秦國逐漸蠶食魏國領土，十八年後，俘虜魏王假，攻克魏都大梁。

【出處】

秦王患之，乃行金萬斤於魏，求晉鄙客，令毀公子於魏王曰：「公子亡在外十年矣，今為魏將，諸侯將皆屬，諸侯徒聞魏公子，不聞魏王。公子亦欲因此時定南面而王，諸侯畏公子之威，方欲共立之。」秦數使反間，偽賀公子得立為魏王未也。魏王日聞其毀，不能不信，後果使人代公子將。公子自知再以毀廢，乃謝病不朝，與賓客為長夜飲，飲醇酒，多近婦女。日夜為樂飲者四歲，竟病酒而卒。其歲，魏安釐王亦薨。秦聞公子死，使蒙驁攻魏，拔二十城，初置東

有虎狼之心

郡。其後秦稍蠶食魏，十八歲而虜魏王，屠大梁。（《史記》〈魏公子列傳〉）

布衣之怒

秦王派使者對安陵君說：「我想用方圓五百里的土地換取安陵，安陵君可要答應我！」安陵君說：「大王施加恩惠，以大換小，這非常好。但是我從先王那裡繼承了這塊土地，願意始終守著它，不敢換掉。」秦王很不高興。安陵君因此派唐雎出使秦國。秦王對唐雎說：「我拿五百里的土地換取安陵，但安陵君不答應，這是為什麼？秦國消滅了韓國和魏國，只有安陵君憑著五十里的土地生存下來，那是因為我認為他是忠厚長者，所以沒有把他放在心上。如今我拿十倍的土地同安陵君交換，他卻違抗我，這不是看不起我嗎？」唐雎說：「不是這樣的。安陵君從先王手裡繼承了封地並保有它，即使一千里也是不敢換掉的，何況只是五百里？」秦王勃然大怒，對唐雎說：「您可聽說過天子的發怒嗎？」唐雎說：「我沒聽說過。」秦王說：「天子發怒，伏屍百萬，流血千里！」唐雎說：「大王聽說過平民的發怒嗎？」秦王說：「平民的發怒，不過是摘下帽子，光著腳，拿腦袋撞地罷了。」唐雎說：「這是庸人的發怒，不是士人的發怒。當專諸刺殺吳王僚時，彗星遮蓋了月亮；聶政刺殺韓傀時，白虹穿過了太陽；要離刺殺慶忌時，蒼鷹在宮殿上撲擊。這三個人，都是平民中的士人，滿腔的怒氣還沒有發洩出來，預兆就從天而降，加上我就是四個人了。所以士人要發怒，兩具屍首就要倒下，五步之內鮮血四濺，天下人穿白戴孝，今天就要這樣了。」說著便拔出劍站了起來。秦王臉色大變，起身下跪向唐雎道歉說：「先生坐下！何至於這樣呢？我明白了，韓國、魏國最終滅亡，但安陵能憑著五十里土地安然無事，只是因為有先生在啊。」

【出處】

秦王使人謂安陵君曰：「寡人欲以五百里之地易安陵，安陵君其許寡人。」安陵君曰：「大王加惠，以大易小，甚善。雖然，受地於先王，願終守之，弗敢易。」秦王不說。安陵君因使唐且使於秦。秦王謂唐且曰：「寡人以五百里之地易安陵，安陵君不聽寡人，何也？且秦滅韓亡魏，而君以五十里之地存者，以君為長者，故不錯意也。今吾以十倍之地請廣於君，而君逆寡人者，輕寡人與？」唐且對曰：「否，非若是也。安陵君受地於先王而守之，雖千里不敢易也，豈直五百里哉？」秦王怫然怒，謂唐且曰：「公亦嘗聞天子之怒乎？」唐且對曰：「臣未嘗聞也。」秦王曰：「天子之怒，伏屍百萬，流血千里。」唐且曰：「大王嘗聞布衣之怒乎？」秦王曰：「布衣之怒，亦免冠徒跣，以頭搶地爾。」唐且曰：「此庸夫之怒也，非士之怒也。夫專諸之刺王僚也，彗星襲月；聶政之刺韓傀也，白虹貫日；要離之刺慶忌也，蒼鷹擊於殿上。此三子者，皆布衣之士也，懷怒未發，休祲降於天，與臣而將四矣。若士必怒，伏屍二人，流血五步，天下縞素，今日是也。」挺劍而起。秦王色撓，長跪而謝之曰：「先生坐，何至於此！寡人諭矣。夫韓、魏滅亡，而安陵以五十里之地存者，徒以有先生也。」（《戰國策》〈魏策四〉）

以因嫪毒

秦國加緊進攻魏國。有人對魏王說：「因戰敗而放棄土地不如用土地賄賂容易，因被圍困使土地成為死地不如放棄土地。能放棄土地，而不使用土地進行賄賂，能使土地成為死地而不能放棄，這是人的大錯。現在大王失去土地數百里，丟掉城邑幾十座，而國家的禍患依然沒有解除，這是大王沒有利用土地的結果。現在秦國強大，天下無敵，魏國弱小，因此招來秦國的進攻，大王又只能把土地變成死地而不肯放棄，這是極嚴重的錯誤。現在大王如能採用臣下的計策，失去一些土地不至於損害國家，輕賤自己的身軀不至於皮肉受苦，而且還可以解除禍患，報仇雪恨。現在秦國朝野都在議論：『秦王是親近嫪毒呢？還是親近呂不韋？』現在大王割讓土地來賄賂秦國，把它作為嫪毒的功勞；輕賤自身來尊奉秦國，投靠嫪毒。大王用國家來贊助嫪毒，臣下認為嫪毒會獲勝。大王用國家贊助嫪毒，秦太后一定會感激大王的恩德，這種感激會深及骨髓，大王得到的交情一定是天下最上等的。由於嫪毒而同秦國親善，獲得天下上等的邦交，天下人誰會不拋棄呂不韋而去跟從嫪毒呢？天下諸侯捨棄呂不韋而跟從嫪毒，大王的怨仇也就報了。」

【出處】

秦攻魏急。或謂魏王曰：「棄之不如用之之易也，死之不如棄之之易也。能棄之弗能用之，能死之弗能棄之，此人之大過也。今王亡地數百里，亡城數十，而國患不解，是王棄之，非用之也。今秦之強也，天下無敵，而魏之弱也甚，而王以是質秦，王又能死而弗能棄之，此重過也。今王能用臣之計，虧地不足以傷國，卑體不足以苦身，解患而怨報。秦自四境之內，執法以下至於長輓者，故畢曰：『與嫪氏乎？與呂氏乎？』雖至於門閭之下，廊廟之上，猶之如是也。今王割地以賂秦，以為嫪毐功；卑體以尊秦，以因嫪毐。王以國贊嫪毐，以嫪毐勝矣。王以國贊嫪氏，太后之德王也，深於骨髓，王之交最為天下上矣。秦、魏百相交也，百相欺也。今由嫪氏善秦而交為天下上，天下孰不棄呂氏而從嫪氏？天下必合呂氏而從嫪氏，則王之怨報矣。」（《戰國策》〈魏策四〉）

天下之亡國皆然

秦始皇八年，有人對魏王說：「從前曹國依仗齊國而輕視晉國，晉國乘齊國討伐萊、莒之機擊破曹國；繒國依仗齊國抗拒越國，越國趁齊國發生和子之亂趁機滅亡了繒國；鄭國依仗魏國輕視韓國，韓國趁魏國攻打榆關之機滅掉了鄭國；原國依仗秦人、狄人而輕視晉國，晉人趁秦、狄出現凶災時攻取原國；中山國依仗齊國、魏國而輕視趙國，後來趙國趁齊、魏兩國討伐楚國之機攻佔了中山。這五個國家之所以亡國，都是因為自以為有所依靠。不但這五個國家是這樣，天下所有滅亡的國家莫不如此。希望依仗別國的力量來保全自己，多半是不靠譜的，因為其中的變故太多。或因為缺乏政治教化，上下傾軋而不可以依靠；或因為諸侯鄰國狡詐而不可以依靠，或因為年成不好積蓄用盡不可以依靠。有的國家在利益面前改變立場，有的國家自身難保。因此臣下知道，不可以過於依仗別國。現在大王依仗楚國的強大而聽信春申君來對抗秦國，結果很難預料。假如春申君有變故，大王就將獨自承受秦國的禍患了。大王雖然擁有萬乘之國，卻唯春申君一人的意旨是從。臣下認為這不是萬全之計，望大王深思。

【出處】

八年，（闕文）謂魏王曰：「昔曹恃齊而輕晉，齊伐釐、莒而晉人亡曹。繒恃齊以悍越，齊和子亂而越人亡繒。鄭恃魏以輕韓，伐榆關而韓氏亡鄭。原恃秦、翟以輕晉，秦、翟年穀大凶而晉人亡原。中山恃齊、魏以輕趙，齊、魏伐楚而趙亡中山。此五國所以亡者，皆其所恃也。非獨此五國為然而已也，天下之亡國皆然矣。夫國之所以不可恃者多，其變不可勝數也。或以政教不修，上下不輯，而不可恃者；或有諸侯鄰國之虞，而不可恃者；或以年穀不登，稸積竭盡，而不可恃者；或化於利，比於患。臣以此知國之不可必恃也。今王恃楚之強，而信春申君之言，以是質秦，而久不可知。即春申君有變，是王獨受秦患也。即王有萬乘之國，而以一人之心為命也，臣以此為不完，願王之熟計之也。」[5]（《戰國策》〈魏策四〉）

寧用臧為司徒

魏王派孟卬割讓絳、汾、安邑等地給秦王。秦王很高興，讓起賈為孟卬向魏王請求司徒的職位。魏王很不高興，回答起賈說：「孟卬

5. 此處魏王或為魏景湣王。

是我的臣子。我寧肯用奴僕當司徒也不用孟卬。希望大王另擇他人詔示我。」起賈出來，在庭院裡遇到孟卬。孟卬說：「您說的事情怎麼樣？」起賈說：「您的君主太輕視您了，說寧肯用奴僕當司徒也不用您。」孟卬進去謁見，對魏王說：「秦國客人說什麼？」魏王說：「為你請求司徒的職位。」孟卬問說「您怎樣回答？」魏王說：「我說寧肯用奴僕也不用你。」孟卬長嘆說：「您受秦國的控制是應該的。秦國善待我，您有什麼好猜疑的？把絳、汾、安邑的地圖讓牛馱著獻給秦國，秦國對牛都會友好。我雖然不賢，竟連牛也不如嗎？況且，您讓三位將軍先去秦國為我致意，說『對待孟卬如同我一樣』，這是重視我啊。如今您輕視我，以後讓我去向秦國索求答應過的東西，我再有能耐，還能辦到嗎？」三天之後，魏王答應了起賈的請求。

【出處】

魏令孟卬割絳、窬、安邑之地以與秦王。王喜，令起賈為孟卬求司徒於魏王。魏王不說，應起賈曰：「卬，寡人之臣也。寡人寧以臧為司徒，無用卬。願大王之更以他人詔之也。」起賈出，遇孟卬於廷，曰：「公之事何如？」起賈曰：「公甚賤子公之主。公之主曰：『寧用臧為司徒，無用公。』」孟卬入見，謂魏王曰：「秦客何言？」王曰：「求以女為司徒。」孟卬曰：「王應之謂何？」王曰：「寧以臧，無用卬也。」孟卬太息曰：「宜矣王之制於秦也。王何疑秦之善臣也。以絳、窬、安邑令負牛書與秦，猶乃善牛也。卬雖不肖，獨不如牛乎。且王令三將軍為臣先，曰視卬如身，是臣重也。令二輕臣也，令臣責，卬雖賢，固能乎。」居三日，魏王乃聽起賈。（《呂氏春秋》〈審應覽・應言〉）

丈人智惑

梁國北部叫黎丘的地方有個奇鬼，喜歡模仿人的兄弟子孫的樣子。邑裡有個老頭趕集，喝醉了酒回家，奇鬼模仿他兒子的樣子攙扶他回家，在路上不停地折騰他。老頭回到家裡，酒醒後責問兒子說：「我身為你的父親，難道說不夠慈愛嗎？我喝醉了，你在路上有意折磨我，為什麼？」兒子跪在地上哭著磕頭說：「沒有的事啊。您肯定遇到鬼怪了。昨天我去東邑討債，你可以問人家。」父親相信兒子，感悟說：「這一定是那個奇鬼作祟，我早就聽人說起過它。」第二天老頭特意又到集上喝酒，且隨身帶了一把利劍，希望再次遇見奇鬼，將其殺死除害。兒子見父親天亮就去趕集，怕他喝多了回不了家，就去接他。老頭在半路上遇見兒子，以為遇到奇鬼，拔劍就刺，結果殺死了自己的兒子。老人的心智被奇鬼裝扮兒子的假相所迷惑，結果卻殺死了真正的兒子。那些被假賢士迷惑的人，就會錯過真正的賢士，這種人的智商就跟黎丘老人差不多。對看似相似的現象，不可不慎重考察，要找熟悉情況的行家裡手了解情況。即使舜做車伕，堯做主人，禹做車右，進入草澤也要詢問牧童，到了水邊也要詢問漁夫。為什麼呢？因為這些人對情況最為了解。孿生子女長得很像，他們的母親一眼就能識別，因為母親對子女最為了解。

【出處】

梁北有黎丘部，有奇鬼焉，喜效人之子侄昆弟之狀，邑丈人有之市而醉歸者。黎丘之鬼效其子之狀，扶而道苦之。丈人歸，酒醒，而誚其子曰：「吾為汝父也，豈謂不慈哉。我醉，汝道苦我，何故。」其子泣而觸地曰：「孽矣。無此事也。昔也往責於東邑，人可問也。」其父信之，曰：「嘻。是必夫奇鬼也。我固嘗聞之矣。」明日端復飲於市，欲遇而刺殺之。明旦之市而醉，其真子恐其父之不能反也，遂逝迎之。丈人望其真子，拔劍而刺之。丈人智惑於似其子者，而殺於真子。夫惑於似士者而失於真士，此黎丘丈人之智也。疑似之跡，不可不察，察之必於其人也。舜為御，堯為左，禹為右，入於澤而問牧童，入於水而問漁師，奚故也。其知之審也。夫人子之相似者，其母常識之，知之審也。（《呂氏春秋》〈慎行論・疑似〉）

委國於趙

芮宋想斷絕秦、趙兩國的邦交，於是讓魏國收回了供養秦太后的土地。秦王大怒。芮宋對秦王說：「魏國把國家託付給大王，大王卻不接受，所以只好託付給趙國。李郝對臣下說：『您說同秦國沒有聯繫了，卻仍用土地供養秦太后，這是欺騙我。』因此敝國收回了土地。」秦王大怒，於是斷絕了同趙國的邦交。

【出處】

芮宋欲絕秦、趙之交，故令魏氏收秦太后之養地秦王於秦。芮宋謂秦王曰：「魏委國於王，而王不受，故委國於趙也。李郝謂臣曰：『子言無秦，而養秦太后以地，是欺我也，故敝邑收之。』」秦王怒，遂絕趙也。（《戰國策》〈魏策四〉）

魏節乳母

魏節乳母，是魏公子的乳母。秦國攻打魏國，殺死魏王瑕和諸公子，只有一位公子隨節乳母走脫。秦軍下令說：「有捉到魏公子的賞金千鎰，匿藏者滅其全族。」魏國的老臣看見節乳母，認出她說：「乳母還好嗎？」乳母說：「唉，我把公子怎麼辦啊？」老臣說：「公子在哪裡？我聽說秦國下令，能捉到公子的賞千鎰金，窩藏的滅族。乳母如果說出公子藏身之處，就可以得到千金。要是知道不說，你家族都得殺光啊。」乳母說：「唉，我不知道公子在哪裡。」老臣說：「我聽說公子是和乳母一起逃跑的。」乳母說：「我即便知道也不會說的。」老臣說：「如今魏國已亡，族也滅了，你藏著他為了誰呢？」乳母嘆氣說：「看見利益就背叛尊主的是逆，怕死就拋棄正義是亂，靠逆亂來牟求利益，我做不到。再說幫人家撫養孩子，就應該讓他活著而不是害死他。怎麼能貪圖厚賞、懼怕誅殺，就拋棄正義而背叛變節呢？我不能眼睜睜看著公子被擒。」於是抱著公子逃往大澤深處。老臣把消息告訴秦軍，秦軍追趕，爭著放箭，乳母用身子掩護公子，身中數十箭，和公子都死了。秦王聽說後，為乳母的忠義所感，於是以公卿之禮埋葬她，以太牢之禮祭祀，又尊寵她的兄長作為五大夫，賞金百鎰。

【出處】

魏節乳母者，魏公子之乳母。秦攻魏，破之，殺魏王瑕，誅諸公子，而一公子不得，令魏國曰：「得公子者，賜金千鎰。匿之者，罪至夷。」節乳母與公子俱逃，魏之故臣見乳母而識之曰：「乳母無恙乎？」乳母曰：「嗟乎！吾奈公子何？」故臣曰：「今公子安在？吾聞秦令曰：『有能得公子者，賜金千鎰。匿之者，罪至夷。』乳母倘言之，則可以得千金。知而不言，則昆弟無類矣。」乳母曰：「吁！吾不知公子之處。」故臣曰：「我聞公子與乳母俱逃。」母曰：「吾雖知之，亦終不可以言。」故臣曰：「今魏國已破，亡族已滅。子匿之，尚誰為乎？」母吁而言曰：「夫見利而反上者，逆也。畏死而棄義者，亂也。今持逆亂而以求利，吾不為也。且夫凡為人養子者務生之，非為殺之也。豈可利賞畏誅之故，廢正義而行逆節哉！妾不能生而令公子禽也。」遂抱公子逃於深澤之中。故臣以告秦軍，秦軍追，見爭射之，乳母以身為公子蔽，矢著身者數十，與公子俱死。秦王聞之，貴其守忠死義，乃以卿禮葬之，祠以太牢，寵其兄為五大夫，賜金百鎰。（《列女傳》〈卷之五節義傳〉）

附　中山國卷

中山國是古代嵌在燕趙之間（位於今河北省中部太行山東麓一帶）的國家，因城中有山得名。由西周桓公之子建立，國史包括戎狄、鮮虞、中山三個發展階段，相應也經歷了邢侯搏戎、晉侯抗鮮虞、魏滅中山等階段。魏滅中山後，中山國殘餘退入太行山中，桓公經過二十餘年的勵精圖治，於西元前三八〇年前後重新復國，定都靈壽（今河北平山三汲附近）。西元前二九六年，中山為趙武靈王（主父）所滅。

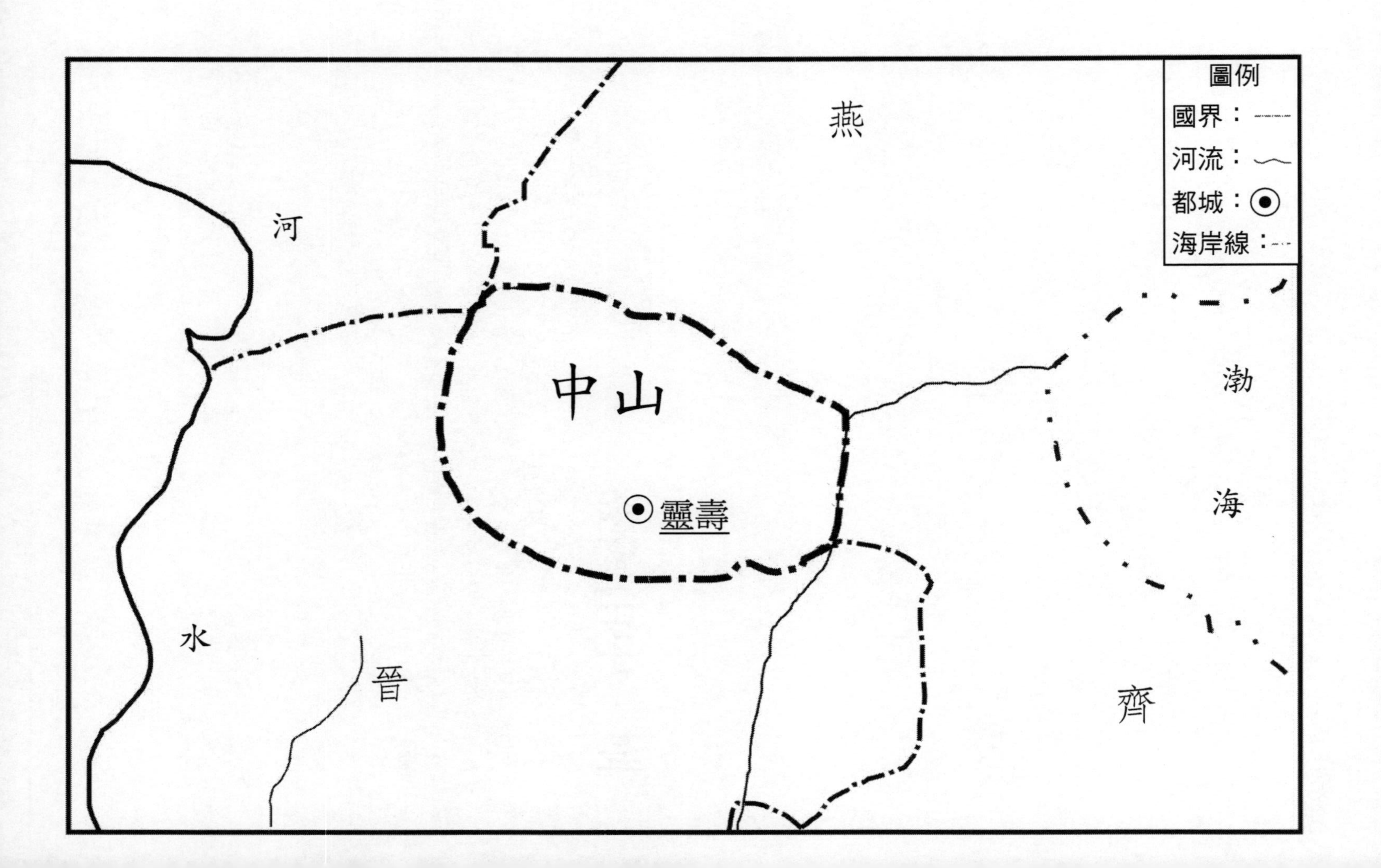
圖例
國界：
河流：
都城：
海岸線：
燕
河
中山
靈壽
渤
海
水
晉
齊

出不反舍

魯丹多次遊說中山國的君主，意見總不被採納，於是散發五十金賄賂國君身邊的近臣。再見君主時，還沒開口說話，君主就設宴招待他。魯丹出來後連住所也沒回，就直接離開了中山。他的車伕問：「這次見面，剛開始對我們挺好，為什麼要離開呢？」魯丹說：「聽了他人的話才對我友好，也一定會因他人的話對我不好。」魯丹還沒走出國境，公子就中傷他說：「魯丹是為趙國來刺探中山國的。」中山國君因此安排抓捕並加罪於他。

【出處】

魯丹三說中山之君而不受也，因散五十金事其左右。復見，未語，而君與之食。魯丹出，而不反舍，遂去中山。其御曰：「及見，乃始善我。何故去之？」魯丹曰：「夫以人言善我，必以人言罪我。」未出境，而公子惡之曰：「為趙來間中山。」君因索而罪之。（《韓非子》〈說林上〉）

利害之柄

中山國的相國樂池率一百乘車子出使趙國，挑選門客中有才能的人為領隊，中途車馬散亂了。樂池說：「我認為你很有才能，才安排你做領隊，現在中途隊列亂了，為什麼呢？」門客聽他這麼說話，就要辭別，說：「您不懂得管理原則。有威勢足以制服人，有利益足以鼓勵人，所以能夠管理好。現在我是您年少位卑的門客。由年少的管理年長的，由位卑的管理位尊的，又不能掌握賞罰的權柄來制約他們，這才導致了隊列散亂。假如讓我有權，對表現好的我能封為卿相，表現差的我能砍下他們的腦袋，哪有管不好的道理呢？」

【出處】

中山之相樂池以車百乘使趙，選其客之有智能者以為將行，中道而亂，樂池曰：「吾以公為有智，而使公為將行，今中道而亂何也？」客因辭而去曰：「公不知治，有威足以服人，而利足以勸之，故能治之。今臣，君之少客也。夫從少正長，從賤治貴，而不得操其利害之柄以制之，此所以亂也。嘗試使臣彼之善者我能以為卿相，彼不善者我得以斬其首，何故而不治？」（《韓非子》〈內儲說上・七術〉）

中山之君

季辛和爰騫相互怨恨。司馬喜和季辛關係惡化，就暗地派人殺死了爰騫。中山國君主以為是季辛幹的，於是就殺了季辛。

【出處】

季辛與爰騫相怨，司馬喜新與季辛惡，因微令人殺爰騫，中山之君以為季辛也，因誅之。（《韓非子》〈內儲說下・六微〉）

夜燒芻廄

中山國有個地位低下的公子，他的馬很瘦，車很破。有個和他私下不和的近侍，就替他向國君請求說：「公子很貧困，他的馬很瘦，大王為什麼不增加他的馬料？」國君不答應。近侍於是暗中派人在晚上燒了草庫馬棚。國君認為是這個地位低下的公子幹的，就處死了他。

【出處】

中山有賤公子，馬甚瘦，車甚弊，左右有私不善者，乃為之請王曰：「公子甚貧，馬甚瘦，王何不益之馬食？」王不許，左右因微令夜燒芻廄，王以為賤公子也，乃誅之。（《韓非子》〈內儲說下・六微〉）

中山復立

魏文侯想滅掉中山國。常莊談對趙襄子說：「魏國如果吞併中山，趙國也將不復存在。您何不請求魏文侯，讓他的女兒做您的正妻，趁機把她封在中山，這樣中山就可以繼續存在。」

【出處】

魏文侯欲殘中山。常莊談謂趙襄子曰：「魏並中山，必無趙矣。公何不請公子傾以為正妻，因封之中山，是中山復立也。」（《戰國策》〈中山策〉）

犀首立五王

魏將犀首擁立齊、趙、魏、燕、中山五國國君為王，中山國在最後。齊王對趙、魏兩國說：「寡人羞與跟中山君一起稱王，希望與各大國共同討伐他，廢掉他的王號。」中山君聽說後非常害怕，召見張登說：「寡人只是害怕國家被滅，並不在乎那個王號，有什麼辦法可以救我呢？」張登回答說：「您為臣下多備車輛和豐厚的禮物，臣下去拜會田嬰。」張登見到田嬰說：「臣下聽說您要廢掉中山君的王號，準備同趙、魏兩國一起攻打中山？您錯了。以中山這樣的小國，三個大國去攻打它，必定亡國無疑。中山君害怕，一定會為趙、魏兩國廢掉王號，竭力依附它們。您這等於是為趙、魏兩國趕羊。何不讓中山君廢掉王號來侍奉齊國呢？」田嬰說：「該怎麼辦呢？」張登說：「現在您不妨召見中山君允許他稱王。中山君一高興，就會斷絕與趙、魏兩國的邦交。趙、魏兩國發怒攻打中山，中山君就會知道大國並不願同他一道稱王。中山君感到害怕，就會為您廢掉王號侍奉齊國。他擔心自己的國家被滅，這樣您既廢掉了他的王號，同時還保存了中山，不比為趙、魏兩國趕羊好得多嗎？」田嬰說：「好的。」張醜反對說：「不能這樣做。我聽說，欲望相同的人互相憎恨，憂慮相似的人互相親近。現在五國相互稱王，而齊國不願同中山同時稱王，這樣看來，大家的欲望都在稱王上，只是擔心齊國干預。現在您召見中山君，與他會晤並允許他稱王，這是侵奪四國的利益而使齊國獲得好處，其他大國一定會感到心寒。同中山親近卻失去三國的信賴，這是得不償失的事情。再說張登，一直以來都在為中山君出謀劃策，很難相信他會給齊國帶來好處。」田嬰不聽，真的召見中山君並允許他稱王。於是張登對趙、魏兩國說：「齊國將要進攻你們的河東。我怎麼知道的呢？齊國本來不願意與中山同時稱王，現在召見中山君允許稱王，不過是想利用中山國的軍隊，這哪比得上你們同中山君先稱王，來阻止他們的親近呢？」趙、魏兩國於是也同中山君相互稱王，主動親近。中山隨後就與齊國斷交，轉而與趙、魏兩國聯合。

【出處】

犀首立五王，而中山後持。齊謂趙、魏曰：「寡人羞與中山並為主，願與大國伐之，以廢其王。」中山聞之，大恐。召張登而告之曰：「寡人且王，齊謂趙、魏曰，羞與寡人並為王，而欲伐寡人。恐亡其國，不在索王。非子莫能吾救。」登對曰：「君為臣多車重幣，臣請見田嬰。」中山之君遣之齊。見嬰子曰：「臣聞君欲廢中山之王，將與趙、魏伐之，過矣。以中山之小，而三國伐之，中山雖益廢王，猶且聽也。且中山恐，必為趙、魏廢其王而務附焉。是君為趙、魏驅羊也，非齊之利也。豈若中山廢其王而事齊哉？」田嬰曰：「奈何？」張登曰：「今君召中山，與之遇而許之王，中山必喜而絕趙、魏。趙、魏怒而攻中山，中山急而為君難其王，則中山必恐，為君廢王事齊。彼患亡其國，是君廢其王而亡其國，賢於為趙、魏驅羊也。」田嬰曰：「諾。」張醜曰：「不可。臣聞之，同欲者相憎，同憂者相親。今五國相與王也，負海不與焉。此是欲皆在為王，而憂在負海。今召中山，與之遇而許之王，是奪五國而益負海也。致中山而塞四國，四國寒心，必先與之王而故親之。是君臨中山而失四國也。且張登之為人也，善以微計薦中山之君久矣，難信以為利。」田嬰不聽。果召中山君而許之王。張登因謂趙、魏曰：「齊欲伐河東。何以知之？齊羞與中山之為王甚矣，今召中山，與之遇而許之王，是欲用其兵也。豈若令大國先與之王，以止其遇哉？」趙、魏許諾，果與中山王而親之。中山果絕齊而從趙、魏。（《戰國策》〈中山策〉）

其所存之

中山國與燕、趙兩國相互稱王。齊國封鎖關隘，不接納中山國使者，並且聲稱：「齊國是擁有萬輛兵車的大國，中山只是千輛小國，怎麼能和我們齊名呢？」齊國想割讓平邑來賄賂燕、趙，聯合出兵攻打中山。中山相國藍諸君很擔憂。張登說：「您有什麼好擔憂的呢？」藍諸君說：「齊國強大，燕、趙兩國輕於背約、貪求土地，如果三國聯合攻打我國，重則滅國，輕則廢王號，怎麼能不擔心呢？」張登說：「現在假設您是齊王，我來說服您；如果可以，就這樣做。」藍諸君說：「願意聽聽您的說法。」張登說：「大王所以不惜割讓土地賄賂燕國和趙國、出兵攻打中山的目的，不就是想廢掉中山君的王號嗎？割地賄賂燕、趙是增強敵人的力量，出兵攻打中山是首先挑起戰禍，不一定能得到自己想要的東西。如果採用我的方法，土地不用割讓，軍隊不須出動，中山君的王號就可以廢掉。」藍諸君說：「您有什麼方法呢？」張登說：「請大王派遣特使去對中山君說：『寡人所以封鎖關隘不與中山通使，是因為中山同燕、趙兩國稱王而不讓寡人知道這件事。假如中山君能屈駕來見我，我肯定會支持您的。』中山君擔心燕、趙不支持自己，現在大王傳話說『馬上支持中山君稱王』，中山君一定會暗中迴避燕、趙而與大王相見。燕、趙兩國聽說後一定會氣憤地與中山斷交，大王也趁此與中山斷交。這樣中山國就孤立了，孤立無援還怎麼稱王呢？用這些話遊說齊王，齊王能夠聽信嗎？」藍諸君說：「齊王一定會聽信，這是廢掉王號的辦法，用什麼方法可以保存王號呢？」張登說：「這就是保存王號的辦法啊。齊王用這番話來說中山君，就把這番話轉告給燕、趙兩國，使它們同齊國不再來往，加深中山同燕、趙兩國的交情。燕、趙兩國一定會說：『齊國割讓平邑賄賂我們，並不是想廢除中山君的王號，只是想離間我們同中山的關係，自己好去親近中山國。』即使割讓一百個平邑，燕、趙兩國也一定不會接受的。」藍諸君說：「太好了。」於是派張登前往齊國遊說。中山於是轉告燕、趙兩國不同齊國往來，燕、趙兩國果然一同輔助中山，中山君的王號因此保住了。

【出處】

中山與燕、趙為王，齊閉關不通中山之使，其言曰：「我萬乘之國也，中山千乘之國也，何侔名於我？」欲割平邑以賂燕、趙，出兵以攻中山。藍諸君患之。張登謂藍諸君曰：「公何患於齊？」藍諸君曰：「齊強，萬乘之國，恥與中山侔名，不憚割地以賂燕、趙，出兵以攻中山。燕、趙好位而貪地，吾恐其不吾據也。大者危國，次者廢王，奈何吾弗患也？」張登曰：「請令燕、趙固輔中山而成其王，事遂定。公欲之乎？」藍諸君曰：「此所欲也。」曰：「請以公為齊王而登試說公。可，乃行之。」藍諸君曰：「願聞其說。」登曰：「王之所以不憚割地以賂燕、趙，出兵以攻中山者，其實欲廢中山之王也。王曰：『然』。然則王之為費且危。夫割地以賂燕、趙，是強敵也；

出兵以攻中山，首難也。王行二者，所求中山未必得，王如用臣之道，地不虧而兵不用，中山可廢也。王必曰：『子之道奈何？』」藍諸君曰：「然則子之道奈何？」張登曰：「王發重使，使告中山君曰：『寡人所以閉關不通使者，為中山之獨與燕、趙為王，而寡人不與聞焉，是以隘之。王苟舉趾以見寡人，請亦佐君。』中山恐燕趙之不己據也，今齊之辭云『即佐王』，中山必遁燕、趙，與王相見。燕、趙聞之，怒絕之，王亦絕之，是中山孤，孤何得無廢。以此說齊王，齊王聽乎？」藍諸君曰：「是則必聽矣，此所以廢之，何在其所存之矣。」張登曰：「此王所以存者也。齊以是辭來，因言告燕、趙而無往，以積厚於燕、趙。燕、趙必曰：『齊之欲割平邑以賂我者，非欲廢中山之王也，徒欲以離我於中山而己親之也。』雖百平邑，燕、趙必不受也。」藍諸君曰：「善。」遣張登往，果以是辭來。中山因告燕、趙而不往，燕、趙果俱輔中山而使其王。事遂定。（《戰國策》〈中山策〉）

公無內難

司馬憙擔任中山國的相國，中山君的寵姬陰簡屢屢刁難他。田簡對司馬憙說：「趙國使者來中山打探消息時，可以向他說說陰簡的美貌啊！這樣趙王就會要求得到陰簡，如果君王把陰簡送給趙王，您就沒有內患了。如果君王捨不得陰簡，您就趁機奉勸君王立陰簡為正妻，陰簡一定會對您感激不盡。」司馬憙果然讓趙國求娶陰簡，中山君不給。司馬憙說：「您拒絕把陰簡送給趙國，趙王一定會生氣；趙王生氣，您的處境就很危險。既然如此，何不立陰簡為正妻呢？世上還沒有討要別人正妻、討不到就怨恨人家的道理。」

【出處】

司馬憙三相中山，陰簡難之。田簡謂司馬憙曰：「趙使者來屬耳，獨不可語陰簡之美乎？趙必請之，君與之，即公無內難矣。君弗與趙，公因勸君立之以為正妻。陰簡之德公，無所窮矣。」果令趙請，君弗與。司馬憙曰：「君弗與趙，趙王必大怒；大怒則君必危矣。然則立以為妻，固無請人之妻不得而怨人者也。」（《戰國策》〈中山策〉）

一杯羊羹

中山國國君宴請都城的士人，大夫司馬子期也在其中。因為沒有分到羊羹，司馬子期憤怒地離開中山投奔楚國，並說服楚王攻打中山。中山君為之逃亡，有兩個人拎著武器跟在身後。中山君回頭問二人說：「你倆為什麼跟著我？」兩人回答說：「我們的父親有一次快要餓死了，您賞給他一壺熟食。父親臨死時說：『中山君有了危難，你們一定要為他效死。』所以特來效命報恩。」中山君仰天長嘆說：「給予不在多少，在於人當危難之際；怨恨不在深淺，在於是否傷心。我因為一杯羊羹亡國，也因一壺熟食得到兩個勇士。」

【出處】

中山君饗都士，大夫司馬子期在焉。羊羹不遍，司馬子期怒而走於楚，說楚王伐中山，中山君亡。有二人挈戈而隨其後者，中山君顧謂二人：「子奚為者也？」二人對曰：「臣有父，嘗餓且死，君下壺飡餌之。臣父且死，曰：『中山有事，汝必死之。』故來死君也。」中山君喟然而仰嘆曰：「與不期眾少，其於當厄；怨不期深淺，其於傷心。吾以一杯羊羹亡國，以一壺飡得士二人。」（《戰國策》〈中山策〉）

食子求法

樂羊為魏國將領，率兵攻打中山國。他的兒子當時正在中山，中山國君把樂羊的兒子殺了，做成肉羹送給樂羊，以擾亂他的心志。樂羊非常鎮靜地把肉羹吃了。古往今來人們一直稱頌說：樂羊食子以堅定必勝的信心，即使有損為父之道，也要保全軍法的尊嚴。

【出處】

樂羊為魏將，攻中山。其子時在中山，中山君烹之，作羹至於樂羊。樂羊食之。古今稱之：樂羊食子以自信，明害父以求法。（《戰國策》〈中山策〉）

昌明文庫．悅讀國學　A0602020

國學經典故事：趙國　魏國卷

主　　編　萬安培
版權策畫　李煥芹

發 行 人　林慶彰
總 經 理　梁錦興
總 編 輯　張晏瑞
編 輯 所　萬卷樓圖書股份有限公司
排　　版　菩薩蠻數位文化有限公司
印　　刷　百通科技股份有限公司
封面設計　菩薩蠻數位文化有限公司

出　　版　昌明文化有限公司
桃園市龜山區中原街 32 號
電話　(02)23216565
發　　行　萬卷樓圖書股份有限公司
臺北市羅斯福路二段 41 號 6 樓之 3
電話　(02)23216565
傳真　(02)23218698
電郵　SERVICE@WANJUAN.COM.TW
大陸經銷　廈門外圖臺灣書店有限公司
電郵　JKB188@188.COM

ISBN 978-986-496-554-0
2020 年 2 月初版
定價：新臺幣 560 元

如何購買本書：
1. 轉帳購書，請透過以下帳戶
合作金庫銀行　古亭分行
戶名：萬卷樓圖書股份有限公司
帳號：0877717092596
2. 網路購書，請透過萬卷樓網站
網址　WWW.WANJUAN.COM.TW
大量購書，請直接聯繫我們，將有專人為您服務。客服：(02)23216565　分機 610

國家圖書館出版品預行編目資料

國學經典故事 : 趙國 魏國卷 / 萬安培主編. -- 初版. -- 桃園市 : 昌明文化出版 ; 臺北市 : 萬卷樓發行, 2020.02
面 ;　公分. -- (昌明文庫 ; A0602020)
ISBN 978-986-496-554-0(平裝)

1.漢學 2.通俗作品

030　　109002908